D1264334

Métamédecine

Les outils thérapeutiques

DISTRIBUTEURS:

Pour le Québec:
DIFFUSION RAFFIN
29, rue Royal
Le Gardeur, Québec G5Z 4Z3
Tél.: (450) 585-9909
Télécopieur: (450) 585-0066

Pour la France & la Belgique:
D.G.DIFFUSION
ZI de Bogues
31750 Escalquens France
Tél.: 05.61.000.999
Télécopieur: 05.61.00.23.12

Pour la Suisse:
DIFFUSION TRANSAT S.A.
Route des Jeunes, 4ter, C.P. 125
1211 Genève 26
Tél.: (41.22) 342.77.40
Télécopieur: (41.22) 343.46.46

Métamédecine
Les outils thérapeutiques

Claudia Rainville

LES ÉDITIONS FRJ

Du même auteur:
aux Éditions FRJ inc. http://www.metamedecine.com

RENDEZ-VOUS DANS LES HIMALAYAS (Tome I)
Ma quête de vérité
RENDEZ-VOUS DANS LES HIMALAYAS (Tome II)
Les enseignements
MÉTAMÉDECINE DES RELATIONS AFFECTIVES
Guérir de son passé
MÉTAMÉDECINE DU COUPLE
Réussir sa vie amoureuse
MÉTAMÉDECINE
La guérison à votre portée

aux Éditions Jouvence en Suisse :

JE ME CRÉE UNE VIE FORMIDABLE !

aux Éditions Quintessence en France :

GUÉRIR LES BLESSURES DU PASSÉ
Métamedecine des relations affectives

aux Éditions Amrita en Italie :

Livres italiens
METAMEDICINA OGNI SINTOMO È UN MESSAGGIO
METAMEDICINA DELLE RELAZIONI AFFETTIVE
Livre allemand
METAMEDIZIN JEDES SYMPTOM IST EINE BOTSCHAFT

Dépôt légal: Bibliothèque nationale du Québec
Dépôt légal: Bibliothèque nationale du Canada
Premier trimestre 2003
ISBN-13: 978-2-9801558-8-8

Première édition, 4e impression

Courriel: frj@metamedecine.com

À Carole, pour son courage et la motivation qu'elle m'a insufflée tout au long de la rédaction de ce livre.

À toutes les personnes qui souffrent et qui ont besoin d'espoir.

À tous les médecins, intervenants et thérapeutes sincères qui ont l'amour pour première motivation.

Au Dr Ryke Geerd Hamer, pour son œuvre inestimable ainsi que sa grande honnêteté scientifique et son courage pour faire émerger la connaissance de l'ignorance.

Remerciements

Du fond de mon cœur, je veux remercier:

L'énergie de lumière que j'appelle «mes guides spirituels» qui, depuis des années, m'enseignent, me guident et me soutiennent dans ce travail d'aide aux autres.

Tous les chercheurs de vérité qui, par leurs découvertes et leurs écrits m'ont inspirée et m'ont permis d'accéder à une plus grande connaissance des lois qui régissent notre monde.

Tous mes lecteurs et toutes mes lectrices qui, dans leur appréciation, m'ont encouragée à mettre en mots ce que j'ai découvert au fil de mes recherches en Métamédecine.

Richard Pépin, qui, m'a admirablement secondée dans la réalisation de ce livre.

Annie Laforest et Nathalie Laganière qui ont si bien su mettre en image la vision que j'avais reçue.

Gislaine Barrette, pour son excellent travail de révision linguistique.

Les équipes de distribution de ce livre, Diffusion Raffin, DG Diffusion et Transat, pour leur précieuse collaboration dans la diffusion de mes livres.

Table des matières

À mes lecteurs et lectrices

Toi qui tiens ce livre entre tes mains, permets-moi de te raconter son histoire.

Je n'avais pas, au départ, l'intention d'écrire ce livre. Au printemps 2001, j'avais axé mes conférences sur le thème «Comment utiliser son potentiel créateur». C'était sur ce sujet que je m'apprêtais à écrire.

Or, voilà qu'au mois de septembre de cette même année, j'étais à Nivelles en Belgique. C'était la veille de l'attaque des tours du World Trade Center à New York. J'étais dans un état second, entre la veille et le sommeil, et j'entendis clairement une voix me dire: «Tu dois écrire une suite au livre *Métamédecine, la guérison à votre portée.*» Dans cet état second, je vis même la page couverture du livre: il y avait une oreille et un stéthoscope.

Dans les jours qui suivirent, j'entrepris un séminaire de dix jours en Métamédecine I. Parmi les personnes présentes, deux souffraient de sclérose en plaques, deux autres étaient atteintes du sida et une autre souffrait de polyarthrite. Bref, tout ce groupe me signalait que le temps était maintenant venu d'enseigner la Métamédecine.

Cela représentait un véritable défi pour moi puisque depuis le début de mon travail comme intervenante en relation d'aide, j'ai agi le plus souvent par canalisation pour enseigner ou aider ceux et celles qui me consultaient. Connectée à cette source, je voyais tout ce que je devais voir et posais les questions qui devaient être posées, mais lorsque ce n'était pas le cas, je me sentais bien démunie pour le faire.

Or, voilà qu'on me demandait d'enseigner ce que je faisais par inspiration. Cela revenait à demander à une bonne maman qui cuisine avec amour depuis des années sans jamais rien mesurer de rédiger un livre de recettes.

Comment mettre en mots ce que j'accomplissais intuitivement?

À la fin de ma tournée de l'automne 2001, je me suis donc retirée pour écrire ce livre. Je suis demeurée des semaines devant une page blanche, ne sachant pas comment exprimer ce que je savais au plus profond de moi. Je voyais le temps filer sans que rien ne se concrétise.

Je me mis une telle pression et vécus une telle tension que je fus affectée d'un acouphène très pénible; j'entendais des milliers de cigales dans mon oreille droite. Je revins passer les Fêtes avec les miens, un peu découragée de n'avoir pu écrire plus de trois pages au cours de mes sept semaines d'écriture. La publication de ce livre prévue pour septembre 2002, fut reportée au printemps 2003.

Comme je n'étais plus soumise à cette tension, mon acouphène disparut. Mais lorsque je me remis au travail au mois de février, les cigales se firent de nouveau entendre, et, de nouveau, je me retrouvai penchée sur une feuille blanche.

C'est alors que j'offris un séminaire de Métamédecine I chez moi, à Stoneham. Je compris à travers ce séminaire que je ne pouvais pas écrire une suite au livre *Métamédecine, la guérison à votre portée* tant que je n'aurais pas révisé ce dernier. Sinon, il aurait pu y avoir, à certains moments, des contradictions entre ces deux livres.

Je révisai donc complètement le livre *Métamédecine, la guérison à votre portée,* le corrigeant et l'améliorant par l'apport de mes découvertes.

Je m'y consacrai pendant tout l'été 2002 et c'est dans un effort ultime que je pus le rendre à temps à l'imprimeur. Pendant la révision de ce livre, j'offris le séminaire Métamédecine II.

Ce que je vécus au cours de ce séminaire fut si intense, si extraordinaire, que tout ce que je voulais écrire dans ce nouveau livre me venait très facilement. La connaissance coulait de source. Si j'avais pu disposer de temps pendant ce séminaire, j'aurais certainement écrit une grande partie de ce livre. Choisissant plutôt de me consacrer à mes participants, je n'ai pas eu cette disponibilité; je griffonnais donc des notes ici et là, dès que je le pouvais.

Après ce séminaire, mon mari et moi sommes partis en vacances. À notre retour, au mois d'octobre, je n'avais plus que quatre mois devant moi pour écrire ce livre, procéder à sa révision, m'occuper de sa mise en page et de la production de la page couverture.

Si, au cours du séminaire, j'étais connectée à cette source qui enseigne à travers moi, loin de mes participants, c'était beaucoup plus difficile de me syntoniser à cette fréquence pour qu'elle se manifeste et m'inspire.

À certains moments, j'y arrivais et j'étais même étonnée d'écrire des mots que je ne connaissais pas, encore plus de découvrir, en consultant le dictionnaire, que je les avais bien écrits. À d'autres moments, cependant, je cherchais mon inspiration et, là, je devenais hypertendue rien qu'à songer au peu de temps qu'il me restait pour accomplir cet exploit. Dans ces moments-là, les cigales dans mon oreille se manifestaient encore plus bruyamment.

Pourtant, je savais que j'étais guidée puisqu'à certains moments j'étais dirigée vers un ouvrage, comme si cette voix qui m'avait demandé d'écrire ce livre me guidait vers un autre auteur pour qu'il me prête des mots afin de transmettre le message que je devais apporter.

C'est en écrivant ce manuscrit que j'ai compris ce que signifiait l'oreille et le stéthoscope.

Depuis près de vingt ans, je suis une oreille à l'écoute de la souffrance de mes participants, une oreille pour recevoir et transmettre la connaissance.

Il était sans doute temps que cette oreille s'unisse à la Nouvelle Médecine du Dr Hamer. La force du Dr Hamer fut de réaliser cette merveilleuse synthèse entre le psychisme, le cerveau et le corps. La mienne résidait dans cette capacité à aider les autres à se libérer de leurs conflits.

Ce livre est donc le résultat d'une rencontre de ces deux forces au profit d'une nouvelle médecine de santé.

Toutes les histoires relatées dans ce livre sont authentiques; elles ont toutefois été quelque peu modifiées et les personnages ont été maquillés afin de respecter l'anonymat des personnes concernées.

De plus, les histoires sont présentées de manière abrégée afin de ne retenir que l'essentiel dans notre étude. Ce qui ne signifie pas pour autant qu'elles furent simples ou qu'elles ne relevaient que d'une seule cause. La Métamédecine est à la fois simple et complexe: simple par les «clés» qu'elle utilise et complexe par toutes les probabilités qui lui sont offertes.

Ce livre, je l'ai écrit en pensant particulièrement aux présents et aux futurs intervenants en Métamédecine, mais je suis persuadée qu'il saura éclairer tant le médecin, le thérapeute que le profane.

C'est donc avec tout mon amour que je t'offre ce livre. Puisse-t-il contribuer à l'éveil d'une nouvelle conscience médicale, te donner des outils qui t'aideront à mieux utiliser ton discernement et, qui sait, à guider à ton tour d'autres personnes à ta manière et à ta mesure, sur la voie de l'autoguérison.

Ton amie, Claudia.

PREMIÈRE PARTIE

Nouveau regard sur la maladie et ses causes

«La santé n'est pas une question de chance, ni la maladie le résultat d'un hasard malheureux. Les maladies n'apparaissent pas de manière mystérieuse, inexplicable ou illogique. Il existe une relation de cause à effet entre la façon dont l'homme dirige sa vie et les états physique et psychique dans lesquels il se trouve.»

Dr Paul Carton

Et si la maladie n'était pas ce qu'on a bien voulu nous laisser croire? C'est ainsi que l'on croit:

qu'on attrape une maladie; «j'ai pris un rhume» diront certains, «j'ai attrapé une mononucléose» diront d'autres, se croyant victimes d'un virus.

que les vaccins nous protègent en nous empêchant de contracter la maladie pour laquelle nous sommes immunisés;

que la maladie est une altération organique ou fonctionnelle de la santé;

que le cancer est causé par des agents carcinogènes ou qu'il résulte d'un trouble de croissance des cellules donnant naissance à une excroissance ou tumeur;

- que ce sont les médicaments, les traitements, les interventions chirurgicales qui nous guérissent;
- que le sida est une nouvelle maladie causée par le rétrovirus VIH.

Avec de telles croyances, on ne peut que craindre la maladie; chercher à s'en protéger en se faisant immuniser; passer régulièrement des examens de contrôle pour s'assurer qu'on est indemne; intervenir aux premiers signes d'anomalie... Et si, malgré toutes ces précautions, on devient malade, alors là, il faut combattre cet ennemi, l'anéantir le plus tôt possible.

Et si les germes et les microbes n'étaient pas ce qu'on croit? Si, au contraire, ils pouvaient assumer différents rôles selon les besoins de notre organisme?

Et si la maladie, au lieu d'être une calamité, était ce qui peut nous guérir, nous conduire vers un mieux-être et, même, nous sauver la vie?

Et si le cancer n'était pas ce qu'on croit, c'est-à-dire une prolifération de cellules atypiques?

Et si ces vilaines tumeurs qu'on croit indispensables d'extirper ou de détruire étaient des solutions biologiques de survie de notre organisme?

C'est ce que nous verrons dans la première partie de cet ouvrage en découvrant l'origine de la croyance voulant que les microbes soient des ennemis, ce que sont véritablement les germes, le rôle qu'ils assument et pourquoi ils deviennent pathogènes. Nous verrons également comment naît la maladie, comment elle évolue, pourquoi elle conduit parfois à la mort. Enfin, nous aborderons la question du cancer et du sida pour mieux voir ce qu'ils sont et ce qu'ils ne sont pas.

CHAPITRE

1

Et si les microbes n'étaient pas ce qu'on croit?

«Nous n'attrapons aucune maladie, nous succombons simplement à notre inadaptation à notre environnement.»
Robert E. Willner

Il y a plus de 150 ans, les scientifiques spéculaient sur l'origine et la nature de la matière vivante. Ils s'interrogeaient entre autres sur les phénomènes qui provoquaient la fermentation des vins, l'aigreur du lait et la putréfaction des viandes.

Ils pensaient que ces phénomènes étaient dus à la présence d'organismes invisibles, qui apparaissaient spontanément dans des milieux fermentescibles. C'était la théorie de la «génération spontanée» qui était alors très en vogue. Les scientifiques qui y adhéraient s'appelaient les «spontépartistes». Il fallut attendre une controverse retentissante qui opposa, à partir de 1859, Louis Pasteur et un naturaliste de Rouen, Félix-Archimède Pouchet, pour que l'idée de la génération spontanée soit officiellement abandonnée.

Ayant observé au microscope des micro-organismes, Pasteur était convaincu que la modification des milieux organiques (fermentation, putréfaction) provenait de «germes» flottant dans l'air. Par la suite, il réalisa une série d'expériences visant à démontrer l'importance de la stérilisation des milieux.

D'autres scientifiques, dont Claude Bernard et Antoine Béchamp, avaient une vision totalement différente et probablement très avant-gardiste pour leur temps. Claude Bernard (1813-1878) avait, dès le début de ses recherches, orienté ses travaux dans le sens des mutations cellulaires, ce qui allait à l'encontre des travaux de Pasteur. Hélas, il ne put défendre sa thèse.

«J'ai connu, a écrit Claude Bernard, la douleur du savant qui, faute de moyens matériels, ne peut entreprendre de réaliser des expériences qu'il conçoit et est obligé de renoncer à certaines recherches, ou de laisser sa découverte à l'état d'ébauche.»

Antoine Béchamp (1816-1908) reprit les enseignements de Claude Bernard et poursuivit les recherches sur le polymorphisme microbien. Ses recherches l'amenèrent à conclure que, dans tous les tissus vivants, il existe des «granulations moléculaires», c'est-à-dire des éléments encore bien plus petits que la cellule alors considérée comme la plus petite unité de vie! Le professeur Béchamp a travaillé sur ces granulations moléculaires pendant une dizaine d'années afin de démontrer qu'il s'agissait là de la véritable unité de base de la vie et du véritable véhicule des caractères génétiques.

Selon Béchamp, c'étaient ces éléments de base qui intervenaient dans la transformation de la matière. Leur action consistait à engendrer des êtres plus complexes tels que les champignons, les levures et les virus qui, eux, participaient entre autres à la fermentation ou à la putréfaction.

Les expériences que mena le professeur Béchamp lui permirent d'entrevoir que les fameux microbes pathogènes pouvaient ne pas être venus de l'extérieur mais simplement de l'organisme lui-même. Aussi, par voie de conséquence, le terrain, le milieu où se développaient les germes, devenait-il plus important que le microbe lui-même. C'est ce qu'affirmait déjà Claude Bernard et qui expliquait le phénomène morbide mis en lumière par Hippocrate.

Béchamp découvrit ainsi qu'en dehors des germes connus, il existe dans l'air, l'eau, le sol, le corps humain, les animaux et les plantes, des corpuscules nécessitant un grossissement de 600 fois au microscope pour les mettre en évidence. Béchamp démontra que ces particules de matière tenues pour inertes étaient des êtres organiques vivants doués de toutes les facultés des macro-organismes: elles se nourrissaient, excrétaient, se régénéraient, se multipliaient, puis dans certaines conditions, devenaient levures, bactéries, virus, etc. Il les nomma «microzymas». Il y en aurait des milliards dans le sang, les tissus, les cellules et elles seraient spécifiques pour chaque type de tissus ou organes.

Ces microzymas, selon Béchamp, étant à la fois constructeur, ouvrier et matériau, participent à l'élaboration de toutes les cellules, tissus et micro-organismes. Ils sont toutefois influencés par les conditions du milieu physique, chimique, atmosphérique ou dynamique où ils se trouvent; ce sont ces conditions qui vont déterminer leur évolution.

Ce qui est étonnant, c'est qu'à l'heure actuelle les plus grands savants, y compris le professeur Luc Montagnier de l'Institut Pasteur, redécouvrent ces granules moléculaires qu'ils nomment «mycoplasmes».

Quelle est la différence fondamentale entre la conception de Pasteur et celle de Béchamp?

D'une part, la conception de Pasteur, encore défendue par notre médecine classique soutient que la maladie est causée par un agent unique venu de l'extérieur de notre organisme, qui agresse et menace notre santé d'où la nécessité de l'empêcher d'agir (vaccination) ou de le détruire (antibiotiques).

D'autre part, la conception de Béchamp est celle du polymorphisme, ce qui signifie que le contexte physiologique des maladies infectieuses est déterminé par les microzymas. Au Moyen-Âge, par exemple, il y avait des épidémies de peste. Elles se produisaient parce que les gens buvaient l'eau des mares qui était hyperoxydée. Les microzymas fabriquaient le bacille de la peste qui permettait de modifier le terrain intérieur de l'individu pour le guérir de cette hyperoxydation. Cette hyperoxydation ouvrait la porte aux cancers et aux maladies dégénératives. La peste a disparu le jour où les gens ont compris qu'il ne fallait pas boire l'eau des mares.

La bactérie de la peste (*Yersinia pestis*) fabriquée par des microzymas peut ensuite redevenir microzymas. De plus, ces microzymas, selon l'évolution du terrain, pourront fabriquer d'autres bactéries, levures ou virus selon le besoin de l'organisme. Voilà ce qu'est le polymorphisme microbien.

La différence fondamentale entre Pasteur et Béchamp est que le premier préconise d'intervenir sur le germe. **Pour Pasteur, c'est le microbe qui donne la maladie.** En éliminant le microbe, on élimine la maladie.

Béchamp, à l'opposé de Pasteur, préconise d'intervenir sur le terrain.

Pour Béchamp, la maladie survient quand l'organisme d'un être vivant est perturbé par un déséquilibre biologique. C'est ce déséquilibre qui favorise la transformation des microzymas en germes (virus, bactéries, levures, etc.) **Pour Béchamp, la maladie active le microbe pour transformer le terrain**.

En d'autres mots, l'un soutient que s'il y a des mouches dans les ordures (maladies), c'est qu'elles en sont la cause: tuons les mouches pour nous débarrasser des ordures. L'autre affirme que ce sont les ordures (maladies) qui prédisposent à la présence des mouches ou germes: éliminons les ordures et nous serons libérés des mouches.

L'approche pasteurienne est celle de la **protection**; nous devons nous protéger des mouches ou des germes et de **l'attaque** de l'agent causal; nous devons détruire les mouches ou les germes qui nous rendent malades. Quant au terrain (le corps), une fois libéré de son agent causal, il est censé se remettre.

L'approche de Béchamp est celle de **l'aide au terrain**; aidons le corps à retrouver son harmonie en éliminant ce qui le perturbe ou le déstabilise (drogues, médicaments, aliments dont les éléments sont désorganisés [aliments morts, OGM, etc.], stress, etc.) pour que ses mécanismes d'autoguérison se mettent en place et qu'il retrouve son homéostasie naturelle.

En résumé, on pourrait dire que l'un choisit de protéger son territoire et de le défendre avec tout un arsenal médical en cas d'invasion tandis que l'autre choisit de négocier avec son territoire pour instaurer le bien-être et l'harmonie.

Pourquoi la théorie de Béchamp fut-elle rejetée au profit de celle de Pasteur?

Pasteur était physicien et chimiste, et il avait beaucoup travaillé sur la fermentation. Il avait observé que des levures, des bactéries ainsi que d'autres micro-organismes infectaient parfois les cuves des brasseurs. Il était persuadé que certaines maladies contagieuses pouvaient être provoquées par des micro-organismes. N'étant pas médecin, il ne voulait pas s'avancer sur ce terrain biologique. Mais voilà que le ministère de l'Agriculture lui demande de réaliser une étude sur la pébrine, maladie contagieuse du ver à soie dont l'industrie était menacée.

Des chercheurs, tels que Agostino Bassi, Émile Cornalia, Balbiani et Antoine Béchamp, en avaient déjà découvert l'origine et le moyen de s'en prémunir.

Pasteur ne pouvait pas ignorer les travaux de ses prédécesseurs puisqu'il avait côtoyé Béchamp à Strasbourg entre 1849 et 1854. Pourtant, il s'acharna à ridiculiser leurs observations. Après plusieurs tâtonnements et erreurs, il redressa la situation en reprenant à son compte les observations de ceux qu'il avait discrédités.

Ces travaux, repris par Pasteur, obtinrent leurs lettres de noblesse.

Pasteur s'intéressa par la suite aux travaux de Casimir Davaine qui avait découvert la présence d'un bacille, le *Bacillus anthracis*, dans la maladie du charbon.

Cependant, c'est avec les travaux d'Henri Toussaint que Pasteur retiendra l'attention de l'Académie des sciences et des médias du monde entier.

Henri Toussaint avait annoncé, dans une communication à l'Académie de médecine du mois d'août 1880, qu'il avait réussi à vacciner des moutons contre la maladie charbonneuse. Sa technique consistait à préparer un vaccin atténué en prélevant du pus sur l'animal infecté auquel il ajoutait de l'acide phénique.

Pasteur s'inspira de cette technique, mais, au lieu d'utiliser de l'acide phénique, il utilisa la chaleur et l'oxygène de l'air. Deux de ses collaborateurs, Roux et Chamberland, avaient plutôt utilisé du bichromate de potassium pour atténuer ce vaccin, ce qui revenait plus ou moins à l'acide phénique utilisé par Toussaint. Pasteur s'opposa vivement à ce que les travaux de ses collaborateurs fussent publiés.

Pourtant, c'est précisément cette technique qu'utilisa Pasteur lors de la fameuse expérience qu'il pratiqua à Pouilly-le-Fort le 31 mai 1881. Devant une foule importante regroupant des journalistes, des personnalités politiques, des scientifiques, des vétérinaires et des admirateurs, Pasteur injecta des bactéries à partir d'une culture virulente de *Bacillus anthracis* à 48 moutons dont 24 avaient préalablement reçu un vaccin tiré d'une préparation de bacille atténué par l'addition de bichromate de potassium. Deux jours plus tard, 22 des moutons non vaccinés sont morts, deux étaient à l'agonie, alors que les 24 vaccinés étaient bien vivants.

Ce fut un triomphe délirant qui fit taire tous les contestataires, permettant à Pasteur de joindre les rangs des plus grands chercheurs scientifiques.

Par cette expérimentation réussie et mondialement médiatisée, le savant républicain donnait à la science française ses lettres de noblesse.

Pasteur n'avait toutefois pas mentionné aux médias ni à ses confrères venus l'applaudir que son vaccin contenait du bichromate de potasse.

Ce poison modifiait le terrain bioélectrique des animaux vaccinés et les protégeait effectivement quelques semaines, d'où le succès apparent. Tous les savants du monde entier qui ont tenté de reproduire l'expérience de Pouilly-le-Fort ont subi un désastre.

Par exemple, en Russie, sur 4564 bêtes vaccinées, 3696 moururent, soit 81 %. En Argentine, plusieurs dizaines de milliers de moutons vaccinés périrent. En France, plusieurs éleveurs ayant subi de lourdes pertes obligèrent Pasteur à les indemniser. Ils avaient tous utilisé le vaccin que Pasteur avait mis au point, mais pas celui dont il s'était servi lors de sa démonstration à Pouilly-le-Fort.

Pasteur soutint que leurs vaccins, bien qu'inspirés de ses travaux, avaient fort probablement été mal préparés, d'où leur échec.

L'Institut Pasteur, qui depuis avait vu le jour, était apte à vendre un vaccin «bien préparé» puisque lui seul en connaissait «le secret»; secret que personne ne pouvait contester, car Henri Toussaint était mort entre-temps et les complices de Pasteur, Roux et Chamberland, avaient plus à gagner à se taire qu'à révéler le subterfuge.

Mais la gloire de Pasteur n'allait pas s'arrêter là. Un plus grand succès, qui allait faire prendre un nouveau tournant à la médecine, restait à venir. C'est sa fameuse découverte du vaccin contre la rage.

En 1879, soit six ans avant que Pasteur ne présente au grand public ce qui devait être l'une des découvertes du siècle, un vétérinaire du nom de Pierre-Victor Galtier avait réussi à transmettre la rage du chien au lapin, du lapin au lapin, du lapin au mouton, du mouton au mouton, démontrant ainsi que le même virus était responsable de la rage furieuse du chien et de la rage paralytique du lapin.

En 1881, Pierre-Victor Galtier tenta d'immuniser des moutons en leur injectant, par voie intraveineuse, de la salive rabique. Il poursuivit ses expérimentations sur d'autres espèces animales et se rendit compte que son procédé ne réussissait pas sur toutes. Il soupçonna alors les dangers de tenter une telle expérimentation sur un être humain.

En 1885, une situation d'urgence amena Pasteur à en prendre le risque. On craignait pour la vie d'un jeune garçon de neuf ans, Joseph Meister, qui avait été mordu par un chien enragé. On fit appel à Pasteur pour sauver cet enfant. Pasteur ayant déjà testé son vaccin sur des chiens, l'injecta à l'enfant. Ce dernier s'en tira et tout le monde crut que Pasteur lui avait sauvé la vie.

Une fois encore, les médias s'emparèrent de cette nouvelle. Un nouveau sauveur de l'humanité était né. On entendit même le président de l'Académie des sciences proclamer aux applaudissements de l'Assemblée:

> *Nous avons le droit de dire que la date de la séance qui se tient ici en ce moment restera à jamais mémorable dans l'histoire de la médecine… À partir d'aujourd'hui, l'humanité est armée d'un moyen de lutter contre la fatalité de la rage et de prévenir ses sévices. Cela nous le devons à M. Louis Pasteur et nous ne saurions avoir trop d'admiration et de reconnaissance pour des efforts qui ont abouti à un si beau résultat.*

Dans les quinze mois qui suivirent, 2490 personnes reçurent le vaccin, se croyant ainsi protégées de la rage, ce qui constituait une découverte prometteuse pour les instituts Pasteur qui avaient vu le jour et pour tous les autres qui restaient à venir.

On se garda bien de révéler que les gens mordus et non vaccinés ne mouraient pas et que les gens non mordus et vaccinés mouraient de paralysie et non de spasmes, les symptômes reconnus de la rage.

Cela pouvait s'expliquer par le fait que le virus rabique inoculé par la salive du chien était suffisant pour immuniser le mordu alors que le vaccin produit à partir de la moelle du lapin était inutile en plus de provoquer la rage paralytique du lapin parmi les vaccinés.

Ainsi naquit le microbisme pasteurien faisant fi des travaux présentés par Antoine Béchamp.

Pourquoi donc l'Académie préféra-t-elle les travaux de Pasteur à ceux de Béchamp?

Il y a plusieurs raisons. Pasteur pouvait compter sur des appuis politiques importants. Il avait l'estime de l'épouse de Napoléon III. De plus, la France, qui avait connu une guerre désastreuse qui lui avait fait perdre l'Alsace et la Lorraine, avait besoin d'un héros national pour rehausser son prestige sur la scène internationale. Pasteur, ayant déjà retenu l'attention des médias du monde entier, était plus apte à jouer ce rôle que Béchamp qui, lui, était un savant français discret, peu «médiatisé» et qui n'avait pas les moyens de faire connaître ses découvertes.

Par ailleurs, la vente de vaccins représentait une entreprise qui pouvait se révéler très lucrative surtout lorsque soutenue par l'État. Pasteur l'avait compris. Avec son ami Paul Bert qui était alors ministre de l'Instruction publique, ils échafaudèrent le plan suivant: Paul Bert ferait voter une loi rendant la vaccination antirabique obligatoire dans toute la France. Cette loi s'énoncerait ainsi: «Tout chien qui n'aurait pas été vacciné serait impitoyablement abattu par ordre des Autorités.» Ils avaient déjà calculé qu'au prix de 50 centimes par vaccination la recette annuelle serait très intéressante.

Le plan de Pasteur et de Paul Bert avorta à cause d'un journaliste qui eut vent de l'affaire, ce qui empêcha ce projet de loi d'être voté. Mais nombreux furent leurs successeurs dont la combinaison a réussi. Ainsi, la combinaison pharmaco-politique, favorisée par l'ignorance des populations, perdure depuis ce temps et l'empire pharmaceutique amasse des milliards en continuant à nous faire croire, comme Pasteur avec son vaccin antirabique, que c'est pour notre bien, pourtant, il n'y a jamais eu autant de gens malades.

Il serait intéressant de reprendre les travaux de Pierre-Victor Galtier et de Pasteur pour savoir pourquoi le virus de la rage du chien ne crée pas de la fureur chez le lapin contaminé mais plutôt de la paralysie.

Était-ce véritablement le virus de la rage qui causa la paralysie du lapin ou aurait-il pu y avoir un autre facteur que Galtier et Pasteur n'auraient pas envisagé à leur époque?

Pour répondre à cette question, il nous faut avoir quelques notions de microbiologie.

LES MICRO-ORGAGNISMES ET NOUS

Les microbes sont des êtres vivants formés d'une seule cellule. Découverts en 1674 (peu après l'invention du microscope), ils ont été bien observés par Pasteur en 1850. Ce dernier a défini les caractères généraux et a établi la loi de relation entre la présence de ces germes et certains phénomènes normaux (fermentations) ou anormaux (maladies).

Les microbes sont classés en trois groupes:

Les microbes animaux (les plus gros), qui appartiennent à la classe des protozoaires (amibe de la dysenterie).

Les microbes végétaux (plus petits) qui sont des champignons ou des algues.

Les microbes minéraux (ou virus), qui sont trop petits pour être vus au microscope ordinaire. On les appelle «virus filtrants» parce qu'ils traversent tous les filtres. Ils représentent une forme intermédiaire entre le règne végétal et le règne minéral. Ils cristallisent comme les minéraux. Les virus sont présents dans la variole, la poliomyélite, la rage, la rougeole, la grippe, etc.

Les champignons sont des «moisissures» (pain, confiture, cuir, etc.), ou des levures (utiles comme les ferments ou présents dans certaines affections, comme celles du muguet ou des vaginites à candidose).

Les algues, de un à quelques microns, sont appelées «bactéries». Situées à la limite du règne végétal, elles sont sphériques (coccis ou coques), se présentent en grains (microcoques), par deux (pneumocoques), en chapelet (streptocoques) ou encore en grappes (staphylocoques).

La vie des microbes

Les plus gros, les microbes «animaux», mènent une vie libre extérieure (l'amibe dans l'eau). Les autres sont soit des saprophytes qui tirent leur nourriture des cadavres (décomposition des chairs), soit des parasites qui vivent aux dépens des vivants sans défense.

Ceux qui ont besoin d'oxygène sont les aérobies (bacilles diphtériques) et ceux qui vivent à l'abri de l'air sont les anaérobies (bacilles tétaniques). D'autres, nés à l'air, sont capables de vivre en milieu fermé; ce sont les «facultatifs», et la plupart des ferments en font partie. Ils se reproduisent par bipartition (en se scindant en deux).

Certains résistent aux conditions défavorables en s'entourant d'une capsule résistante (spore) d'où ils s'échappent lorsque le milieu est redevenu normal pour eux. Leur chaleur idéale pour se développer est de 30 °C.

Les hautes températures, par contre, leur sont fatales. À 45 °C, la plupart sont tués. Les spores sont détruites à 120 °C (chaleur humide pendant vingt minutes) ou à 160 °C (chaleur sèche pendant dix minutes).

C'est le principe de la stérilisation. Les microbes sont également tués par les rayons ultraviolets (action bénéfique du soleil). La déshydratation les paralyse, comme le froid, sans les tuer.

Certaines substances peuvent les tuer: ce sont le formol, l'eau de Javel, l'acide crésylique, l'alcool à 90 degrés, etc.; ce sont des désinfectants. Enfin, les champignons (moisissures) peuvent inhiber la croissance des bactéries.

Les germes jouent un rôle spécifique à toutes les étapes de la transformation de la matière.

«Les microbes ont une réputation repoussante ou alarmante. Pourtant l'homme fait équipe avec des microbes. Le fait que la majorité d'entre eux soient inoffensifs, bénéfiques, voire indispensables, est rarement compris[1]*.»*

Il existe des microbes: neutres, ce sont les germes inoffensifs; des microbes utiles, ce sont les germes symbiotiques; et, enfin, des microbes présents dans certaines maladies, que la médecine considère pathogènes mais qui ne le sont pas obligatoirement comme nous le verrons.

Ainsi, un même microbe peut être neutre, utile ou parfois nuisible, suivant l'espèce animale qui l'accueille. Autre fait: un même microbe peut changer de forme avec la modification du milieu où il se trouve (polymorphisme microbien).

Les germes inoffensifs

On pourrait décrire les germes inoffensifs comme étant ces microbes avec lesquels on entre en contact sans qu'il ne nous fasse le moindre mal.

En vérité, aucun germe provenant de l'écosystème n'est pathogène au départ. Comme le disait Béchamp, ce sont les conditions du milieu physique, chimique, atmosphérique ou dynamique qui en déterminent l'évolution.

Si cela est juste, comment un germe inoffensif peut-il devenir pathogène?

[1] *Bactéries, virus et champignons*, Paris, Flammarion, Coll. «Domino».

Cela est dû soit à des changements dans l'écosystème (modification du milieu où évoluent en interdépendance les micro-organismes, végétaux, animaux et humains), soit à la présence d'éléments cellulaires abîmés présents dans les aliments (végétaux ou animaux) ou dans leurs substrats (vaccins, sérums).

Voici un exemple tout simple. Nous construisons une maison dans un endroit boisé. Pour y installer notre habitation, nous coupons des arbres, modifions le terrain, etc. Pendant la construction et par la suite, nous sommes assaillis et piqués par des insectes dont on a dérangé l'habitat. Après quelques années, lorsque le milieu a retrouvé sa stabilité, ces moustiques se sont recréé un habitat et ne nous piquent plus. On pourrait dire que ce petit écosystème a retrouvé son équilibre.

Par ailleurs, très souvent, après un cataclysme se déclarent des épidémies de choléra, de typhoïde ou de dysenterie. Serait-il plausible de penser qu'à la suite de la perturbation de leur habitat où normalement ils trouvaient leur nourriture, des rongeurs, des moustiques ou d'autres habitants de cet écosystème puissent avoir des comportements d'agressivité les uns envers les autres pour tenter de survivre?

Un rat effrayé et en colère parce qu'on a détruit son habitat pourrait-il devenir agressif et mordre tout intrus, transmettant dans sa salive des germes activés par son milieu intérieur et donner une maladie appelée le choléra (colère-rat)?

Prenons à présent une maladie transmise cette fois par un insecte vecteur, à savoir la malaria. Cette maladie, selon la médecine, est causée par un minuscule parasite qui a besoin de sang pour se reproduire. Ce minuscule parasite du genre plasmodium est transmis à d'autres espèces et à l'homme par un moustique du genre anophèle.

Ce dont on parle plus rarement, c'est de l'origine de ce parasite.

En effectuant des recherches, j'ai fini par trouver qu'en 1951 Van Riel, Hiernaux et L'Hoest décrivent le plasmodium roussette découvert chez une chauve-souris capturée dans la grotte du mont Hoyo au Congo. Par la suite, d'autres recherches effectuées par d'autres chercheurs les amèneront à parler de parasites malariens de chauves-souris.

Y aurait-il eu perturbation de l'habitat de ces chauves-souris, intrusion de moustiques tel l'anophèle dans leur habitat?

Bien que ce ne soit qu'une hypothèse, il n'en demeure pas moins qu'une cellule ou un germe peut être inoffensif pour un organisme ou une espèce et pathogène pour une autre.

Prenons par exemple les cellules sanguines. Au début des premières expériences de transfusions sanguines, on ignorait l'existence des groupes sanguins. Il y eut bien des accidents avant que des chercheurs découvrent l'existence de groupes et sous-groupes sanguins. Aujourd'hui, on en tient rigoureusement compte en faisant des tests de compatibilité avant de donner du sang à une personne.

Si l'on prend une personne dont le groupe sanguin est A positif et que l'on transfuse son sang à une personne dont le groupe sanguin est B négatif, que se passera-t-il? Les globules rouges de la personne B négatif recevant le sang d'un donneur A positif vont s'hémolyser, ce qui aura des conséquences très graves pour le receveur puisque ses globules rouges dissous ne pourront plus assurer le transport de l'oxygène.

Peut-on dire que les globules rouges de la personne appartenant au groupe A positif sont pathogènes? En vérité, non, car ils ne deviennent pathogènes que lorsqu'ils se retrouvent dans un milieu qui leur est étranger.

Chaque espèce ne possède-t-elle pas aussi son propre type de sang? Qu'arriverait-il si l'on transfusait du sang de bœuf, de cheval ou de porc à un être humain? Probablement la même chose que lorsqu'on croise des groupes antagonistes.

Ce qui est vrai pour les cellules sanguines pourraient-ils l'être pour les micro-organismes?

Dans l'expérience de Galtier reprise par Pasteur, lorsqu'on inoculait de la substance d'un chien «supposément infecté», les lapins n'étaient pas atteints de fureur mais plutôt de paralysie. Le mot «rage» employé pour parler d'un animal enragé ne convenait plus, pas plus d'ailleurs que pour désigner la maladie elle-même. Était-ce par ignorance ou par défaut d'explication que l'on nomma cette nouvelle affection «rage paralytique du lapin»?

La nature du virus de la rage se trouve dans les moisissures aspergillus dont les spores sont des corpuscules de Négri qui se développent dans le cerveau.

Se pourrait-il que des éléments abîmés de ces germes (moisissures) aient pu donner lieu à des mutations qui ont engendré un désordre caractérisé par la rage du chien et, par manipulation, de nouvelles mutations pour créer cette fois la paralysie chez les vaccinés (lapins, moutons, humains, etc.)?

Se pourrait-il, comme dans l'exemple des groupes sanguins différents, que des germes inoffensifs chez une espèce puissent devenir pathogènes lorsqu'ils sont abîmés et transmis à une autre espèce?

Voici un autre exemple. Alexander Horwin était un petit Français de 3 ans décédé le 31 janvier 1999. Avant l'âge de 17 mois, il avait reçu 16 injections de vaccin. À l'âge de deux ans, on découvrit qu'il était atteint d'une tumeur au cerveau, soit un médulloblastome qui faisait suite à une leucémie. À son décès, ses parents réclamèrent une autopsie de son cerveau. Lors de l'examen de la tumeur cérébrale de l'enfant, on a relevé la présence d'un virus simien le SV40. Or, il est connu que les singes verts d'Afrique sont porteurs du virus SV40.

Comment Alexander Horwin aurait-il pu venir en contact avec ce virus simien?

Selon la pédiatre Eva Lee Snead, la seule façon pour un être humain de contracter le SV40 du singe, c'est en mangeant sa chair ou en se le faisant inoculer en même temps qu'un vaccin.

Signalons que presque tous les virus dits «atténués» utilisés dans les vaccins qu'on inocule de manière répétitive aux enfants ou aux adultes sont cultivés dans des cellules d'organes d'animaux tels que la cervelle, les reins, les ovaires, la moelle, etc.

Alexander Horwin est-il un cas isolé, plutôt rare? Loin de là, mais les parents qui ont une confiance aveugle en la vaccination ne penseront jamais que les vaccins que leur enfant a reçus puissent être reliés aux problèmes de santé qui l'affectent. Les parents d'Alexander, eux, on fait le rapprochement et ont voulu le vérifier.

Certains répliqueront qu'il y a des milliers d'enfants chaque année qui sont vaccinés et très peu font des leucémies avec médulloblastome. C'est juste, car il n'y a pas que le microbe qui importe, il y a aussi le «terrain» dont parlait Béchamp.

Lorsque la grande grippe de 1910 ôta la vie à des millions de gens aux États-Unis, pourquoi ne fit-elle pas succomber toute la population? Lorsque la peste bubonique a détruit le tiers de la population en Europe, pourquoi les deux tiers ont été épargnés?

Serait-ce que le système immunitaire d'un individu détermine son degré de résistance ou de non-résistance à la maladie? S'il n'en était pas ainsi, la première grande maladie infectieuse sur Terre aurait été la dernière.

Les germes symbiotiques

Les germes symbiotiques sont des microbes qui vivent en symbiose avec leur hôte; ils tirent leur nourriture des cadavres (décomposition des cellules ou des chairs). On en distingue deux catégories: les microbes commensaux et les saprophytes. Les commensaux sont parfaitement adaptés à leur hôte; ils l'utilisent comme source d'alimentation et de chaleur sans lui nuire. Les saprophytes (ça profite), apportent un bénéfice à leur hôte en produisant des vitamines (bactéries du tube digestif) ou en agissant comme barrière de protection contre les germes étrangers (bactéries de la peau et des muqueuses des voies respiratoires, digestives et vaginales, etc.).

Un germe symbiotique peut-il devenir pathogène?

Des bactéries saprophytes de la flore intestinale ou des voies respiratoires d'un individu ou d'une espèce animale pourraient être pathogènes pour une autre personne ou une autre espèce, si ces germes venaient à se retrouver dans un milieu qui leur est étranger.

La bactérie sécrétant la toxine rencontrée dans le tétanos, le *Clostridium tétani*, en est un exemple puisque cette bactérie est un germe saprophyte du tube digestif des herbivores.

Une personne peut avoir dans sa flore intestinale des germes saprophytes qui se révéleront pathogènes s'ils entrent en contact avec des aliments que consomme un autre individu.

On sait que l'augmentation des mesures d'hygiène a réduit considérablement les maladies qui sévissaient par le passé mais qui, hélas, sont encore présentes dans les milieux pauvres où les services sanitaires sont absents ou déficients.

Quant au terrain ou milieu, il peut s'agir d'un terrain somatique ou psychique.

Voici un exemple de terrain somatique: dans le vagin d'une femme se trouvent des bactéries saprophytes que l'on appelle bacilles de Döderlein ou encore lactobacilles. Le rôle de ces bactéries est de maintenir le pH du vagin très acide afin d'empêcher les germes provenant de la vulve de la femme de s'y développer. Pour maintenir cette acidité vaginale, «les bacilles de Döderlein» fabriquent, à partir du glycogène, un taux élevé d'acide lactique d'où leur nom secondaire de «lactobacilles».

S'il advenait, pour une raison ou une autre, que le pH vaginal d'une femme devienne alcalin, les lactobacilles seraient alors remplacées par des levures du type *Candida albicans* donnant lieu à des démangeaisons et des irritations; c'est la «vaginite à candidose».

En se servant de la théorie de Béchamp qui prône d'intervenir sur le terrain plutôt que sur le microbe, quelle serait la solution?

Il s'agirait de ramener le terrain vaginal acide, ce qui peut se faire par une douche vaginale avec un mélange d'eau et d'un peu de vinaigre. Bien entendu, si une femme fait des vaginites à candidose à répétition, il pourra être important de rechercher ce qui déstabilise ainsi son terrain vaginal. Les antibiotiques qui détruisent non seulement les germes pathogènes sont responsables pour une bonne part des candidoses.

Voyons à présent une affection microbienne qui relève cette fois d'une modification du terrain psychique d'une personne: la diarrhée du voyageur ou «turista».

Beaucoup de personnes qui voyagent dans des pays dits «à risque» prennent avant le départ des médicaments ou reçoivent des vaccins pour calmer leurs craintes.

La première fois que je suis allée en Inde, j'ai cru avoir été infectée par des germes présents dans la nourriture que j'avais consommée. Là où j'étais on me donna des médicaments. Comme la diarrhée et les crampes abdominales persistaient, j'ai consulté un médecin qui me prescrivit des médicaments pour ce qu'il soupçonnait être une amibiase. Les symptômes se calmèrent quelques jours après.

Au moment où je rencontrai ce médecin, ma situation physique et psychique avait évolué. Par conséquent, la cause ayant donné naissance à cette affection n'était plus présente. On croit bien souvent que les médicaments nous guérissent alors qu'on était justement en train de guérir.

Quelle pouvait bien être cette cause? Cette affection a débuté quelque temps après mon arrivée dans un ashram. Déçue dans mes attentes de rencontrer le maître, je me suis mise à rejeter autant l'inconfort de l'endroit que la sévérité de ses responsables. Je n'avais qu'une envie, c'était de partir, ce que je ne pouvais faire puisque j'attendais un billet d'avion pour continuer mon voyage. Au cours de ce voyage, je me suis retrouvée à nouveau dans une situation similaire. Cette fois, je me sentais coincée dans une chambre d'hôtel que je ne pouvais quitter, car j'attendais de l'argent pour partir. Je rejetais cette situation. La diarrhée avec crampes abdominales réapparut. Mais cette fois, je fis le lien entre les deux situations. J'acceptai l'expérience que je vivais. Ce qui eut pour effet de rétablir mon terrain psychique. La diarrhée et les crampes cessèrent sans que j'eus besoin de médicaments.

Est-il possible que des germes présents dans la nourriture que je consommais n'auraient pas eu de prise sur moi si mon terrain psychique n'avait pas été favorable à leur développement?

Personnellement, j'en suis convaincue. Il suffit d'interroger une personne ayant fait une diarrhée du voyageur pour découvrir que cette personne rejetait quelque chose au cours de son voyage. Parfois, c'est la température, la pression des vendeurs, l'exploitation des touristes, l'inconfort des lieux par rapport au prix payé, etc.

Il y a quelque temps mon mari et moi avons effectué un voyage. Nous avions mangé les mêmes choses, mais seul mon mari a fait une diarrhée du voyageur. Lorsque nous en avons discuté, il m'a avoué qu'au moment où avait débuté cette diarrhée, il ne pouvait plus supporter la chaleur suffocante de cet endroit. Inconsciemment, il rejetait ce pays à cause de cette chaleur qui l'incommodait. Quelques jours après notre retour, tout rentra dans l'ordre. Son terrain n'était plus déstabilisé par cet inconfort climatique.

Au cours de ce voyage nous avons fait la connaissance d'une dame de 69 ans. Elle adorait voyager en dehors des circuits touristiques. Il lui arrivait de se retrouver dans les pires conditions hygiéniques. Elle s'en accommodait en vivant cet inconfort et ce manque d'hygiène comme l'occasion de vivre une belle aventure. Comment était son terrain psychique? Il devait certainement être sain, car elle n'était jamais malade.

Voici un autre exemple de terrain psychique.

On est fatigué, épuisé mais à cause des responsabilités que l'on doit assumer, on ne peut se permettre de s'accorder le repos dont on aurait tant besoin. Voilà qu'on se retrouve affecté d'une bonne grippe.

Suivant la conception pasteurienne, on dira «j'ai attrapé une grippe», croyant avoir été mis en contact avec le virus de la grippe. On s'empressera d'aller à la pharmacie se chercher des médicaments pour atténuer les symptômes de la grippe et, qui sait, la guérir le plus rapidement possible. Plus on résistera à s'accorder le repos nécessaire, plus les symptômes de cette grippe s'intensifieront malgré tous les médicaments que l'on pourrait prendre.

Suivant la conception de Béchamp, ce virus de la grippe n'est venu de nulle part ailleurs que de nous-mêmes. Notre terrain, notre corps était fatigué, épuisé, il avait besoin de repos, c'est ce qui a commandé à nos microzymas de se transformer en virus pour nous obliger à prendre le repos dont notre organisme avait besoin.

Une fois que notre corps a récupéré, le virus se transforme de lui-même. On pourrait croire qu'il s'élimine, mais, en fait, il se transforme à nouveau en microzymas ou en particules de matières vivantes qui nous sont favorables.

Je reconnais que ce n'est pas ce qu'on m'a enseigné dans mes cours de microbiologie. Mais c'est ce que j'ai été amenée à expérimenter à l'école de la vie.

Par le passé, lorsque j'avais un rhume, je me faisais violence pour ne pas arrêter. Enrhumée ou grippée, je poursuivais mes activités, et ce, tant que je n'étais pas clouée au lit. Là, j'avalais tous ces médicaments reconnus pour être des «casse-grippe». Parfois, j'allais jusqu'à me préparer un mélange dit «miraculeux» (mélange de lait, miel et alcool) pour casser ma grippe. Cela avait comme effet de me faire transpirer abondamment. Ce qui m'aidait jusque dans une certaine mesure à me sentir beaucoup moins grippée, me permettant ainsi de reprendre mes activités. Résultat, je traînais ce rhume (dans une forme moins grave) jusqu'à quatre semaines et parfois plus.

Aujourd'hui, lorsque j'ai un rhume qui fait suite à une grande fatigue, je n'hésite pas à dormir jusqu'à 12 heures d'affilée et même davantage, et ce, pendant deux, trois et même quatre jours. Si je prends un médicament, c'est uniquement pour soulager la congestion nasale qui est parfois douloureuse. Ces rhumes guérissent à présent complètement en moins de cinq jours.

D'où sont venus les virus de mon rhume ou de ma grippe? Où sont-ils allés? De nulle part autre que de moi-même. Ces virus furent-ils pour moi dommageables ou salutaires? Ils furent salutaires pour permettre à mon corps de récupérer. C'est ce qu'on peut appeler un programme de survie.

Le cerveau, après avoir reçu des informations l'avisant que le corps est en danger, réagit par une solution biologique de survie. Dans le cas présent, ce fut un rhume.

Les germes pathogènes

Les germes pathogènes regroupent donc des germes inoffensifs ou saprophytes qui, dans des conditions particulières, peuvent donner lieu à des infections.

Certains germes considérés comme pathogènes assument parfois des rôles importants dans la survie de l'espèce.

Voici un exemple proposé par le Dr Hamer.

Un renard affamé attrape un lapin. Au moment où il s'apprête à le manger, il entend un bruit; effrayé, il avale tout rond une patte et s'enfuit. Un os reste coincé dans l'estomac; il n'arrive ni à le digérer ni à l'éliminer.

Son cerveau doit trouver une solution pour qu'il puisse survivre. Le groupe de neurones prend alors en charge le ressenti du renard qui se résume à ce qui suit: quelque chose qu'il n'arrive pas à digérer, plus la peur de mourir de faim s'il ne peut plus s'alimenter convenablement.

La réponse organique de ce groupe précis de neurones consistera à développer une tumeur de l'estomac; laquelle va sécréter un surplus d'acide chlorhydrique pour dissoudre l'os, donc pour survivre. Un surplus exceptionnel d'acide pour une situation exceptionnelle. Lorsque l'os sera complètement dissous, l'estomac devra à son tour se départir de cette tumeur devenue inutile. Que fera cette fois son cerveau pour remédier à ce problème? Il va faire appel aux bactéries. Ces bactéries auront comme rôle de déblayer cette tumeur devenue maintenant inutile.

En 1983, des chercheurs australiens ont identifié une bactérie présente chez des gens souffrant d'ulcère gastrique ou du duodénum. Ils lui ont donné le nom de *Héliobacter pylori*, la tenant responsable de cette affection.

Tout comme à l'époque de Pasteur ou dans notre exemple des ordures et des mouches, aurait-on confondu cause et conséquence?

Serait-il plausible de croire que le surplus d'acide chlorhydrique provenant de la tumeur ait créé un ulcère à la muqueuse de l'estomac ou du duodénum?

Est-ce vraiment la bactérie *Héliobacter pylori* qui a causé l'ulcère ou le surplus d'acide chlorhydrique?

Voici ce qu'on peut lire dans la publication *Construire*, volet santé d'octobre 2002:

> *Bientôt un vaccin contre l'ulcère de l'estomac? On sait désormais que l'ulcère de l'estomac est une maladie infectieuse due à une bactérie. Des médicaments efficaces existent et un vaccin pourrait même voir le jour.*
>
> *Non contente d'infester la moitié des tubes digestifs de la planète, pylori fragilise la muqueuse de l'estomac et se retrouve impliquée dans l'apparition de 95 % des ulcères du duodénum et de 70 % des ulcères gastriques.*

Si nous revenons à notre exemple, le renard a développé une tumeur pour digérer quelque chose «d'indigeste».

Est-ce que le cerveau d'une personne vivant une situation qu'elle considère injuste, inacceptable donc indigeste psychologiquement parlant, pourrait réagir par une réaction biologique de survie comme celle du renard?

Pour en être convaincu, il s'agit d'interroger une personne ayant fait un ulcère gastrique ou du duodénum.

Nous voyons avec cet exemple que ce que l'on considérait et considère encore dans l'approche pasteurienne de la médecine classique comme étant des germes pathogènes qui sont nos ennemis peuvent se révéler être des auxiliaires dans le programme de survie qui a été prévu pour la sauvegarde de l'espèce.

Est-ce sage de détruire ces bactéries alors qu'ils exécutent un travail indispensable à la réparation d'un organe?

Ce rôle d'éboueur de tumeur ou de tissus endommagés peut être assumé dans d'autres organes. Par exemple, les éboueurs spécifiques du pharynx sont les streptocoques et les staphylocoques. Les tumeurs cancéreuses des poumons sont déblayées par les bactéries tuberculeuses ou bacille de Koch.

Les bactéries peuvent également assumer d'autres rôles que celui de déblayement. En effet, certaines bactéries et virus peuvent aider à reboucher les trous dans les tissus, à réparer les dégâts faits par les nécroses ou la destruction cellulaire.

Toutes ces bactéries (staphylocoques, streptocoques, *héliobacter pylori*, bacille de Koch, etc.) qui nous semblent différentes à cause de leurs appellations diverses ne sont en définitive que des manifestations des microzymas dont parlait le professeur Antoine Béchamp.

Pour beaucoup de savants, les découvertes de Pasteur reposent sur des observations incomplètes et des interprétations inexactes. Les vaccins et les sérums sont inutiles ou dangereux ou les deux à la fois. Cela s'explique parce que le microbe n'existe pas en dehors des êtres vivants qui sont de nature mycobactérienne. En somme, le microbe fait partie de toute cellule vivante.

Béchamp avec ses «mycrozymas», Altmann avec ses «*elementaorganismen*», Portier avec ses «symbiotes» et Galippe ont essayé de combattre la «pensée pasteurienne», mais c'est Tissot avec ses «organites» qui en a été le plus rude opposant. Résumons les travaux de ce dernier. Il semble apporter la preuve de l'origine tissulaire des espèces bactériennes (microbes) et mycéliennes (virus)[2].

Constitution de la matière vivante

Selon Tissot, la cellule vivante est constituée de deux «organites élémentaires» (l'un mobile, appelé «coli», et l'autre immobile, appelé «haltère»).

L'organite micrococcique mobile (organite Coli ou colibacillaire pour les mammifères) est doué de pouvoir fermentatif (c'est l'agent des actions chimiques du sang nécessaire à la vie). Il pullule dans le sang des vertébrés. Les leucocytes sont des masses de culture bacillaire.

C'est le microzyma de Béchamp. Ces «colis» pénètrent dans les cellules glandulaires et ressortent avec les liquides (salive, sucs digestifs, urine, lait, etc.) dont ils sont les facteurs fermentatifs.

L'organite Haltère immobile est l'élément de construction de la cellule. Il en constitue les réseaux cytoplasmiques et nucléaires. Ayant la forme d'haltère (d'où leur nom), ils sont collés par leurs boules (c'est le modèle de la trame vivante dans les deux règnes).

[2] Dr Jules Tissot, *Constitution des organismes animaux et végétaux, causes des maladies qui les atteignent*, Paris, Naturazur (Le Roc Fleuri), 1946.

Les fameux «mitochondries» et «chondriomes» (possédant un pouvoir catalyseur classique de la cellule) ne seraient en réalité que des fragments du réseau d'haltères, primitifs, qui auraient été altérés par les réactifs fixateurs utilisés dans les préparations histologiques. La forme de l'haltère est universelle et unique dans les deux règnes.

Le polymorphisme de la matière vivante

Selon le Dr Tissot, les propriétés de l'organite haltère peuvent changer par dégénération et l'organite colibacillaire peut prendre plusieurs formes dont les suivantes:

la forme sphérique (coccis ou coques);

la forme allongée en bâtonnet sans queue, ce sont les bacilles;

avec une queue, ils deviennent des filaments; incurvés ce sont des vibrions et ondulés, des spirochètes.

Tous les éléments mycéliens ou bactériens (qui sont libres et errants dans la nature) proviennent d'un être vivant qui les a rejetés ou qui les a libérés après sa mort. Une fois libérés, ils subissent de profondes modifications pouvant donner lieu à une maladie hétérogène. La plupart du temps, ils meurent très rapidement (faute de nourriture ou tués par la lumière ou l'air).

La colibacillose urinaire n'est pas due à une infection de l'urine puisque l'urine contient normalement le bacille à l'état de microcoque. Elle est causée par une modification du germe, devenu bacillaire sous l'influence d'une modification de l'urine.

Tissot affirme également que le colibacille intestinal n'est pas un germe étranger à l'organisme. C'est le «coli» du sang qui passe dans l'intestin avec les sucs digestifs sous la forme cocci et évolue ensuite sous la forme bacillaire. Le colibacille ne traverse pas la muqueuse intestinale pour aller au loin décomposer les chairs du cadavre (dans la mort) puisque les colibacilles sont déjà partout dans l'organisme.

Le colibacille se multiplie après la mort pour activer la décomposition des chairs, c'est le phénomène de la putréfaction.

Conception de Pasteur soutenue par la médecine classique	**Conception de Béchamp et Tissot soutenue par les nouvelles médecines**
- La matière vivante normale (saine) est exempte de germes;	- Les microbes n'existent pas en dehors des êtres vivants puisqu'ils font partie de toute cellule vivante;
- ils ont une existence indépendante des organismes vivants (autonomies);	- certains germes se forment à partir de nos propres cellules (microbes autogènes) qui donnent des maladies autogènes;
- les germes sont transmis par l'air (ou autres éléments du milieu extérieur, l'eau, la terre, les aliments souillés, les animaux et les insectes et l'homme lui-même qui peut contaminer son semblable);	- d'autres se forment à partir de tissus animaux ou végétaux désorganisés dans leur constitution cellulaire (microbes hétérogènes) qui donnent des maladies hétérogènes;
- chaque microbe n'a qu'une forme et une action bien définies, c'est la théorie du monomorphisme (p. ex., tel microbe donne obligatoirement telle maladie; c'est la notion de l'agent spécifique);	- les mycrozymas de Béchamp ou colis de Tissot peuvent se transformer en levure, bactérie ou virus ou redevenir mycrozymas ou colis selon les besoins de l'organisme. C'est la théorie du polymorphisme;
- la maladie microbienne est uniquement transmise par contagion (c'est-à-dire après contact avec un élément porteur de germes).	- l'épidémie ne se manifeste qu'au sein de groupes d'êtres vivants, victimes des mêmes erreurs biologiques, conditions climatiques, hygiéniques et psychologiques (et encore ne sont-ils pas tous atteints).

Les microbes existants dans l'organisme pendant la maladie ne sont pas plus pathogènes que ceux de la putréfaction ne sont mortigènes. Qui penserait que ce sont les vers d'un cadavre qui ont provoqué la mort de l'individu?

Avec cette nouvelle compréhension des germes, on pourrait s'interroger sur l'utilité des antibiotiques et des vaccins.

LES ANTIBIOTIQUES

L'histoire des antibiotiques débute avec la découverte que fit un médecin anglais, Sir Alexander Fleming, en 1928. Il avait observé que des bactéries ne croissaient pas lorsqu'elles étaient en présence de la moisissure *Pénicillium*.

Ce n'est toutefois qu'à la fin de la Seconde Guerre mondiale que la pénicilline est devenue le premier antibiotique à être utilisé de façon répandue. Par la suite, on a recouru à bien d'autres antibiotiques.

Quel est l'utilité d'un antibiotique?

Comme nous l'avons vu, nous fabriquons un grand nombre de microbes qui prennent naissance dans nos propres cellules. Ces microbes dits «autogènes» assument des rôles spécifiques comme la protection de notre organisme, le déblaiement de tissus endommagés ou devenus inutiles tels que les tumeurs.

Quant aux microbes hétérogènes (qui nous sont étrangers), ils proviennent de cellules végétales ou animales qui ont été endommagées ou qui ont subi des mutations dans leur génome. C'est ainsi que plusieurs microbes peuvent être autogènes pour leur espèce et hétérogènes pour une autre espèce dont l'homme. Ce risque est amplifié avec des aliments dégradés ou qui ont subi des modifications pouvant affecter leur nature (OGM).

Il peut arriver que la prolifération des germes puisse mettre la santé d'un être (animal ou humain) en danger ou lui causer un douloureux inconfort. L'antibiotique peut se révéler efficace pour arrêter cette prolifération des germes.

Toutefois, l'antibiotique ne se limite pas à détruire les bactéries dites «pathogènes», mais s'attaque également aux bactéries saprophytes des voies respiratoires, de la flore intestinale et de la muqueuse vaginale, entraînant des effets secondaires. Parmi ceux-ci, on retrouve la sécheresse de la bouche, la mauvaise haleine, les diarrhées, allant des plus bénignes jusqu'aux formes graves de colite pseudo-membraneuse, des effets toxiques sur les reins, le foie, la moelle osseuse et le système nerveux. De plus, les antibiotiques peuvent engendrer des candidoses buccales et vaginales en détruisant les bactéries saprophytes de ces muqueuses, provoquer des réactions allergiques et entraîner une diminution de la résistance naturelle aux infections; d'où l'importance de les utiliser avec parcimonie.

Depuis des années, on fait fi de cette prudence. Les antibiotiques figurent parmi les médicaments les plus utilisés dans notre système de «santé» et on les prescrit pour la moindre fièvre sans égard à son origine, bactérienne ou virale, alors qu'ils sont inefficaces contre les virus. En outre, on les prescrit aussi bien pour l'acné que pour de petits boutons.

Mais il y a pire encore: l'industrie agroalimentaire a découvert qu'ils avaient la propriété d'accroître le rendement en viande. Il semble qu'en ajoutant quatre antibiotiques à l'alimentation des poulets ils atteignent leur poids de 1,3 kg en 41 jours, soit deux fois plus vite qu'un poulet de fermier. Si l'on retirait ces additifs de croissance, il faudrait ajouter 100 à 150 g d'aliments par poulet pour obtenir le même poids[3].

Cet abus des antibiotiques fait en sorte qu'il y a de plus en plus de germes résistants. Selon certains professionnels de la santé et de l'agriculture, la situation est alarmante. Selon eux, si la résistance aux antibiotiques poursuit sa croissance pour atteindre les niveaux observés aux États-Unis, les coûts de nos soins de santé pourraient augmenter énormément en raison des prescriptions de médicaments plus puissants et plus chers.

De plus en plus, les experts croient que l'utilisation des antibiotiques chez les animaux a un impact significatif sur la résistance que l'on retrouve dans certaines infections humaines. Les animaux dont on mange la chair sont une source importante de plusieurs infections microbiennes comme la salmonellose, par exemple[4].

Cela ne peut que nous faire réfléchir lors du choix des aliments que nous consommons.

Selon un rapport de l'Organisation mondiale de la santé (OMS), l'efficacité des antibiotiques est en forte régression. On prévoit que dans quelques années presque tous les germes seront devenus résistants aux antibiotiques.

La nature parviendra-t-elle à nous apprendre à collaborer avec ces auxiliaires plutôt qu'à les traiter en ennemis?

[3] *Crise alimentaire*, octobre 2002.

[4] CCRA (Comité canadien sur la résistance aux antibiotiques), *Vie et Santé*, février 2003.

LES VACCINS

S'il y a une croyance enracinée, c'est bien celle voulant que les vaccins protègent de la maladie.

Sur quel principe s'appuie cette croyance?

Lorsqu'un agent étranger nocif pénètre dans l'organisme d'un être vivant, son système de survie va réagir par des solutions biologiques pour éliminer cet intrus.

Une première réponse pourra se manifester soit par une réaction de rejet (vomissement, diarrhée), soit par une élévation de la température (fièvre) ou les deux.

Dans un second temps, si besoin est, le système lymphatique avec les macrophages et les lymphocytes se chargera d'élaborer des substances (anticorps et cytokines) pour neutraliser l'effet toxique de cet agent étranger. Cette première réaction s'enregistre dans des cellules mémoires. Lorsque ces cellules mémoires rencontrent à nouveau l'agent pathogène spécifique, elles déclenchent une réponse immunitaire secondaire qui permet d'endiguer l'infection avant même que la maladie ne se déclare. C'est la raison pour laquelle les individus ayant contracté une maladie infantile sont immunisés durant toute leur existence.

La vaccination est née en se basant sur ce principe. On croyait et on enseignait que si l'on crée une première infection avec un agent pathogène *x* préalablement atténué, l'organisme répond normalement en produisant des anticorps contre ce germe sans développer la maladie. Ainsi, lorsque l'organisme de la personne vaccinée rencontre de nouveau cet agent pathogène pour lequel elle avait déjà élaboré des anticorps, ses cellules mémoires déclenchaient une réponse immunitaire secondaire beaucoup plus rapide et plus forte que lors de la première infection, ce qui permet à l'organisme de se défendre plus adéquatement et d'éviter la maladie.

Ce que presque tout le monde ignore et ce que Pasteur s'est toujours refusé à avouer, c'est que son vaccin contre la maladie charbonneuse était strictement inefficace sans son adjuvant, le bichromate de potasse qui, rappelons-le, ne conférait une immunité que pour quelques semaines.

À l'heure actuelle, l'Institut Pasteur ne peut plus nier et reconnaît officiellement la nécessité d'ajouter à tout vaccin un «adjuvant de l'immunité». Faute de quoi, le vaccin ne sert à rien d'autre qu'à effondrer l'immunité et à créer progressivement un effondrement immunitaire ou sida.

Mais cet aveu n'est fait qu'à mots couverts, le dictionnaire Vidal ne le mentionne que dans la rubrique «excipients», en tout petits caractères. Et les milieux officiels n'en parlent pratiquement jamais sauf pour dire qu'il s'agit d'un «mal nécessaire»!

L'adjuvant utilisé dans les vaccins depuis plusieurs années est l'hydroxyde d'aluminium. Ce produit, utilisé depuis 1923, a toujours été considéré comme inoffensif. Or, les scientifiques ont découvert que cet adjuvant reste dans les cellules et continue de stimuler le système immunitaire, ce qui entraîne l'épuisement de l'organisme en plus d'être responsable de plusieurs réactions allergiques chez les enfants qui reçoivent le trio de vaccins «coqueluche-diphtérie-tétanos».

Comment fabrique-t-on les vaccins?

Pose cette question au médecin qui te recommande d'être vacciné, à l'infirmière chargée d'inoculer le vaccin et tu découvriras très rapidement que la majorité des médecins et des personnes autorisées à pratiquer la vaccination l'ignorent.

Pour atténuer une bactérie comme un bacille, on procède à des repiquages. Le repiquage consiste à ensemencer la bactérie dans un milieu qui ressemble à une gélatine (agar-agar) puis, à partir de la culture de ces bactéries, on les repique sur une nouvelle gélatine. Ce processus peut être répété de cent à plus de mille fois.

Certaines bactéries ne peuvent toutefois être atténuées par ce procédé. C'est le cas du bacille de Koch (bacille qu'on retrouve dans la tuberculose), car il met de un à six mois pour pousser. Les cultures sont donc faites dans un mélange de pommes de terre et de bile de bœuf, ce qui n'est pas sans risque de contamination, car les particules du bœuf sont étrangères aux cellules humaines.

Quant à la fabrication des vaccins à virus (vaccins anti-poliomyélite, anti-hépatite B, anti-grippal, etc.), il faut savoir qu'un vaccin contient entre cent et sept cent mille virus. Pour répondre au besoin de vaccinations de masse, il faut donc que les laboratoires arrivent à en obtenir des milliards de milliards. Or, ils ne peuvent se multiplier qu'à l'intérieur de cellules vivantes. Il leur faut donc utiliser des cultures de cellules animales avec le risque que ces cellules soient contaminées par d'autres virus.

Pour parer à ce risque, on utilise aujourd'hui très souvent des cultures de cellules humaines prélevées sur les embryons des IVG (interruption volontaire de grossesse). Dans tous les cas, ces cellules en culture ont tendance à mourir très vite. Pour remédier à ce problème, il faut les cancériser artificiellement. Ce que l'on fait très facilement en ajoutant, dans le milieu de culture, des substances antimiotiques (soit des médicaments qu'on donne pour traiter ceux qui ont le cancer) ou en soumettant ces cellules à la bombe au cobalt.

Par ailleurs, pour obtenir un rendement suffisant, il est nécessaire d'ajouter un facteur de croissance qui est le plus souvent du sérum de veau.

Une fois le produit fini et filtré (non sans impuretés), on ajoute le fameux poison dit «adjuvant de l'immunité[5]», qui est seul capable de donner une efficacité transitoire apparente[6].

Les vaccins nous protègent-il vraiment?

Voici ce que nous révèle le Dr Tissot au sujet de l'immunité pasteurienne.

L'immunité pasteurienne consiste dans un raccourcissement de la phase bactérienne. Elle s'opère en accélérant (par le vaccin) le passage du germe de l'état bactérien à l'état mycélien (viral). Autrement dit, cette immunité consiste dans un passage accéléré de la phase aiguë de la maladie infectieuse vers sa phase chronique. Et l'immunité ainsi provoquée n'empêche pas les troubles de la phase chronique de la maladie inoculée.

Les accidents postvaccinaux sont symptomatiques à cet égard. L'homme qui a eu la variole et dont les pustules sont cicatrisées n'est pas guéri. Il reste soumis à l'atteinte du virus aussi longtemps que dure la «phase chronique» (temps de la prétendue immunité).

[5] Revoir page 43 pour des précisions sur cet adjuvant.

[6] Alain Scohy, *Les Cahiers de la Bio-Énergie*, nº 8, 1997.

Les germes inoculés causent des dégâts dans l'organisme (néphrites, troubles du foie et des glandes, dérèglement nerveux (hyperactivité), maladies du cerveau et de la moelle, encéphalites, myélites variées, artériosclérose, ramollissement cérébral, raccourcissement considérable de la longévité, etc.).

Quant aux germes autogènes, ils ne peuvent pas agir «vaccinalement» parlant. La tuberculose (maladie autogène par altération de l'organite Haltère cellulaire) peut récidiver. Le germe vaccinal (atténué), c'est-à-dire le BCG, ne peut donc pas mieux faire que la maladie, laquelle n'immunise pas.

Les maladies colibacillaires (produites par une déviation du colibacille organique): érysipèle, ostéomyélite, leucémie, tétanos, etc.; et les maladies par déviation de l'haltère constructeur (cancer, tuberculose, lèpre) ne peuvent pas être évitées par la vaccination.

Il n'y a pas de vaccination possible pour elles. Si cela était, la destruction des germes constitutifs entraînerait celle de l'organisme tout entier.

La contagion n'est pas ce que l'on dit.

La contagion n'existe pas pour les maladies autogènes qui résultent des mutations de l'haltère organique (tuberculose, cancer, lèpre) ou des mutations de l'organite colibacillaire.

En ce qui concerne les maladies hétérogènes, elles s'expliquent par l'ingestion simultanée (par un grand nombre de personnes) d'éléments cellulaires modifiés, présents dans les aliments (végétaux ou animaux). Il n'y a pas transmission d'un malade à l'autre ni existence dans l'air de germes menant une vie autonome. Il est donc inutile d'isoler les malades et de faire un usage immodéré des antiseptiques.

Tissot s'élève contre les médicaments chimiques utilisés pour détruire les colibacilles (ou ils sont inopérants donc inutiles, ou ils sont actifs donc dangereux parce qu'ils détruisent la matière vivante elle-même). Tissot condamne les vaccins (antidiphtériques, antitétaniques, antirabiques, antituberculeux, BCG), car ils ne protègent pas.

Le vaccin antityphique, nous dit Tissot, est à rejeter parce qu'il est très dangereux. Il inocule à coup sûr la phase chronique de la fièvre typhoïde pour éviter le risque presque nul (1 cas pour 20 000) de la contracter.

Il condamne également les sérums antidiphtériques et antitétaniques qui inoculent le colibacille du cheval et sont totalement inactifs.

En conclusion, Tissot nous révèle que:

Les maladies autogènes n'immunisent pas (une attaque ne protège pas d'une seconde). Conséquence: **la vaccination est inutile**.

Les maladies hétérogènes vaccinent; en fait, la phase aiguë est bénigne en cas de récidive. Conséquence: la phase chronique de la maladie due au vaccin cause plus de dégâts que la maladie. **Le vaccin est dangereux.**

Voyons quelques-uns des vaccins qui sont censés nous protéger.

Le BCG

Le vaccin BCG (bacille de Calmette et Guérin) est un vaccin vivant atténué qui vise à protéger contre la tuberculose.

Il est impossible d'immuniser contre la tuberculose qui est une maladie autogène.

La tuberculose n'est pas contagieuse (le bacille se forme dans l'organisme du sujet).

Le BCG n'a pas d'effet immunisant, mais il peut provoquer, au contraire, des formes spéciales de tuberculose; cela s'explique par le fait que le bacille cultivé en milieu bilié acquiert des propriétés nouvelles en milieu humain.

Depuis la mise en marché du vaccin BCG, on assiste régulièrement à de petites épidémies de tuberculose dans des groupes de population vaccinés.

Dans une étude menée en Inde du Sud sur 260 000 enfants et qu'a publiée l'OMS en 1997, on a démontré que, dans les régions où s'était déroulée une campagne de vaccination, il y avait plus de cas de tuberculose qu'ailleurs, onze ans après affirme Gerhard Buchwald, un médecin allemand. De plus, les effets secondaires étaient si négatifs que depuis, la responsabilité de la vaccination en Allemagne en cas de séquelles incombe au médecin prescripteur. Il a résulté de cette étude que le meilleur remède pour la tuberculose reste l'hygiène, y compris alimentaire, l'amélioration de l'habitat et la suppression de la promiscuité[7].

Selon les associations militant pour le libre choix quant aux vaccinations, de nombreux médecins dénoncent la fréquence des problèmes respiratoires observés chez les enfants vaccinés par le BCG. Cela pourrait s'expliquer par les effets immunodépresseurs du vaccin chez des enfants dont les défenses immunitaires sont déjà faibles[8].

[7] Tiré de lettres de Jacques Daudon pour la liberté vaccinale, juillet 2002.

[8] *Prescrire*, décembre 1988.

Vaccins obligatoires ou fortement recommandés dans plusieurs pays

Le vaccin contre le tétanos

Puisque ce vaccin a la réputation de nous protéger contre le tétanos, il serait intéressant de connaître d'où vient ce germe et comment il est possible de contracter cette maladie. De cette manière, nous pourrons mesurer l'utilité de ce vaccin.

Cette bactérie possède la caractéristique bien particulière de ne pouvoir se développer qu'en l'absence d'air ou d'oxygène; c'est ce qu'on appelle une anaérobie stricte. Elle ne peut se multiplier que dans des plaies nécrotiques remplies de caillots de sang ou de débris divers. Par conséquent, toute plaie pouvant être nettoyée sans laisser de débris l'empêche de se développer.

Cette maladie se rencontrait surtout pendant les guerres alors qu'un soldat blessé par une balle rampait sur le sol pour s'abriter ou pour trouver du secours. La difficulté de retirer des éclats de balle dont les plaies avaient été souillées avec de la terre où des herbivores étaient passés favorisait le développement de cette maladie.

Mais, à présent, quelles sont les probabilités que nous-mêmes ou l'un de nos enfants contracte cette maladie?

Pour que cela soit possible, il faudrait que les quatre conditions suivantes soient réunies:

- avoir une plaie ouverte à la suite d'une blessure;
- que cette plaie soit mise en contact avec un élément souillé par ce germe;

qu'il soit impossible de retirer cet élément ou un fragment de cet élément pour bien nettoyer la plaie;

que la plaie se nécrose.

Quelles sont les probabilités qu'un bébé de deux, trois, quatre et même de 18 mois contracte cette maladie? Et qu'en est-il de nous-même?

On admet que le mal vient d'une plaie infectée par de la terre (ou du fumier), vecteurs de spores du tétanos. Mais il peut y avoir tétanos à la suite d'une opération chirurgicale aseptique ou après injection d'une solution antiseptique (sel de quinine) ou encore spontanément, sans raison (tétanos médical).

Tissot affirme que la toxine tétanique n'est pas produite par des bactéries; que le liquide de filtration contient des granulations de nature bactérienne; que la toxine, au contact de l'air, se transforme en colibacille; enfin, que le plasma est de nature bactérienne.

Il en déduit que le bacille tétanique est le colibacille organique (qui change de forme en milieu anaérobie des plaies refermées rapidement); que le tétanos opératoire se produit par le suintement des séreuses riches en colibacilles et que l'oxygène y est rare (milieu anaérobie favorable). Seul le tétanos expérimental est hétérogène. Le tétanos autogène n'immunise pas; a fortiori, aucun vaccin, aucun sérum ne peuvent le faire.

Ce qui est plus grave encore, c'est que l'anatoxine tétanique inocule le colibacille d'un animal inconnu.

Le vaccin contre la diphtérie

La source originelle de cette maladie est un élément constitutif dévié de l'orge, du blé ou du seigle. La diphtérie peut être contractée par une farine moisie ou par du lait souillé par le fumier d'étable, composé en partie par un végétal en décomposition.

La diphtérie ne se transmet pas par contagion. Un même aliment peut déterminer plusieurs maladies différentes. C'est la forme conoïde qui crée le caractère de chaque maladie. Deux formes conoïdes du même aliment provoquent des maladies simultanées (rougeole et scarlatine).

Dans la majorité des cas, ce sont les enfants de un à cinq ans qui développent cette infection dans sa forme bénigne le plus souvent asymptomatique. Une fois que l'enfant a fait cette infection, il se retrouve la plupart du temps immunisé naturellement. D'ailleurs, avant que ne soit créé le vaccin, 90 % des adultes étaient immunisés naturellement.

Le vaccin ou l'anatoxine diphtérique, selon Tissot, n'a fait qu'augmenter le nombre des décès par diphtérie.

L'anatoxine ne peut protéger que contre un seul des virus, celui qui a servi à le fabriquer. Or, il n'y a pas une seule mais de nombreuses diphtéries (soit par leur origine: orge, blé, seigle; soit par leur forme conoïde initiale).

L'anatoxine à base d'un seul virus ne protège donc pas contre les autres. Dans tous les cas, il infecte le vacciné et lui confère la phase chronique d'une certaine diphtérie avec tous les troubles associés.

Longtemps considéré comme un vaccin inoffensif et ne présentant aucune contre-indication, le vaccin diphtérique apparaît aujourd'hui beaucoup moins anodin. Une multiplication de réactions adverses aux vaccins ont été observées et attribuées à la composante diphtérie du vaccin diphtérie-tétanos-polio.

Selon le Dr Tissot, la vaccination contre la diphtérie est inefficace, illusoire et inutile. De plus, selon lui, elle est nocive et peut être dangereuse.

Le vaccin contre la coqueluche

La coqueluche est une maladie des voies respiratoires. Avant les campagnes de vaccination massive, la coqueluche touchait principalement les enfants de quatre à sept ans; 90 % des moins de 15 ans étaient immunisés naturellement.

Le vaccin contre la coqueluche a longtemps été considéré comme l'un des plus efficaces. Cependant, si l'on considère que 90 % des non-vaccinés étaient déjà immunisés naturellement, il n'était pas difficile d'affirmer que 90 % des vaccinés avaient un taux d'anticorps suffisant après vaccination. Or, le Guide des vaccinations reconnaît à présent que ce taux ne peut être mis en relation avec l'efficacité réelle du vaccin en cas d'épidémie et cela pour deux raisons: on ne connaît pas bien les mécanismes immunitaires de la coqueluche et on sait que le taux d'anticorps décroît très vite.

De plus, on observe une augmentation d'épidémies de coqueluche dans les groupes des vaccinés. Au Canada, une récente étude a démontré qu'il existe actuellement six fois plus de cas de coqueluche qu'il y a seulement dix ans. Aux États-Unis, les cas sont treize fois supérieurs aux chiffres de 1981.

En Europe, ce sont la France, l'Allemagne et les Pays-Bas qui sont les plus touchés. Ce constat a été fait en avril 2002 durant la conférence intitulée «La coqueluche, épidémie cachée» qui eut lieu à Milan, en Italie, au XIIe Congrès européen «Microbiologie clinique et maladies infectieuses». Les intervenants du congrès ont admis que la vaccination est sans doute responsable de la récente résurgence de cette maladie, car elle ne confère pas une immunité durable[9].

L'une de mes amies qui n'a pas fait vacciner sa fille se vit refuser son inscription à l'école. On lui donnait la raison suivante: si cette enfant contractait une infection, elle pouvait contaminer ses petits camarades.

Mon amie leur répondit: «Soyez conséquents, si vous soutenez que les vaccins protègent, les enfants de cette école étant vaccinés, ils devraient, selon ce que vous affirmez, être protégés. Comment ma fille pourrait-elle les contaminer?»

Elle gagna son point et l'on accepta sa fille. Au cours de l'année scolaire se déclara une épidémie de coqueluche dans cette école. La fille de mon amie, bien que non vaccinée, n'en fut pas atteinte pour autant.

Certains parents convaincus que leur enfant était protégé de la coqueluche grâce aux vaccins répliquèrent. On leur répondit que les vaccins donnés à leurs enfants les avaient empêchés d'avoir la coqueluche dans une forme plus grave.

Le vaccin contre la poliomyélite

La poliomyélite est une maladie inflammatoire de la substance grise de la moelle épinière. L'agent infectieux mis en cause est un polivirus (du genre entérovirus à ARN).

---

9 *Votre Santé*, juillet 2002.

À l'instar des autres entérovirus, la transmission est principalement interhumaine féco-orale.

Dans 90 % des cas, l'infection par le virus de la polio est asymptomatique et confère une bonne immunité naturelle. Chez certaines personnes, la polio peut débuter brutalement avec de la fièvre, des maux de tête et un sentiment de malaise général. Puis apparaît une raideur au cou et des douleurs au dos. Chez ces personnes, la maladie ne progresse pas plus loin. Enfin, une faible proportion, moins de 0,5 %, peuvent développer les formes paralytiques.

Constat

Si l'on fait un retour sur ces trois dernières maladies, soit la diphtérie, la coqueluche et la poliomyélite, on relève que, sans vaccin, 90 % des personnes ont développé une immunité naturelle à ces germes. Et les 10 % restants ne vont pas nécessairement développer la maladie.

Pourquoi donc certaines personnes ou certains groupes de personnes sont-elles affectées par ces maladies?

Serait-ce une question de terrain?

terrain affaibli parce que l'organisme ne parvient pas à se défendre contre un ou des germes inoculés;

terrain favorable à la propagation ou multiplication des germes par manque de conditions hygiéniques;

terrain psychologique modulé par la colère, la peur, l'angoisse, le découragement... pouvant donner naissance à diverses affections.

Sur son lit de mort, Pasteur a admis humblement: «Claude Bernard avait raison: le microbe n'est rien, le terrain est tout.» Malheureusement, cette déclaration ne fut pas aussi médiatisée que son vaccin contre la rage.

Les vaccins sont-ils aussi inoffensifs qu'on a bien voulu nous laisser croire?

Germes atténués ou tués

Les vaccins ont beaucoup évolué depuis Pasteur. Certains vaccins considérés comme dangereux tel le vaccin Salk ont été retirés du marché et d'autres ont vu le jour tels les vaccins contre l'hépatite B, contre la méningite, etc. La connaissance des virus et les techniques d'atténuation et de fabrication des vaccins ont également beaucoup évolué.

Voici une découverte intéressante que nous livre William F. Koch, scientifique de renommée mondiale dans le domaine de la recherche sur le cancer et les virus:

> *La capsule protéique du virus possède des pouvoirs antigéniques qui produisent des réactions immunologiques spécifiques ainsi que des réactions sérologiques. C'est la partie convertible en un vaccin utilisé pour provoquer des réactions immunologiques chez le patient.*
>
> *Il n'y a pas de réaction immunologique à la partie nucléoprotéine, bien que ce soit la partie qui provoque la pathologie.*

Les vaccins contre un virus spécifique n'immunisent pas contre la nucléoprotéine qui est le véritable pathogène, spécialement après qu'elle ait pénétré et se soit intégrée dans la cellule hôte, aussi, parler de guérison est-il une perte de temps.

D'après ce qu'on sait de la structure des vaccins, les statistiques semblent logiques lorsqu'elles montrent que les cas de paralysie dus à la polio augmentent tant du point de vue de la fréquence que du point de vue de la mortalité par l'usage du vaccin[10].

Si nous reprenons les propos de Koch, plus simplement, il nous dit que le virus possède une capsule (ce qui est l'équivalent d'une membrane ou enveloppe) et une nucléoprotéine, c'est-à-dire un ou deux filaments d'ADN ou d'ARN. L'enveloppe possède les pouvoirs antigéniques, c'est donc cette partie utilisée dans les vaccins qui déclenche dans l'organisme l'apparition d'anticorps. Toutefois, ce n'est pas l'enveloppe qui donne la maladie mais plutôt la nucléoprotéine. Or, on ne peut former des anticorps contre cette nucléoprotéine.

Ainsi, quand nous recevons un vaccin contenant un virus «atténué ou tué», notre corps développe des anticorps qui vont se fixer sur son enveloppe pour neutraliser le virus. Lorsque la nucléoprotéine se libère, elle va se loger dans les cellules de la personne qui a reçu ce vaccin. Le virus ne peut se reproduire que de cette façon. C'est là que le système immunitaire de la personne intervient pour se débarrasser de cet intrus.

Une personne en bonne santé peut assez bien s'en défendre mais, chez des personnes affaiblies par d'autres affections, le virus peut gagner la partie et développer la maladie dans leur organisme.

[10] William F. Koch, *Introduction à la thérapie radicale*, Journal of the American Association for Medico-Physical Research, 1961.

Koch présente ensuite le nombre de cas de polio signalés dans diverses régions des États-Unis et du Canada avant et après l'utilisation du vaccin Salk en 1961.

Région concernée	Avant vaccination	Après vaccination
Montréal	Moins de 100 cas	521 cas, 27 morts
Ottawa	64 cas, 7 morts	455 cas, 41 morts
Détroit	226 cas	697 cas
États-Unis	5987 cas (3090 paralysés)	8531 cas (5661 paralysés)

En Caroline du Nord et au Tennessee où la vaccination était obligatoire, il y eut une augmentation de 400 %[11].

Après vaccination, certains sujets voient leur sensibilité augmenter à l'égard de la maladie qu'on voulait combattre. C'est l'anaphylaxie qui s'explique très bien selon Tissot.

Le choc anaphylactique est produit par une agglutination immédiate des éléments colibacillaires du sérum et ceux contenus dans le sang du sujet. Les masses agglutinées viennent obturer les capillaires (chute de la pression sanguine et de la température).

Sais-tu que si l'on prend un vaccin antitétanique lyophilisé provenant d'une clinique ou de la pharmacie, qu'on le met en culture quelques heures dans un milieu adéquat, on peut observer sous la lentille d'un microscope, des milliers de bacilles tétaniques grouillants de vie?

Sachant que le sang est l'un des meilleurs milieux de culture qui soient, il est facile d'imaginer ce qui se passe dans ton corps lorsqu'on t'inocule ce vaccin.

[11] William F. Koch,*Introduction à la thérapie radicale*, Journal of the American Association for Medico-Physical Research, 1961.

Les travaux du professeur Bochian, un éminent savant russe, le prouvent. Le professeur Bochian a réussi à produire des cultures bien vivantes de germes contenus dans des vaccins dont les souches avaient préalablement été tuées. Le fait d'obtenir des microbes vivants à partir de différents substrats considérés jusque-là comme stériles démontre bien que les limites de la vie des organismes tels que les virus dépassent celles établies par la science de Pasteur et ses successeurs.

Polyvaccination

La nature a doté les êtres vivants d'un système de défense naturel.

En cas d'agression, ce système de défense réagit par des solutions biologiques de survie.

Il est en général plutôt rare que nous soyons affectés dans un très court laps de temps par deux ou trois affections. La plupart du temps, cela se résume à une seule que nous surmontons.

Qu'arriverait-il si une personne avait en même temps une coqueluche, une tuberculose, une diphtérie, un tétanos et une méningite? On pourrait parler d'une super-agression qui mettrait son système immunitaire à rude épreuve. Pourtant n'est-ce pas ce qu'on offre à nos enfants de la naissance à un an, puis à nos adolescents et aux groupes considérés à risques? Tués ou atténués, il s'agit tout de même d'un «cocktail» de germes.

Le mélange de ces germes est-il sans risques?

Des scientifiques ont démontré que des virus qui séparément ne présentent aucune pathogénicité peuvent provoquer des cancers lorsqu'ils se trouvent en présence l'un de l'autre.

Le nombre d'accidents postvaccinal a obligé les représentants des laboratoires et de l'OMS à lâcher prise sur quelques évidences: **ne jamais vacciner un enfant malade** par exemple, ou encore s'objecter contre **l'acharnement de certains médecins ou vaccinateurs à faire les rappels malgré des signes cliniques alarmants**.

Je me souviens d'une de mes participantes qui avait fait un cancer du sein après le décès de son fils. Ce petit garçon avait fait une forte réaction à ses premiers vaccins. Elle avait prévenu la crèche qu'il fréquentait qu'elle ne voulait en aucun cas qu'il soit de nouveau vacciné. L'infirmière chargée de la vaccination des enfants n'en a pas tenu compte. Après avoir reçu un nouveau vaccin, il a été saisi de fortes convulsions et il est décédé.

Il n'est pas toujours aussi évident d'établir des liens de causalité entre les vaccins et des affections secondaires pour la simple et bonne raison que ces affections n'apparaissent pas toujours dans les heures suivant l'inoculation.

Quand un enfant fait une leucémie, on est bien plus soucieux de le soigner et de tenter de lui sauver la vie que de rechercher la cause de sa maladie.

Voici la déclaration d'un éminent pédiatre américain, le Dr Robert S. Mendelson appuyée par nombre de ses confrères.

La vaccination a été introduite d'une manière si habile et si rapide que la plupart des parents croient qu'elle est le miracle qui fait disparaître beaucoup de maladies effrayantes du passé. J'ai moi-même utilisé les vaccins dans la première année de ma pratique. Je suis devenu un opposant farouche de la vaccination de masse à cause des nombreux dangers qu'elle représente. Le sujet est si vaste et complexe qu'il mériterait tout un livre[12]. *Je ne peux que vous donner la conclusion à laquelle j'en arrive: la vaccination représente par son inutilité la plus grande menace pour la santé des enfants.*

Pour la première fois dans les locaux du parlement européen, la parole a été largement donnée aux spécialistes des effets secondaires des vaccins.

Le Dr Alain Scohy fut radié à vie le 26 novembre 1995 de l'Ordre des médecins pour délit d'opinion après s'être positionné contre les vaccins. Il avait fait une découverte qui méritait toute l'attention des médias.

L'un des grands paradoxes de notre médecine, c'est qu'elle nous sollicite constamment pour des dons à la recherche médicale, mais lorsque des chercheurs comme les Drs Duesberg, Hamer, Scohy et bien d'autres apportent de fabuleuses découvertes, on empêche leurs travaux d'être publiés, on leur enlève leurs subventions et, pis encore, on leur retire leur droit d'exercice.

Ce paradoxe s'explique assez bien lorsqu'on découvre que leurs travaux visent l'amélioration de la santé des populations plutôt que le profit des grandes industries pharmaceutiques.

Dans le cadre de son travail, le Dr Scohy fut amené à exercer sa profession dans un petit village isolé de l'Aveyron, à 40 km de la ville la plus proche. Étant le seul médecin du secteur, il suivait ces villageois, du fœtus jusqu'au vieillard. Il eut tôt fait de constater que les enfants (les siens y compris) étaient continuellement malades.

---

[12] Il existe plusieurs livres sur le sujet dont certains figurent dans la bibliographie de ce livre.

Un jour, il lui vint cette évidence. À la naissance, un bébé pèse en moyenne trois kilos et mesure environ 50 cm. Au bout de neuf mois, il aura pris environ six kilos de plus et aura grandi de quatre à cinq centimètres en moyenne à chaque mois. Ce qui représente une poussée de croissance très importante.

À l'échelle d'un adulte qui mesure 1,50 mètre, cela équivaudrait à une poussée de croissance de 12 à 15 cm par mois.

Un adolescent, lui, ne grandit en général que d'un centimètre par mois et il est déjà bien fatigué pendant cette période.

Il se demanda si les maladies qu'on inoculait à un grand nombre de ces bébés pendant cette poussée de croissance n'étaient pas responsables des différentes affections de ces tout-petits.

Pendant les deux années qui suivirent, il conseilla aux mamans de ne pas faire vacciner leur bébé avant l'âge de neuf mois.

Au cours des deux années suivantes, il n'eut plus à prescrire d'antibiotique pour ces bébés. Cependant, le problème demeurait avec les enfants nés avant cette réforme.

Au Japon, depuis qu'on a repoussé la vaccination au delà de deux ans, il n'y a presque plus de mort subite du nourrisson.

Une participante à l'un de mes ateliers me fit part du constat suivant: mère de trois enfants, elle fit vacciner son premier enfant sans manquer un seul rappel. Au deuxième, elle hésita: il ne reçut donc que la moitié des vaccins prescrits. Voyant ses enfants très souvent affectés de grippes, d'otites, de maux de ventre, elle renonça à faire vacciner le troisième. Elle me confia que le premier, qui a dix ans, a continuellement des problèmes de santé. Le deuxième, qui a sept ans, présente des problèmes de temps à autre, mais son petit dernier, qui a cinq ans, n'est jamais malade.

Il s'agit d'observer autour de soi et de tirer ses propres conclusions. C'est ce qu'a fait cette participante, tout comme le Dr Scohy et bien d'autres.

Sommes-nous aussi démunis qu'on a bien voulu nous le laisser croire face aux germes?

> *Si Dieu avait voulu que l'homme, pour se défendre, ait des connaissances précises concernant l'immunisation artificielle, il lui aurait donné un livre d'instructions en le chassant du paradis. Il n'en a rien fait, mais il a fait mieux; il nous a pourvu d'un système très complet de défenses qui fonctionne tout seul et qu'il nous appartient de maintenir en bon état par un comportement de vie conforme à nos impératifs physiologiques. Le malheur est que nous nous moquons de ces «impératifs» et que nous vivons fort mal, détériorant peu à peu l'admirable mécanique qui nous a été confiée*[13].

Quelle est la meilleure immunité que l'on puisse offrir à un nouveau-né?

Le lait maternel est sans contredit la meilleure protection qu'on puisse donner à un nourrisson. Non seulement c'est un aliment complet contenant tous les éléments nécessaires à la santé et à la croissance d'un nouveau-né, mais, en plus, il contient des anticorps maternels (les immunoglobulines) qui protègent l'enfant contre les infections ou les maladies microbiennes.

[13] *Pasteur et la microbiologie des agressions*, Paris, Institut Humanisme Biologique, 1975.

Aucun autre lait, même ceux dits «maternisés», ne peut procurer une telle immunité à l'enfant. De plus, cette immunité ne comporte aucun risque ou effet secondaire à court, moyen ou long terme. Quelle est la meilleure immunité que l'on puisse offrir à nos enfants? Ne serait-ce pas de les mettre à l'abri de toute pollution y compris la pollution vaccinale? De leur offrir une saine alimentation, des conditions de vie pour qu'ils puissent s'épanouir, se sentir aimés, soutenus, encouragés et protégés?

Une telle hygiène de vie offre les meilleures garanties d'une bonne santé.

Les germes pathogènes de fabrication

En 1975, je travaillais dans le département de microbiologie d'un hôpital près de Montréal. L'une de mes amies et collègue de travail était mariée à un militaire. Un jour, alors que nous étions réunis tous les trois, son mari nous confia: «La prochaine guerre mondiale ne se fera pas avec des fusils et des canons, ce sera une guerre bactériologique.» Il ajouta que plusieurs pays avaient déjà engagé leurs meilleurs microbiologistes dans cette optique. L'objectif, selon lui, était de créer un germe meurtrier dont seuls les fabricants posséderaient l'antidote.

Au moment où ce militaire m'entretenait de ces faits, je n'y prêtai que peu d'attention, ayant plutôt l'impression qu'il me racontait le scénario d'un film de science-fiction. Aujourd'hui, avec ce que j'entends et je lis, ces propos ne peuvent que me revenir en mémoire.

On annonçait récemment dans un bulletin d'informations télévisées qu'on s'apprêtait à vacciner un million de personnes contre le virus de la grippe.

On rapportait entre autres que ce virus allait faire son apparition à la période des Fêtes, qu'il infecterait des milliers de personnes et qu'il provoquerait la mort d'au moins 1 000 personnes. La plupart des personnes en entendant cette information réagissent par la peur et se disent: «Je vais aller me faire vacciner.»

On pourrait se demander comment les grands laboratoires pharmaceutiques ont pu procéder à l'élaboration d'un vaccin contre un virus qui ne s'est pas encore manifesté. Surtout lorsqu'on sait que les virus mutent sans cesse, qu'il en existe plusieurs sous-types en ce qui concerne les virus grippaux et que ce ne sont pas les mêmes d'une année à l'autre.

Les laboratoires produiraient-ils le virus et le vaccin?

On pourrait également se demander comment ils peuvent annoncer que ce virus fera son apparition à la période des Fêtes. Serait-ce qu'à cette période de l'année beaucoup de personnes sont fatiguées et donc plus sujettes à développer une grippe?

Enfin, ces vaccins qu'on propose deux mois avant leur apparition feraient-ils partie d'un projet d'expérimentation sur certains groupes de population?

Guylaine Lanctôt, auteur de *La mafia médicale* répond à cette question:

> *La vaccination permet des études épidémiologiques des populations et de collecter ainsi des informations sur les résistances à la maladie des différents groupes ethniques. Elle permet d'étudier les réactions du système immunitaire de grandes quantités de population à un antigène (virus, microbe) injecté par vaccination, tant dans le cadre de la lutte contre une maladie existante que dans le cadre d'une maladie provoquée.*

Étant établi que des programmes de recherche en matière de guerre bactériologique ont été et restent menés, il n'est pas illogique de penser que l'homme ait cherché et soit parvenu à créer des virus tueurs comme Ebola, Marburg ou le sida[14].

Considérons les quelques faits suivants: en 1967, à Marburg en République fédérale allemande, sept chercheurs travaillant sur des singes verts d'Afrique sont morts frappés d'une fièvre hémorragique inconnue. En 1969, la même maladie tue un millier de personnes en Ouganda. Dans les années 1970, le Zaïre de Mobutu, gravement endetté auprès du Fonds monétaire international (FMI), accepte de collaborer avec les Occidentaux dans la lutte contre le communisme.

Mais, en 1975, le président Mobutu fait volte-face et décide de nationaliser les avions étrangers, expulse l'ambassadeur américain et fait arrêter les agents de la CIA opérant dans son pays. L'année suivante, au mois d'octobre, le virus Ebola (responsable de fièvres hémorragiques mortelles) se répand dans 55 villages zaïrois, semant la panique. Deux mois plus tard, Mobutu est réconcilié avec ses anciens et très puissants amis. Coïncidences?...

En 1993, dans un reportage de l'agence Reuter, il était question d'une maladie semblable au sida qui a fait 60 000 morts dans le sud du Soudan. On l'appelle la maladie tueuse. Des familles, des villages entiers sont décimés. Cette maladie, le Kala-azar, se traduit par de la fièvre et un amaigrissement des malades. Les symptômes sont les mêmes que ceux du sida; le système immunitaire est déficient et on meurt d'autres affections.

[14] Guylaine Lanctôt, *La mafia médicale*, Montréal, Louise Courteau, 1994.

La guerre bactériologique dont m'entretenait ce militaire il y a plus de 27 ans était-elle un scénario de science-fiction ou une réalité[15]?

Que pouvons-nous faire pour nous en prémunir?

Ce que nous pouvons faire de mieux, c'est de prendre soin de notre santé, car un corps en bonne santé n'offre pas un terrain favorable au développement des germes. Dans un second temps, il pourrait être sage d'éviter les vaccinations afin de mieux préserver notre capital immunitaire plutôt que de le soumettre à des agressions qui, en définitive, sont loin de nous protéger, en dépit de ce qu'on tente de nous faire croire.

Qui a raison?

Est-ce Louis Pasteur avec sa thèse du monomorphisme microbien qui affirme que le microbe vient de l'extérieur et cause la maladie?

Est-ce le professeur Antoine Béchamp et le Dr Jules Tissot avec leurs thèses sur le polymorphisme microbien qui affirment que c'est le terrain qui prédispose au développement des microbes?

Est-ce le Dr Ryke Geerd Hamer qui soutient que le microbe joue un rôle important dans la guérison de notre organisme?

Si Pasteur avait tort, l'hygiène ne serait pas importante.

Si Béchamp et Tissot avaient tort, toute personne en contact avec des germes potentiellement pathogènes développerait la maladie.

[15] Pour en savoir davantage lire *Celui qui vient* d'Anne Givaudan, France, Éditions Amrita,1996.

Si Hamer avait tort, on ne retrouverait pas de bactéries ou de virus là où il y a eu formation de tumeur.

La négation de Pasteur à l'égard de la «génération spontanée» à partir de la matière inerte était justifiée en son temps, mais elle l'a amené à se fermer à toute possibilité de transformation de la matière organique et à conceptualiser la théorie erronée du monomorphisme microbien.

Béchamp apporta une connaissance beaucoup plus approfondie de la manifestation des germes lorsqu'il découvrit les «microzymas» qui ont la propriété de se transformer en levures, bactéries ou virus. Ces microzymas, présents dans l'air, l'eau et le sol ainsi que dans tout organisme vivant, sont à la base de toute vie. Ils demeurent toutefois influencés par le milieu et les conditions où ils se trouvent.

Tissot reprend les travaux de Béchamp pour à son tour approfondir cette thèse du polymorphisme microbien avec la découverte de deux «organites élémentaires»; l'un mobile appelé «coli» et l'autre immobile appelé «haltère».

Les maladies autogènes naissent de l'altération soit de l'organite coli ou de l'organite haltère. Dans les maladies autogènes telles que le cancer ou la tuberculose, nous fabriquons nous-mêmes un grand nombre de microbes et ces «microbes autogènes» ne sont pas la cause de nos maladies mais tout simplement la conséquence.

Quant aux maladies hétérogènes, elles sont dues presque exclusivement à des «microbes hétérogènes» provenant d'éléments végétaux ou d'animaux désorganisés dans leur constitution cellulaire.

Toutefois, ce mode d'infection venu de l'extérieur ne se réalise que si le terrain y est propice. Les vaccins appartiennent à cette catégorie, c'est ce qui explique leur dangerosité chez les personnes dont le terrain n'est pas suffisamment fort pour surmonter ces agressions microbiennes.

Enfin, Hamer nous dit que les maladies prétendument infectieuses sont toujours précédées d'une phase d'activité conflictuelle et que ce n'est qu'une fois le conflit résolu que ces microbes peuvent entrer en action sous la commande du cerveau. Ces germes, loin d'être nos ennemis, sont plutôt nos auxiliaires, car ils déblaient les cellules cancéreuses, réparent les tissus ou organes altérés au cours de la phase conflictuelle.

Conclusion

En conclusion de ce que nous ont apporté ces grands chercheurs qu'étaient Claude Bernard, Antoine Béchamp, Jules Tissot et, aujourd'hui, Ryke Geerd Hamer, Gaston Naessens et bien d'autres, retenons que:

1. Les microbes autogènes ne sont pas nos ennemis.
2. Les microbes n'existent pas en dehors des êtres vivants.
3. Nous fabriquons un grand nombre de «microbes» qui ne sont pas la cause de nos maladies mais tout simplement leurs effets.

4. Les microbes hétérogènes n'ont pas de vie autonome, ils résultent d'une altération de leur constitution cellulaire par modification de leur milieu. Ils ne peuvent nous nuire que si nous avons un terrain favorable pour qu'ils se développent (un grain de blé ne pousse pas dans le sable du Sahara).
5. Les microbes participent à notre homéostasie et à notre guérison.
6. Les microbes jouent un rôle très important dans la transformation de la matière.
7. La contagion ne peut se réaliser que sur un terrain favorable.
8. L'épidémie ne se manifeste qu'au sein de groupes d'êtres vivants, victimes des mêmes erreurs biologiques (vaccins), conditions climatiques, hygiéniques et psychologiques (et encore ne sont-ils pas tous atteints).
9. Les vaccins sont inutiles et dangereux.

CHAPITRE

2

Et si la maladie n'était pas ce qu'on croit?

«La maladie n'intervient pas par hasard, elle se déclenche, évolue, se stabilise ou disparaît au gré de certains événements.»

Dr Henri Laborit

La maladie, selon l'approche classique, constitue une altération organique ou fonctionnelle de la santé comportant un ensemble de caractères définis, notamment une cause, des signes et des symptômes, une évolution et des modalités thérapeutiques et pronostiques précises.

Ainsi, qu'un organe s'arrête de fonctionner normalement, on en recherche les causes soit dans une panne mécanique, soit dans une infection virale ou bactérienne, soit dans une allergie, une hypersensibilité de l'organisme à une substance étrangère, ou encore dans la présence de cellules atypiques.

Rarement a-t-on considéré la maladie comme étant un processus sain et vital dans l'évolution de la vie.

Le principe de l'évolution comporte quatre phases essentielles, soit la naissance, la croissance, la reproduction et la mort.

Ce qu'on appelle «maladie» résulte en fait des efforts que fournit l'organisme d'un être vivant pour tenter de s'adapter à une situation perturbante ou déstabilisante pour le maintenir en vie.

La maladie fait aussi partie du processus de sélection naturelle. Pour maintenir l'équilibre de l'écosystème, certains doivent céder leur place à d'autres.

L'importance de s'adapter pour survivre

«Un organisme vivant est un organisme qui s'adapte.»

Tout organisme vivant de quelque règne qu'il soit (végétal, animal ou humain) doit pouvoir s'adapter aux variations constantes de son milieu pour se développer, croître et se reproduire. Sans ces possibilités d'adaptation, il ne peut vivre.

De manière générale, l'organisme perçoit les changements dans son environnement immédiat (information) et apporte une réponse (action ou réaction) qui lui permettra de s'adapter pour assurer sa survie.

Voici un exemple: j'ai planté trois petits palmiers. Deux devant la maison et un sur la terrasse arrière. Après environ six mois, ceux devant la maison ne m'ont donné que quelques palmes supplémentaires alors que celui placé sur la terrasse, pendant le même laps de temps, m'en a donné plusieurs.

Si l'on examine l'environnement de ces palmiers, on relève que les deux plantés devant la maison sont protégés du vent alors que celui sur la terrasse est exposé à de forts vents venant de la mer. Pour survivre, il lui a fallu s'adapter à ces vents violents: il y est parvenu.

Lorsqu'on prend le temps d'observer la nature, qu'il s'agisse d'éléments du règne végétal ou animal, on découvre bon nombre de ces mécanismes d'adaptation tels que l'orientation des feuilles, des fleurs, la pousse des poils chez les animaux au début de la saison froide ou leur chute au printemps.

Nous, les êtres humains, nous devons aussi continuellement nous adapter à un environnement qui varie sans cesse, qu'il s'agisse du climat (l'été, on a parfois trop chaud et l'hiver, parfois trop froid) ou de la nourriture que nous consommons (qui varie d'une saison à l'autre). Et que dire de notre entourage, nos voisins, nos collègues de travail et, plus près de nous, de nos parents, nos enfants, notre conjoint, nos amis, etc.

Tant que nous pouvons nous adapter sans que cela perturbe notre harmonie physique ou psychologique, tout va bien. C'est lorsque nous ne pouvons pas ou ne pouvons plus nous adapter que surviennent les perturbations qui affectent notre santé et notre bien-être.

Chez les végétaux et les êtres vivants les plus primitifs, cette survie est assurée par des réactions simples. Le besoin de lumière amènera les végétaux à se tourner du côté du soleil, les bactéries et protozoaires à se diriger vers une source lumineuse: c'est l'effet du phototropisme ou phototactisme.

Tout au long de l'évolution, les organismes vivants qui se sont succédé sur cette planète se sont retrouvés dotés d'organes de plus en plus perfectionnés afin de pouvoir toujours mieux s'adapter à leur environnement et, par conséquent, assurer leur survie.

Chez les organismes plus complexes comme les animaux et les êtres humains, cette adaptation constante se réalise grâce au cerveau.

Si l'on comparait le cerveau humain et le système nerveux rudimentaire des organismes moins évolués, cela reviendrait à comparer les possibilités d'un ordinateur à celui d'un boulier.

Le cerveau envoie continuellement des ordres à l'ensemble des organes qui, en retour, lui renvoie des informations grâce auxquelles il peut continuellement adapter l'organisme.

Fait-il très chaud? La température ambiante augmente-t-elle? Des récepteurs placés au niveau de notre peau envoient cette information à notre cerveau. À son tour, l'hypothalamus envoie des influx nerveux chargés de stimuler les glandes sudoripares et de dilater les vaisseaux sanguins de notre épiderme afin de refroidir notre corps. Ce processus entraîne une perte d'eau. Si nous avons la possibilité de boire, nous rétablissons l'équilibre de la perte d'eau subie par notre corps. C'est ainsi que se maintient notre homéostasie.

Mais si nous sommes forcés de demeurer sous une température élevée sans possibilité de boire, nous pouvons souffrir de déshydratation, ce qui peut nous occasionner des maux de tête, des étourdissements, des nausées et, si cela perdure, une perte de conscience. Ces maux de tête, étourdissements, nausées sont ce que nous appelons des symptômes, c'est-à-dire des réactions biologiques d'adaptation à une situation déstabilisante qui affecte notre organisme.

Ces symptômes sont une alerte que déclenche notre cerveau pour que nous allions chercher de l'eau.

Si, à l'inverse, il fait froid et que nous ne sommes pas suffisamment vêtus, des cellules agissant en thermostat au niveau de notre peau vont informer le cerveau de cette baisse de température. Il réagira en provoquant, d'une part, des contractions musculaires suscitées par le réflexe du frisson qui produit de la chaleur et, d'autre part, une vasoconstriction cutanée pour réduire la perte de chaleur interne.

Si nous avons la possibilité de nous réchauffer avec des vêtements ou un élément diffusant de la chaleur, ce léger désagrément ne sera que passager. Dans le cas contraire, nos extrémités peuvent souffrir d'hypothermie et, si cela se prolonge, cette hypothermie gagnera tout notre corps et la mort s'ensuivra.

Notre organisme est conçu pour faire face à bien des désordres, mais ses possibilités d'adaptation sont toutefois limitées. Des perturbations trop intenses ou trop fréquentes vont engendrer ce que nous appelons des «maladies».

La mort survient lorsque notre corps ne peut pas ou ne peut plus s'adapter à ce qui déstabilise son homéostasie.

LE CERVEAU, ORGANE D'ADAPTATION

Le cerveau humain constitue le plus bel héritage phylogénétique que les multiples générations d'espèces allant du poisson cartilagineux à l'homme ont fait fructifier au cours d'une évolution totalisant 180 millions d'années. Il se distingue par le développement marqué de sa partie antérieure, le télencéphale (les deux hémisphères) autour de structures plus primitives qui lui font partager des propriétés ancestrales communes avec les mammifères et, indirectement, les reptiles. Cette intégration des trois cerveaux en un suggère trois niveaux de fonctionnement psychique:

Reptilien:

système nerveux périphérique => cerveau moteur (mouvement).

système neuro-végétatif => cerveau autonome (automatisme).

Mammifère:

système limbique gauche => cerveau événementiel (mémoire des événements).

système limbique droit => cerveau émotionnel (mémoire des émotions).

Humain:

cortex gauche => cerveau analytique (intelligence, raison, pensée).

cortex droit => cerveau imaginaire (imagination, intuition, vision globale).

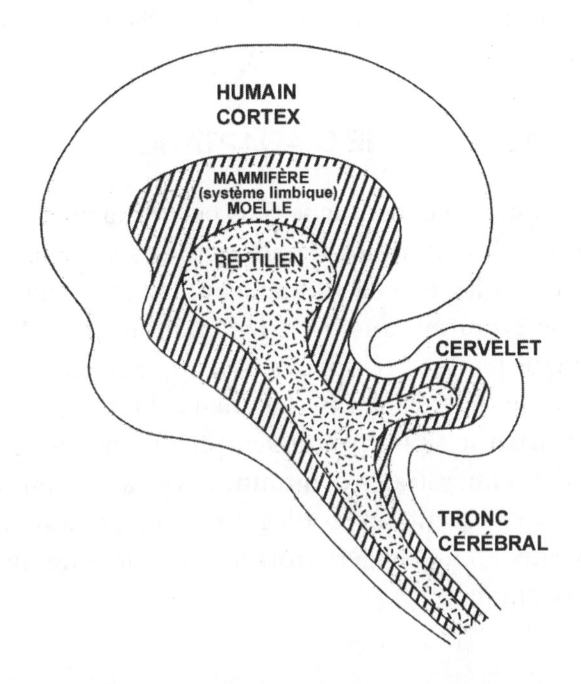

Le rôle du cerveau consiste à réunir les informations concernant l'environnement extérieur et l'état interne du corps, à analyser ces informations et à déclencher les réponses appropriées, l'objectif fondamental étant la survie.

Pour s'acquitter de son rôle, le cerveau utilise des programmes de survie préétablis, mais il peut également améliorer ses performances par l'apprentissage fondé sur la mémoire.

Le cerveau est organisé comme un véritable ordinateur qui contrôle un appareil extrêmement complexe. Son unité centrale est le système nerveux central (appelé aussi système nerveux cérébro-spinal) comprenant l'encéphale et la moelle épinière, constituée de milliards de neurones (cellules nerveuses) interconnectés.

L'introduction des informations dans le système nerveux central se fait par l'intermédiaire des organes tels que les yeux, les oreilles, la peau et d'autres récepteurs du corps.

Les instructions qui en résultent vont soit aux muscles squelettiques, aux muscles contrôlant la parole ou aux organes internes et aux glandes. Ces informations sont alors transmises par des connexions, les nerfs, qui se déploient du système nerveux central vers l'ensemble du corps. Chaque nerf est un faisceau constitué par les axones (prolongement filamenteux de nombreuses neurones).

En plus de cette répartition anatomique du système nerveux, il existe diverses spécialisations fonctionnelles, dont deux essentielles, soit celles du système nerveux périphérique qui contrôle les muscles squelettiques et régit les mouvements volontaires, ainsi que les fonctions du système nerveux autonome, spécialisé dans la régulation automatique (inconsciente) du fonctionnement interne du corps.

Le système nerveux autonome ou neuro-végétatif

L'activité nerveuse peut être plus ou moins consciente et plus ou moins volontaire. Nous savons par expérience que, dans certaines fonctions de notre corps, notre conscience et notre volonté n'interviennent que dans une mesure extrêmement réduite, voire nulle. Nous n'avons qu'à penser au fonctionnement de notre cœur, de notre foie, de nos reins, de notre intestin, de nos glandes sudoripares. Nous n'avons pas à intervenir pour les mettre en action. Il est d'ailleurs heureux qu'il en soit ainsi, car nous ne pourrions prendre aucun repos véritable et les gens distraits ne vivraient pas longtemps!

Il faut toutefois préciser qu'autonomie ne signifie pas indépendance complète. On sait très bien qu'une peur intense peut accélérer les battements de notre cœur, que des préoccupations peuvent nous couper l'appétit ou perturber notre digestion.

Ainsi, nous possédons un système automatique pour réguler ces fonctions. Ces activités fondamentales sont parfois dites «végétatives» du fait qu'elles se déroulent presque toujours sans l'intervention de notre volonté.

Placé sous la commande de l'hypothalamus, le système neuro-végétatif est formé de deux contingents de fibres: le système sympathique et le système parasympathique. Ces deux systèmes exercent des actions complémentaires sur les organes qu'ils innervent.

Le système nerveux sympathique ou orthosympathique

De manière générale, le système nerveux sympathique stimule tout ce qui est biologiquement prévu pour nous maintenir en **état d'éveil** et de **combativité**. Il accélère les rythmes cardiaque et respiratoire comme pour préparer le corps à agir ou à réagir en cas de besoin.

Ce système nerveux sympathique est constitué de deux chaînes de nerfs qui partent de la moelle et traversent l'ensemble du corps pour aboutir aux organes et autres structures qu'ils contrôlent. Les terminaisons nerveuses libèrent alors dans ces tissus les neurotransmetteurs chimiques que sont l'adrénaline (appelée aussi épinéphrine) et la noradrénaline (appelée aussi norépinéphrine). Ce système stimule également la libération d'adrénaline des glandes surrénales.

L'accélération et le renforcement des battements cardiaques, l'augmentation de la capacité des voies respiratoires, la dilatation des vaisseaux musculaires et la contraction des vaisseaux sanguins irriguant la peau et les viscères abdominaux (afin d'augmenter la pression sanguine dans les muscles) constituent les effets les plus notables de l'action des neurotransmetteurs. À cela, il faut ajouter la diminution de l'activité digestive, la dilatation des pupilles et la contraction de l'urètre de l'homme permettant l'éjaculation de sperme pendant l'orgasme.

Le système nerveux autonome

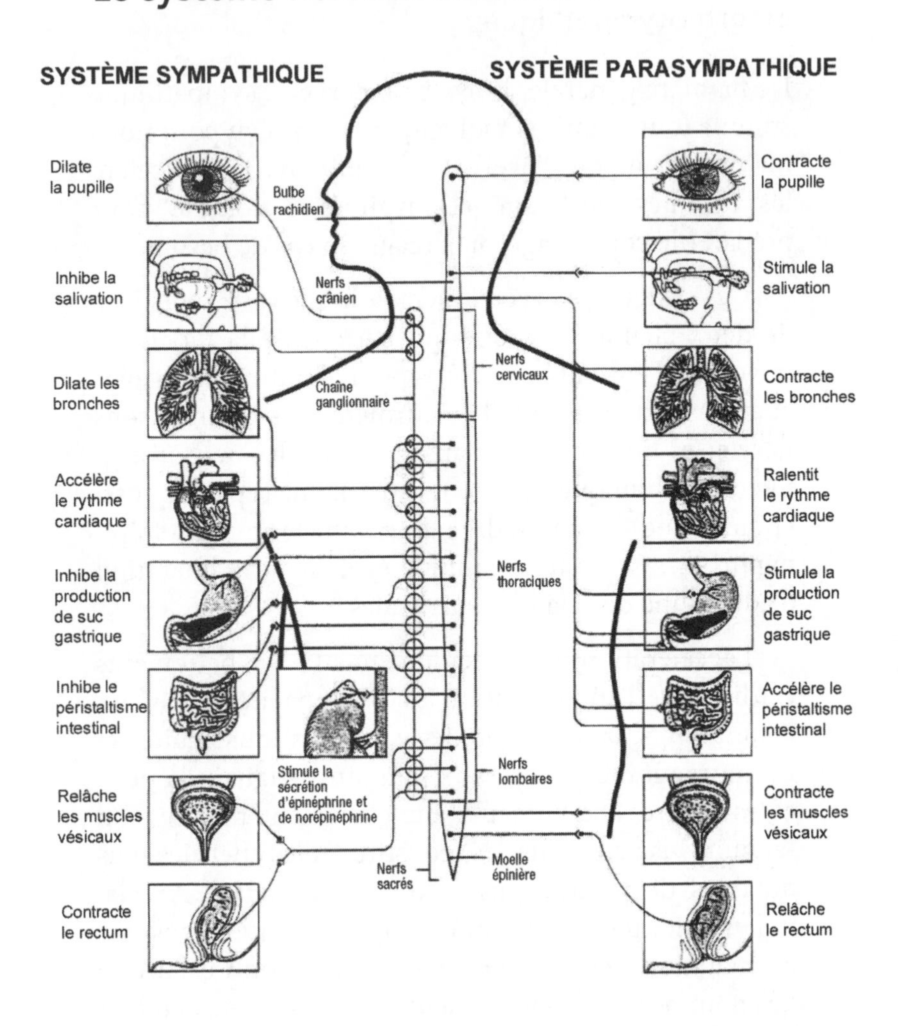

Le système nerveux parasympathique

Le système nerveux parasympathique stimule nos fonctions de **repos** et de **récupération**. Son action est par conséquent prédominante durant notre sommeil ou lorsque notre corps est fatigué, blessé ou malade.

Le système nerveux parasympathique est constitué d'une première série de nerfs qui prennent source dans l'encéphale et d'une seconde série de nerfs émergeant de la partie inférieure de la moelle (région sacrée).

Les nerfs parasympathiques aboutissent aux mêmes organes et structures que ceux innervés par le système sympathique. Ils libèrent également un neurotransmetteur, l'acétylcholine, qui provoque des effets opposés à ceux produits par l'adrénaline et la noradrénaline.

L'un des nerfs les plus importants est le nerf vague ou pneumogastrique. Ce nerf descend avec les vaisseaux du cou pour innerver la quasi-totalité des viscères (œsophage, cœur, bronches, estomac, intestin grêle, pancréas et reins).

Rythme végétatif ou biorythme

Si notre santé relève de notre capacité à nous adapter, cette adaptation s'effectue essentiellement à travers l'action alternée des systèmes sympathique et parasympathique. On pourrait également parler d'une phase d'activité et d'une phase de repos, la phase d'activité étant assurée par le sympathique et la phase de repos, par le parasympathique.

Le système sympathique est sollicité en phase d'activité, on parle alors de **sympathicotonie**. Le système parasympathique assure, quant à lui, les fonctions de repos et de récupération; on nomme cette phase **parasympathicotonie** ou encore **vagotonie** à cause du rôle important que joue le nerf vague au cours de cette phase.

De manière générale, lorsque nous sommes en bonne santé, nous nous levons le matin après une bonne nuit de sommeil et nous sommes aptes à nous adonner aux différentes tâches qui vont jalonner notre journée. Notre cœur bat à un bon rythme, nous nous sentons dynamiques et nous respirons bien grâce à la dilatation de nos bronches. L'effort nous fait transpirer et notre système digestif fonctionne au ralenti. Nous sommes en sympathicotonie. Le soir, nous réduisons nos activités, favorisant des activités qui nous demandent moins d'énergie. Puis la fatigue se fait sentir, nous regagnons notre lit pour dormir. Le psychisme, le cerveau et les organes se reposent du travail. Pendant cette phase, nos pupilles se contractent, notre cœur ralentit, notre tension artérielle s'abaisse, la nourriture est digérée tranquillement, les muscles et le sphincter de la vessie se contractent. L'organisme tout entier récupère, prend des forces. Nous sommes alors en parasympathicotonie ou vagotonie.

Si nous avons une vie relativement stable, sans grandes préoccupations ou perturbations, cet équilibre entre veille et sommeil, entre activité et repos, entre sympathicotonie et parasympathicotonie, nous donne la normotonie qui équivaut à un biorythme régulier, gage de santé.

La vie que nous menons dans notre société moderne nous oblige parfois à faire des écarts dans le respect de cet équilibre entre activité et repos ou veille et sommeil. Nous travaillons de longues heures, nous levant tôt pour nous coucher souvent très tard. Une absence de sommeil contraint l'organisme à se réorganiser; il doit modifier les mécanismes qui règlent la vigilance et l'attention. Un dérèglement momentané n'aura pas de conséquence s'il y a compensation au cours des nuits subséquentes.

En revanche, si pour atteindre un objectif que l'on s'est fixé on ignore les besoins de repos de notre corps pendant une longue période, notre organisme s'en trouvera affecté.

Cette volonté d'atteindre nos objectifs nous garde en sympathicotonie.

Lorsque nous pouvons enfin relâcher la tension que nous demandait cette activité, nous en éprouvons une grande fatigue, c'est la phase de parasympathicotonie qui prend la relève et qui va maintenant primer sur la sympathicotonie. C'est ainsi que notre organisme se rééquilibre automatiquement.

Certaines personnes s'étonnent lorsqu'elles prennent des vacances de ressentir un grand besoin de dormir. Dans la majorité des cas, ces personnes avaient beaucoup travaillé avant d'aller en vacances; elles étaient donc dans une dominante de sympathicotonie. À présent qu'elles arrêtent, leur corps compense par une plus grande vagotonie ou parasympathicotonie.

Tout stress a un effet d'amplification de la sympathicotonie, tant sur le plan de la durée que de l'intensité.

On pourrait comparer le système sympathique à un moteur. Le stress ou la tension aurait comme effet de faire tourner ce moteur plus rapidement. La fatigue, l'épuisement ou la perturbation qui résulte de l'amplification de la sympathicotonie a à son tour un effet d'amplification de la parasympathicotonie.

Si la fatigue est passagère, le temps de récupération en vagotonie ou parasympathicotonie sera plus court que si cette fatigue dure depuis un bon moment.

La maladie ou solution biologique

Il arrive parfois que la peur d'un échec ou la crainte de perdre son emploi, sa maison ou son entreprise, active notre volonté de réussir ou de relever le défi. Cette volonté nous garde dans un état de stress presque permanent où l'on réfléchit sans cesse, mangeant peu et dormant peu.

Cet état de sympathicotonie presque permanent risque d'affecter notre cœur, nos artères et, par ricochet, d'autres organes de notre corps.

Si nous ne trouvons pas de solution pour ralentir ce rythme effréné, notre ordinateur (le cerveau) va intervenir avec une solution biologique de survie. Cette solution biologique visera à forcer le retour de l'organisme en parasympathicotonie. Ainsi, le cerveau pourra déclencher dans l'organisme de la personne concernée, les symptômes d'une laryngite, d'un rhume ou d'un état grippal.

Si, malgré ces symptômes, la personne résiste à s'accorder le repos nécessaire, le cerveau va alors commander une intensification des symptômes obligeant la personne à prendre le lit, ce qui procurera à son organisme le repos dont il avait besoin.

Certaines personnes se font parfois violence pour atteindre des résultats ou des performances en se maintenant dans un stress continu pendant une longue période. Le corps peut s'en trouver affecté et requérir un plus grand laps de temps pour se remettre de ce qu'un tel stress prolongé lui a fait subir.

Si une personne dans une telle situation ne peut se permettre de s'arrêter et que cela devient impératif pour son organisme, le cerveau pourra intervenir par le biais de l'acétylcholine pour maintenir l'organisme de la personne épuisée en parasympathicotonie.

Ainsi, on pourra entendre cette personne dire: «Je ne sais pas ce qui m'arrive, je n'ai plus d'énergie, je suis épuisée après le moindre effort.»

En consultation auprès d'un médecin de l'approche classique, elle pourra recevoir comme diagnostic «burn-out» ou épuisement professionnel.

Une autre, pour les mêmes symptômes, pourrait recevoir un diagnostic de dépression nerveuse assorti d'une ordonnance d'antidépresseurs.

Ce qui peut laisser croire à la dépression, c'est que dans la phase parasympathicotonique ou vagotonique les sécrétions lacrymales sont activées et la personne peut être portée à pleurer facilement. Ce sont bien souvent des pleurs d'épuisement.

Chez d'autres personnes, souvent des étudiants ou de jeunes parents qui résistent au besoin de s'arrêter malgré des symptômes d'une grande fatigue, le cerveau pourra opter pour une autre solution de survie, par exemple une mononucléose.

Ce temps d'arrêt amènera la personne à reconsidérer ses priorités, à trouver des solutions à la situation épuisante qu'elle vivait et, du même coup, permettra à son corps de récupérer.

Plus la personne résistera à donner à son corps le repos nécessaire, plus il lui faudra de temps pour se remettre de cet épuisement professionnel ou de cette mononucléose.

Le rhume, l'épuisement professionnel ou la mononucléose sont-elles des maladies ou des solutions biologiques de survie?

Cela ne peut que nous conduire à reconsidérer ce qu'on tenait pour des maladies.

Rôle du système neuro-végétatif dans les perturbations ou traumatismes de notre organisme

Comme nous l'avons déjà vu, lorsque nous sommes confrontés à un stress, cela a pour effet d'activer et même d'amplifier notre sympathicotonie.

L'amplification de la sympathicotonie peut atteindre différents seuils allant d'une simple déstabilisation jusqu'à un seuil de traumatisme sérieux et parfois mortel.

Reprenons notre exemple de moteur. Supposons qu'il tourne habituellement à 3000 rpm et que nous le fassions tourner à 4000 rpm puis à 6000 rpm. À 4000 rpm, cela va le forcer sans l'endommager, mais au-delà de ce nombre de tours, des éléments du moteur ou des circuits pourront subir des dommages.

C'est exactement ce qui se passe au niveau de nos organes lorsque l'activité sympathique ou sympathicotonie est hyperactivée ou activée sur une trop longue période de temps.

Les facteurs de stress et l'intensité qu'il engendre peuvent toutefois être très différents d'une personne à une autre.

Faible stress

Une personne se balade tranquillement; un cycliste passant trop près d'elle la fait tomber. Dès l'instant où elle perd pied, son système sympathique s'active, augmentant sa sympathicotonie.

Elle se relève et, bien qu'elle ne soit pas blessée, elle s'en prend à ce cycliste en lui manifestant sa colère. Ce dernier se confond en excuses, l'assurant qu'il croyait avoir suffisamment d'espace. Elle accepte ses excuses, et n'est plus fâchée. Elle passe alors en vagotonie ou parasympathicotonie et se remet de ce stress.

Stress intense

Une personne traverse une rue, elle voit une automobile qui fonce vers elle à vive allure. Elle saute sur le côté sans réfléchir. Ce stress aura été bref mais intense. Confronté à ce stress, le cerveau commande une réaction d'adaptation en innervant fortement le sympathique, ce qui va inonder brusquement tout l'organisme d'adrénaline. Une fois le danger écarté, cette personne va ressentir les autres effets de cette même hormone: cœur qui bat très fort, tremblements, essoufflements, faiblesse. Elle passe alors en parasympathicotonie pour se remettre de cette déstabilisation de son organisme.

L'intensification de l'activité sympathique serait comparable à une onde de choc. C'est la phase de la sympathicotonie ou phase active.

Le retour de l'onde de choc est pris en charge par le parasympathique, c'est la phase de la parasympathicotonie (vagotonie) ou phase de récupération (réparation). Plus intense sera l'onde de choc, plus intense sera le retour de l'onde de choc.

Toute perturbation de notre organisme débute donc par une onde de choc (stress). Toute guérison ne peut s'effectuer que par un retour de l'onde de choc (libération du stress).

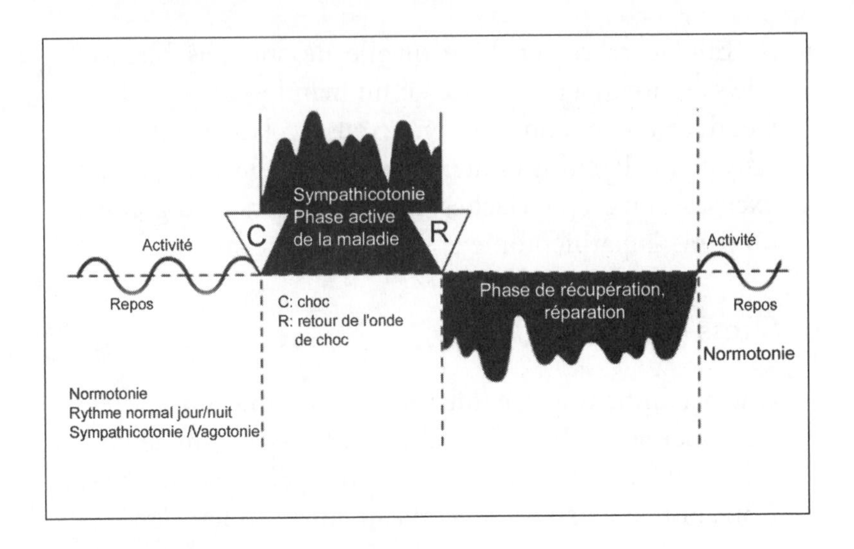

Comment naît la maladie et comment elle évolue

Ce que nous appelons «maladie» comporte deux phases: l'onde de choc (sympathicotonie amplifiée) et le retour de l'onde de choc (parasympathicotonie amplifiée).

Pourquoi la maladie concerne-t-elle les deux phases et non pas seulement la première?

En fait, la perturbation de notre organisme se fait dans la phase active (phase de sympathicotonie), mais les symptômes de cette perturbation sont le plus souvent ressentis dans la seconde phase (récupération ou parasympathicotonie).

Il est fréquent que cette seconde phase qui vise pourtant à la guérison ou au retour à la normotonie soit plus douloureuse que la phase active (sympathicotonie).

Voici un exemple.

C'est l'hiver. Nous chaussons des patins à glace et nous allons patiner sur une surface glacée. Nous avons les pieds gelés et souhaitons rentrer. La personne qui nous accompagne nous demande de prolonger un peu notre activité. Nous acceptons.

Lorsque nous rentrons et qu'enfin nous retirons nos patins nous avons la sensation d'avoir des milliers de fourmis dans les pieds qui nous piquent et nous démangent; cela peut même nous faire très mal.

Pourtant, il n'y a plus de danger. Nous avons fait subir un choc à la température de nos pieds en raison du froid auquel on l'a soumise. Ce choc appartenait à la première phase, la phase active ou onde de choc. À présent, il y a retour de l'onde de choc, c'est la phase de réparation.

Stress prolongé

Émilie a vécu beaucoup de stress alors qu'elle tentait de sauver la compagnie qu'elle et son mari avaient fondée.

Après avoir trouvé un acheteur et réglé leur situation, ils s'offrent une semaine de vacances dans les Caraïbes. Quelques heures après leur installation à l'hôtel, Émilie ressent de si violentes palpitations au cœur qu'elle croit être victime d'un infarctus du myocarde, communément appelé «crise cardiaque». Heureusement pour elle, les douleurs s'estompèrent. Toutefois, par la suite, elle observa qu'elle n'avait plus d'endurance, son cœur s'accélérait au moindre effort, toute activité physique la laissait essoufflée et l'obligeait à se reposer.

Tous ces symptômes qu'a ressentis Émilie après ces violentes palpitations cardiaques relevaient-ils de la première phase (phase active ou sympathicotonie) ou de la seconde phase (récupération ou parasympathicotonie)?

Il s'agissait de la seconde phase. Tant qu'Émilie était sous le stress lié à la peur de perdre son entreprise, elle était en phase active. Après la vente de cette compagnie qui représentait pour eux la solution à leurs problèmes, Émilie fut libérée de son stress.

Elle passa donc en phase de récupération. Comme ce stress fut intense et activé pendant une longue période, la phase de récupération (réparation) le fut également. Les douleurs qu'elle avait ressenties correspondaient au travail de réparation qui s'opérait sur son cœur pour la conduire vers la guérison ou normotonie.

Nombre de personnes consultent leur médecin au cours de cette seconde phase, c'est-à-dire lorsque leur organisme est justement en train de récupérer et de guérir. La prise de médicaments peut se révéler inutile et même nuisible. Tout ce dont ces personnes ont besoin, c'est de repos pour permettre à leur corps de procéder à la réparation des dommages subis lors de la phase de stress.

Comment pouvons-nous savoir si nous sommes en phase de stress ou de récupération?

Nous sommes en phase active ou de stress tant et aussi longtemps que nous n'avons pas trouvé de solution à ce qui nous déstabilise ou à ce qui nous perturbe.

Nous passons en phase de récupération lorsque nous n'avons plus peur, que nous ne sommes plus en colère, que nous acceptons la nouvelle situation qui nous avait déstabilisé (perte d'un être cher, de son emploi, de sa maison, etc.) ou que l'on se sent libéré de ce qui nous préoccupait.

Voici un exemple:

J'ai mal à la gorge. J'ai vécu de la colère, je l'ai exprimée, je ne suis plus en colère. Ce mal de gorge appartient-il à la phase active ou à la phase de récupération?

Réponse: À la phase de récupération.

Reprenons ce même exemple mais avec une évolution différente. J'ai mal à la gorge. Je suis en colère contre l'un de mes proches; je ne veux plus lui parler. Suis-je en phase active ou en phase de récupération?

Réponse: Le conflit n'étant pas résolu, je demeure en phase active. Si cette phase active s'intensifie ou se prolonge, elle pourra évoluer pour me donner un ou des nodules aux cordes vocales.

Voici des petits indices qui pourront également nous aider à savoir si nous sommes en phase active ou de récupération.

En phase active, nous avons souvent les mains froides, notre sommeil est perturbé nous avons peu d'appétit. En phase de récupération, nos mains sont chaudes, nous dormons facilement et même beaucoup, nous avons très bon appétit.

La seconde phase (parasympathicotonie) conduit-elle nécessairement à la guérison?

Si la seconde phase conduisait inévitablement à la guérison, tout le monde guérirait et nos hôpitaux fermeraient leurs portes. Alors, pourquoi tant de personnes ne guérissent pas?

Dans cette seconde phase, la guérison sera conditionnelle à son évolution.

Cette seconde phase peut évoluer vers la guérison, vers une phase latente, vers une aggravation de la maladie ou vers la mort.

Évolution vers la guérison

Pour qu'il y ait guérison, il faut qu'il y ait solution. Voici des exemples de solution:

- la résolution d'un problème qui nous créait beaucoup de stress;
- la transformation d'une situation qui nous perturbait;
- la libération d'une émotion qui nous déstabilisait;
- l'élimination d'un agent toxique (médicament, drogue, radiation, etc.);
- la modification d'un mode de vie qui ne nous convenait plus;
- l'intervention visant à réparer un organe ou à en améliorer le fonctionnement.

Évolution vers la phase latente

Supprimer les symptômes peut laisser croire à la guérison. Toutefois, si le facteur de stress (la cause) n'est pas éliminé, dès que cette personne sera de nouveau confrontée à ce qui la perturbait ou la déstabilisait, elle se retrouvera immanquablement en phase active (sympathicotonie).

On parle alors de récidive.

Évolution vers une aggravation de la maladie

Au cours de la phase de récupération ou de réparation, l'organisme est sous l'innervation du parasympathique. Cela signifie que les fonctions des principaux organes sont mises au repos ou au ralenti. Au cours de cette phase, le repos est donc capital, essentiel à la guérison.

On comprendra ainsi pourquoi après une intervention chirurgicale une personne peut dormir plus de 16 heures dans une même journée.

Si ce besoin de repos n'est pas satisfait, l'organisme ne peut procéder adéquatement à la restauration de l'organe ou des organes affectés et il peut en résulter une aggravation de la maladie.

La maladie peut également être aggravée par de nouveaux facteurs de stress tels que des traitements épuisants, des médicaments agressants, un sombre pronostic, un conflit avec un être qui nous est cher pendant cette phase, etc.

Tout nouveau facteur de stress remet l'organisme en phase active ou sympathicotonie.

Évolution vers la mort

La mort survient:

lorsque le facteur de stress ou le choc a été trop brutal;

lorsque la phase de réparation est trop intense; plus importante aura été l'onde de choc (sympathicotonie), plus intense sera le retour de l'onde de choc (parasympathicotonie);

lorsque l'organisme ne peut pas ou ne peut plus s'adapter à de nouveaux chocs (nouvelles peurs, nouveaux conflits, traitements agressants, épuisants ou un pronostic alarmant) qui le remettent continuellement en phase active;

lorsque le corps ou le psychisme de la personne est complètement épuisé. La personne peut penser: «Ça suffit, je n'en peux plus, je ne veux plus me battre, j'en ai assez de souffrir…»

Pour conclure, retenons les points suivants:

La maladie n'est pas un ennemi qu'il faut combattre par tous les moyens. C'est bien souvent notre difficulté à nous adapter qui nous perturbe ou nous déstabilise.

On ne peut s'adapter à ce qu'on n'accepte pas.

La maladie est un processus qui comporte toujours deux phases:

l'une active, gérée par le sympathique. C'est la phase de stress (préoccupations, angoisses, conflits, chocs);

l'autre de récupération, régie par le parasympathique. C'est la phase de repos, de réparation (besoin de dormir, relaxer, décompresser, libérer ses tensions).

La phase active permet de mobiliser toutes les forces de l'organisme pour faire face au facteur agressant, se défendre ou atteindre son but.

La phase de récupération vise le retour à la normotonie.

Pour s'assurer d'une véritable guérison, il faut coopérer avec la phase de récupération:

en accordant à son corps le repos nécessaire;

en apportant à son corps une énergie supplémentaire pour l'aider dans son travail de récupération (réparation), soit des traitements énergétiques, acupuncture, massages, Reiki, etc., soit des suppléments alimentaires naturels (germination, vitamine C, spiruline, gelée royale, ginseng, etc.);

en recourant de préférence à de remèdes naturels (Fleurs de Bach);

en évitant autant que possible de nouvelles perturbations;

en identifiant et éliminant le facteur de stress et non pas seulement ses effets[1].

[1] Nous verrons comment dans les chapitres suivants.

CHAPITRE

3

Et si le cancer n'était pas ce qu'on croit?

«Les méthodes matérialistes actuelles ne viendront jamais à bout de la maladie pour la simple raison que la maladie, à l'origine, n'est pas matérielle.»

Dr Édouard Bach

Lorsqu'il est question de cancer, les non-initiés à la médecine ne comprennent strictement rien au jargon médical. Qu'il s'agisse de mélanomes, d'adénocarcinomes, de sarcomes, de séminomes, de chorio-épithéliomes ou de gliomes, la connaissance des gens en général se résume au mot «cancer» qui signifie pour eux: «C'est grave, c'est dangereux, on peut en mourir.»

Le deuxième terme qu'ils connaissent et qui les terrorise est «métastases» qui équivaut pour eux à «propagation» du cancer à un autre organe, donc, généralisation du cancer.

Voyons tout d'abord la définition du cancer selon la médecine classique[1].

[1] *Encyclopédie médicale de la famille*, Sélection du Reader's Digest, 1996.

Cancer: Le cancer est un nom générique donné à un ensemble de maladies qui correspondent à une prolifération cellulaire anarchique et persistante dans un tissu ou un organe.

Le cancer n'est pas le seul type de développement tissulaire anormal, mais il se distingue des tumeurs bénignes comme les lipomes, les neurinomes ou les adénomes par deux caractéristiques importantes. Lorsqu'il se développe, il infiltre les tissus voisins pouvant obstruer des conduits, détruire des nerfs, attaquer des os. Par ailleurs, les cellules cancéreuses ont la faculté de se répandre dans d'autres parties du corps par la circulation sanguine ou les voies lymphatiques où elles déterminent la formation de tumeurs satellites, les métastases.

Cause (selon la médecine classique): Les cancers naissent de l'altération des oncogènes. Il s'agit de gènes qui régulent la croissance et la multiplication de une ou plusieurs cellules par des agents dits cancérigènes.

Les modifications génétiques de la cellule cancérisée se transmettent à toutes les cellules issues de sa division; ainsi se forme un petit groupe de cellules atypiques qui prolifèrent plus rapidement que les autres. Elles sont généralement indifférenciées, c'est-à-dire incapables de remplir les fonctions qui correspondent à leur tissu d'origine et elles échappent à tout contrôle hormonal et nerveux. Ce sont aussi de véritables parasites puisqu'elles se nourrissent de leur tissu hôte.

Le stade d'apparition des premiers symptômes est parfois très tardif (entre 10 et 20 ans entre le début d'un cancer et son émergence) et dépend du lieu d'origine de la prolifération cancéreuse. Au cours de cette longue période de développement «occulte», des métastases auront pu s'implanter dans d'autres parties du corps; dans ce cas, le seul recours à la chirurgie ne suffit plus.

Le traitement de nombreux cancers est tout d'abord chirurgical: l'ablation précoce d'une tumeur et des tissus environnants puis l'irradiation au cas où il y aurait d'éventuelles métastases trop petites pour être détectées lors de l'intervention et, enfin, la chimiothérapie aux cytostatiques qui entraînent la mort de la cellule en bloquant la division cellulaire de toute cellule cancéreuse qui aurait été laissée après l'intervention. (Notons que la chimiothérapie ne détruit pas seulement les cellules cancéreuses mais aussi les cellules saines.)

Cette approche ressemble sensiblement à l'approche pasteurienne à l'égard des microbes (bactéries, virus): il faut exterminer l'ennemi avant qu'il ne nous détruise.

Avec une telle conception du cancer, il est naturel de parler de «combat», «de lutte à mener», «d'une victoire à remporter contre ce terrible ennemi».

Johanne Ledoux, une Québécoise ayant guéri d'un cancer des poumons et écrit *Guérir sans guerre*, introduit son livre ainsi:

En parcourant la rubrique nécrologique, on apprend le plus souvent que c'est après une longue bataille ou un courageux combat que meurent les personnes atteintes du cancer. Alors, lorsque j'ai appris que j'avais à mon tour un cancer du poumon, répandu, incurable, je me suis dis que si c'était dans la colonne des décès que conduisent la bataille et le combat contre la maladie, je ne les mènerais pas[2].

[2] Johanne Ledoux, *Guérir sans guerre*, Montréal, J'ai lu, 2001.

Ce combat proposé par la médecine classique est-il vraiment efficace?

Regardons ce que nous donnent des statistiques canadiennes à ce sujet.

	Probabilité d'être atteint d'un cancer au cours de sa vie		Probabilité de mourir d'un cancer	
	Hommes	Femmes	Hommes	Femmes
Tous les cancers confondus	38 %	36 %	26 %	22 %
Pour les deux cancers les plus fréquents:				
Sein	–	10 %	–	4,2 %
Poumon	9,3 %	4 %	8,6 %	3,6 %

Ces statistiques révèlent que des 38 % de probabilités de cancer, seuls 12 % des hommes et 14 % des femmes ont des probabilités de guérir. Serait-ce que les traitements proposés n'ont pas un taux de réussite très élevé?

Ce que ces statistiques ne nous indiquent pas, c'est le nombre de personnes guéries et les raisons de leur guérison.

Une majorité de personnes guéries du cancer qui témoignent dans des revues ou des journaux affirment presque toujours avoir reçu beaucoup de soutien et d'encouragement de leur médecin ou de leurs proches et plusieurs d'entre elles reconnaissent avoir entrepris, dans leur démarche, une psychothérapie.

Seraient-ce des facteurs de guérison plus importants encore que l'arsenal de soins médicaux?

Une personne ayant pris connaissance de mon livre *Métamédecine la guérison à votre portée* m'écrivit pour me demander conseil. Cette personne avait consulté pour une petite bosse qu'elle avait décelée dans son abdomen près de la hanche. Après lui avoir fait passer une biopsie, on lui a appris qu'il s'agissait d'une tumeur cancéreuse.

Dans sa lettre, elle me disait: «Je suis prête à me battre…» Je sentais à travers ces mots toute sa détermination à remporter la victoire sur sa maladie. Je lui répondis: «Tu n'as pas besoin de te battre mais seulement d'entendre ce que cette tumeur cherche à te faire comprendre.»

Comme toute maladie, tout cancer a une histoire. Cette histoire comporte toujours un épisode dramatique ou perturbant vécu le plus souvent dans l'isolement ou le repli sur soi où l'on ne voit pas de solution.

Le Dr Mandeville a effectué une recherche dans la région de Québec auprès de 250 femmes atteintes du cancer du sein. Un pourcentage important de ces femmes avaient vécu un traumatisme avant d'être affectée par ce cancer, soit une séparation, un divorce, la perte d'un être cher (mari, enfant, parent, ami) ou une situation vécue dramatiquement avec l'un de ces êtres chers.

Si l'on extrapolait cette étude à toutes les personnes souffrant ou ayant souffert d'un cancer, on découvrirait probablement chez toutes ces personnes un épisode de leur histoire (récente ou ancienne) où elles ont été déstabilisées par un événement ou une situation qui les a mises dans une phase de stress intense, une onde de choc.

Ce traumatisme ou onde de choc a pu donner lieu à:

un cancer fulgurant,

un cancer latent ou progressif,

un second cancer (appelé à tort métastasique).

Cancer fulgurant

Ce type de cancer se développe toujours très rapidement. Il résulte dans la majorité des cas d'un choc émotionnel intense, inattendu et ressenti d'une manière dramatique. La perturbation créée par ce choc ou ce drame est vécue dans la plupart des cas dans l'isolement.

Isolement physique, parce qu'on a personne à qui l'on peut en parler ou que l'on ne veut en parler à personne. On peut vivre ce drame comme un échec incommensurable qui nous amène à nous dévaloriser, à nous culpabiliser, à avoir honte au point de vouloir disparaître.

Isolement psychologique, parce qu'on ne se sent pas compris, pas soutenu ou encore pas autorisé à ressentir la peine, le désarroi ou la révolte qui nous habite, ce qui a pour résultat de nous amener à nous enfermer encore plus dans notre souffrance.

Bien que ce cancer débute au moment du choc émotionnel, ses manifestations peuvent être ressenties dans les jours, les semaines ou les mois suivant la situation dramatique vécue.

Gilberte fait un cancer fulgurant après une altercation avec sa fille

Gilberte a été la raison du mariage de ses parents, sa mère s'étant mariée parce qu'elle était enceinte. Gilberte ne les a jamais vus heureux ensemble et s'en attribue la culpabilité. Quand, à son tour, elle est devenue enceinte sans être mariée, elle n'a pas voulu faire vivre à son enfant ce qu'elle a vécu elle-même. Elle a donc fait le choix d'élever son enfant seule.

Au cours de cette altercation, sa fille lui reproche de l'avoir privée d'un père, allant jusqu'à lui réclamer la pension qu'elle aurait pu recevoir de lui si elle avait accepté qu'il reconnaisse sa paternité.

Ces reproches lui firent très mal, c'était comme si on lui plantait un couteau en plein cœur. Gilberte me confia: «J'ai pensé à ce moment-là: *"Elle vient de me tuer..."*»

Par la suite, Gilberte se referma telle une huître et se replia dans sa tristesse.

Quelques mois plus tard, elle sentit une masse dans son sein gauche et consulta un médecin. Diagnostic: adénocarcinome mammaire (tu meurs ma mère...) ou cancer du sein.

Ce cancer évolua rapidement; elle mourut moins de deux ans après cet événement.

Dans notre entourage, nous entendons parfois parler de personnes qui ont vécu ce qui nous semble être un drame et qui pourtant ne font pas de cancer alors que d'autres qui ne nous semblent pas avoir vécu d'événements particulièrement traumatisants vont développer un cancer.

Quelle pourrait en être l'explication?

Différents facteurs entrent en jeu.

Premièrement, il y a le **facteur du ressenti**. Ce qui crée le choc, le stress qui va atteindre une zone de notre cerveau et, par ricochet, l'organe correspondant n'est pas tant la situation elle-même que la façon dont nous la vivons.

Une personne perd son enfant ou un animal qu'elle affectionne beaucoup et c'est pour elle un drame dont elle se remettra difficilement. Alors que ce même événement pour une autre qui a appris à se détacher des êtres qu'elle aime sera mieux accepté et, par conséquent, moins dramatique.

Deuxièmement, il y a le **facteur surprise**. Lorsque survient un événement dramatique (la perte d'un être cher, la saisie de nos biens, la perte d'un emploi qu'on occupait depuis des années, etc.) auquel on ne s'attendait pas, il nous laisse la plupart du temps complètement chamboulé, parfois anéanti. Nous nous sentons incapable de réagir. C'est là que l'onde de choc est d'autant plus importante.

Troisièmement, il y a le **facteur terrain**. Ce facteur terrain dont parlait déjà Antoine Béchamp au sujet des germes peut aussi bien s'appliquer à la maladie ou au cancer.

On sait par expérience que lorsqu'on est fatigué, épuisé ou surchargé de travail ou de préoccupations, on est plus vulnérable. On peut s'emporter pour une peccadille ou tomber dans la déprime pour un souci supplémentaire. On parle dans ces moments-là de la goutte qui fait déborder le vase. Un terrain affaibli est plus propice au développement d'un cancer.

Quatrièmement, il y a le **facteur résonance**. La résonance pourrait se définir comme un prolongement ou une amplification de l'énergie. Dans la maladie du cancer, il s'agit de l'énergie de l'onde de choc.

Dans mon livre *Métamédecine, la guérison à votre portée*, j'avais fait le lien entre les fréquences vibratoires émises par nos pensées, nos sentiments ou les mots dont on se sert et ce qu'on vit. J'avais également fait le lien entre ces équations enregistrées dans notre mémoire émotionnelle et les répercussions que cela pouvait avoir sur notre santé, nos relations affectives ou notre réussite.

Mais je n'avais pas aussi bien compris ce phénomène de résonance avec la maladie et particulièrement avec le cancer jusqu'à ce que je sois affectée d'une tumeur au sein droit.

C'était au printemps 1997; j'étais alors en tournée en Europe avec mon époux.

Il me semblait, en cette période de ma vie, que je n'aurais pu être plus heureuse: ma relation de couple me comblait et je connaissais beaucoup de succès dans mon travail.

La veille de mon anniversaire, en effleurant mon sein, je sentis une protubérance et en fus étonnée. Cela m'inquiéta quelque peu puisque j'avais une amie très proche qui était affectée d'un cancer du sein droit. Néanmoins, je décidai de poursuivre ma tournée et de ne consulter un médecin qu'à mon retour au Québec.

Je lui fis part de mes interrogations. Je me demandais si quelque part dans mon inconscient, je ne m'imposerais pas un interdit au regard du bonheur ou encore s'il serait possible que lorsqu'on est enfin heureux, on aurait atteint notre mission sur Terre et que, là, on pouvait partir.

J'avais lu, quelque temps auparavant, un article sur le décès de Marie-Soleil Tougas, une jeune comédienne au Québec. On disait entre autres qu'elle n'avait jamais été aussi heureuse qu'avant cet accident d'avion qui lui avait coûté la vie.

Ce praticien, bien formé à l'approche de la médecine classique, me répondit: «Voyons donc Mme Rainville, vous avez 46 ans, vous êtes sans doute en préménopause et dans cette période survient très souvent un débalancement hormonal qui peut donner naissance à une tumeur.»

Inquiet de la masse que je présentais, il téléphona lui-même pour que je puisse passer une mammographie dès le lendemain.

La mammographie montrait un nodule sous lequel s'étendait une masse plus importante non définie, plutôt floue. On suspectait la présence d'un adénofibrome avec peut-être autre chose de plus sérieux.

Pour mon médecin, la solution était, dans un premier temps, une biopsie plus l'ablation de cette tumeur et de ce qui s'y rattachait.

Ce que je vivais, ce que j'avais vécu, mes interrogations, il n'en avait que faire; pour lui, c'était des chimères. Il n'en était pas moins gentil pour autant, ni dépourvu de compassion. Il était seulement un peu trop assuré de ses convictions pour avoir un autre regard sur la maladie ou le cancer.

Je savais que cette masse voulait me révéler quelque chose d'important. Mais quoi? Je l'ignorais. Je m'interrogeai: était-ce la petite dispute que j'avais eue avec ma mère? Je rétablis une excellente relation avec elle, mais cela ne changea rien à ma tumeur.

Peut-être étaient-ce des difficultés vécues avec des collègues de travail? Je travaillai dans ce sens. Là non plus, cela n'apporta pas d'amélioration.

À certains moments, j'avais la nette impression que cette tumeur grossissait. Je me demandais alors si je ne cherchais pas à avoir raison, s'il n'était pas plus sage de me résoudre à me faire retirer cette masse. Pour ce médecin que j'ai eu l'occasion de revoir, je prenais de gros risques, je jouais avec ma vie plutôt que d'agir préventivement.

Puis j'ai observé cette masse et les moments où elle grossissait. C'était chaque fois que je quittais mon mari pour un séjour où il ne m'accompagnait pas. Quand je le retrouvais, elle se stabilisait.

C'est alors que j'ai fait le lien avec un événement qui s'était produit au printemps 1994.

Je m'étais remariée en février 1993. Avant ce mariage, je m'étais juré que si jamais je me remariais, ce ne serait certes pas pour me séparer.

Or, en 1994, mon mari et moi avons traversé une forte crise d'incompréhension mutuelle qui éclata en un magistral conflit où il décida de mettre fin à notre relation de couple.

Ce conflit m'atteignit au plus profond de mon être. Je me sentais anéantie, devant surmonter seule le chagrin et l'angoisse de cette séparation afin de poursuivre les activités thérapeutiques dans lesquelles j'étais engagée. Dans les jours qui suivirent, je ressentis de vives douleurs dans le sein gauche, à tel point que je ne pouvais dormir sur ce côté.

En peu de temps, je vis mon sein se transformer, mon mamelon se déformer. Je craignais d'être atteinte d'un cancer du sein, mais je n'ai pas osé consulter un médecin, j'avais trop peur du diagnostic.

J'ai plutôt travaillé avec l'une de mes thérapeutes qui associait les clés de la Métamédecine à des traitements d'énergie.

Au premier traitement, elle me dit: «Je ne peux approcher mes mains à moins d'un mètre de ton sein tant j'ai les mains qui me brûlent.»

Au second traitement, elle me demanda: «Pourquoi Claudia est-ce si important pour toi qu'un homme te regarde? J'entends dans ton corps: "Papa, pose tes yeux sur moi pour que je puisse vivre…"» Lorsqu'elle prononça ces mots, je fus submergée d'une telle émotion… Après avoir laissé s'épancher le plus gros de cette émotion, je ne comprenais pas comment ces paroles «Papa, pose tes yeux sur moi pour que je puisse vivre» avaient pu me bouleverser autant.

J'étais persuadée de n'avoir jamais vu mon père ailleurs que dans son cercueil alors que j'avais six ans. Dans les semaines qui suivirent, j'allai rencontrer ma mère pour lui demander s'il était possible que j'aie vu mon père avant sa mort.

Ma mère qui évitait autant que possible de parler de ce qui appartenait à son passé me dit toutefois qu'il était venu à la maison alors que j'avais sept ou huit mois. Elle me raconta que je me déplaçais alors à quatre pattes; je m'étais approchée de lui et je lui avais tendu mes petits bras, mais il avait tourné les talons et il était parti.

Après cette confidence de ma mère, je suis partie seule en République dominicaine et un soir j'ai imaginé la scène décrite par ma mère puis je me suis vue moi, l'adulte d'aujourd'hui, entrer dans cette image qui se déroulait tel un film dans ma tête en état de détente.

Je suis allée vers ma petite fille de sept ou huit mois et lui ai dit: «Ton papa ne peut pas t'accueillir, car il ne s'est jamais senti accueilli lui-même. Désormais, je serai là, moi, ta grande Claudia. Je vais t'aimer, je vais prendre soin de toi. Moi, je te donnerai ce que tu as tellement attendu des hommes. Moi, je poserai mes yeux sur toi, je t'aiderai à renaître, à être heureuse. Tu verras comme la vie sera belle…»

Cette petite fille m'a regardée avec un grand sourire. Elle m'a dit: «Je comprends maintenant que mon papa ne pouvait pas m'accueillir, il avait tellement besoin d'être accueilli lui-même. Je sais que s'il avait été heureux, il m'aurait prise dans ses bras.»

Après avoir fait ce travail, mon sein guérit complètement et notre relation de couple repartit sur de nouvelles bases.

Alors pourquoi cette nouvelle masse dans le sein droit cette fois? Quel était donc le rapport? Était-ce une récidive, des métastases?

Le sein droit (pour une droitière) concerne l'affectif, soit ceux qu'on porte dans son cœur. Le sein gauche concerne l'aspect maternel. Une forte émotion liée à une douleur de séparation avec un être cher peut affecter le sein droit chez une droitière. Cependant, si cette émotion est en résonance avec une douleur d'abandon vécue dans notre enfance (alors qu'on était materné), un seul sein pourra être atteint, le gauche. Pour une gauchère, c'est l'inverse.

Dans cette forte émotion vécue en 1994, on peut très bien déceler une douleur d'abandon en résonance avec la situation vécue à l'âge de sept mois avec mon père. C'est ce qui explique que ce fut le sein gauche qui fut atteint.

Cette émotion ayant été libérée, comment expliquer cette masse dans le sein droit trois ans plus tard?

J'avais en effet libéré l'émotion vécue par la petite fille de sept mois qui vivait en moi, mais je n'avais pas libéré celle liée au départ de mon conjoint. Dans ma mémoire émotionnelle persistait l'équation suivante: départ = abandon.

Ainsi, sans que j'en fus consciente, chaque fois que nous vivions une séparation de quelques semaines ou plus, cette équation engrammée dans ma mémoire émotionnelle[3] me remettait, au plan biologique, en sympathicotonie ou en onde de choc.

C'est donc la répétition de ces perturbations biologiques qui ont fini par créer cette tumeur.

Comme cette fois cela ne concernait que l'affectif, puisque la résonance avec l'enfance avait été libérée, c'était donc le sein droit (je suis droitière) qui avait été affecté.

À la suite de cette prise de conscience, je fis un travail de libération de cette émotion. J'entrai en état de détente et me replaçai dans l'événement vécu au printemps 1994.

Je revis toute la scène sur mon écran mental. La femme que j'étais à présent alla retrouver celle qui vivait ce drame. Je l'ai prise dans mes bras et lui ai dit qu'elle n'était pas seule, que j'étais là, moi, que je comprenais sa souffrance, son envie de mourir, son sentiment d'échec. Je lui donnai le droit de ressentir tout cela puis je la consolai. Je lui ai dit:

---

[3] Le fonctionnement de la mémoire émotionnelle est expliqué dans le livre *Métamédecine, la guérison à votre portée*, 1995 aux Éditions FRJ ainsi que dans le livre *Guérir les blessures de son passé*, 1997 aux Éditions Quintessence.

Ce que tu vis, même si c'est très douloureux, est nécessaire. Tous les deux dans votre peur de déplaire à l'autre, vous vous oubliez pour l'autre et attendez que l'autre réponde à vos besoins. Ce qui fait que vous êtes déçus, frustrés et que vous ne vous sentez pas aimés.

Apprends à te rendre heureuse et laisse-lui le temps de voir clair en lui-même. Quand vous vous retrouverez, ce sera une nouvelle lune de miel.

La femme de cet événement (printemps 1994) me sourit et accepta ce que je lui dis et lui proposai.

À ce moment-là, l'équation «départ = abandon» devint «départ = nouvelle lune de miel».

Certaines personnes diront peut-être que tout cela est sûrement imaginaire et donc non réel, la réalité ne s'étant pas passée ainsi. Elles ont raison.

Ce qu'il faut retenir, c'est que le cerveau ne fait pas la différence entre le réel et l'imaginaire. Tout ce qui lui parvient de l'extérieur par les sens ou de l'intérieur par la pensée ou l'imaginaire, il le traduit de façon biologique.

On peut facilement le vérifier. On ferme les yeux et on se concentre sur le goût d'un aliment comme si nous étions en train d'en manger, par exemple un citron. Cela aura le même effet dans notre bouche et dans notre corps que si nous mangions réellement un citron.

Après avoir fait ce travail de libération émotionnelle, j'observai dans les jours qui suivirent une diminution de la masse de mon sein. Elle continua par la suite à régresser. De la taille d'une olive, elle devint de la grosseur d'un petit pois. Il fallut un peu plus d'une année après cette prise de conscience et la transformation de mon équation pour qu'elle disparaisse complètement.

Ce fut pour moi une découverte extraordinaire puisqu'elle me fit comprendre comment un cancer peut apparaître à un moment où l'on ne voit aucun choc, aucun traumatisme qui puisse lui avoir donné naissance.

En outre, mon expérience de praticienne en relation d'aide m'amène à croire que la majorité des cancers primaires ont presque toujours une résonance avec un événement traumatisant vécu dans le passé mais pas nécessairement dans l'enfance.

Si nous revenons au conflit de Gilberte avec sa fille, y avait-il eu résonance?

La résonance était dans le sentiment de culpabilité qui habitait Gilberte.

Chaque fois que Gilberte voyait ses parents se disputer ou se lancer des insultes, elle pensait: «C'est ma faute s'ils ne sont pas heureux. Si je n'avais pas été là, ils auraient pu rencontrer quelqu'un d'autre avec qui ils auraient pu être plus heureux.»

Gilberte s'éloigne de ses parents pour ne pas ressentir cette culpabilité. Elle fait même le contraire de ce qu'ils ont fait en choisissant de ne pas se marier pour ne pas vivre la même chose qu'eux.

Mais lorsque sa fille adorée lui reproche de l'avoir privée de son père et qu'à cause d'elle elle ne peut s'offrir la vie qu'elle aurait souhaitée si son père lui avait versé une pension, cela a comme effet de replonger Gilberte au cœur de ce sentiment de culpabilité qui lui a fait si mal durant toute son enfance.

Cette résonance a pour effet d'amplifier l'onde de choc créée par la dispute avec sa fille. Il y a alors amplification maximale de la sympathicotonie qui atteint Gilberte à la fois dans une zone spécifique de son cerveau et dans l'organe associé au lien maternel, le sein.

Chez Gilberte, le cancer s'est manifesté de manière fulgurante après le conflit qu'elle a eu avec sa fille.

Pour ma part, lors du conflit dramatique que j'ai vécu au printemps 1994, l'affection de mon sein se manifesta de manière fulgurante, alors que celle de 1997 se produisit par répétition inconsciente du conflit et donna lieu progressivement à une tumeur.

Juliana a vécu un très gros choc à l'âge de 23 ans sans pour autant faire de cancer.

Mais à 46 ans, elle apprit qu'elle avait un cancer du sein. Elle devait être opérée la semaine suivante. Elle avait très peur; elle ne savait trop ce qu'elle devait faire. Son compagnon la poussait vers la médecine classique. En revanche, ses amies lui dirent qu'il y avait d'autres approches beaucoup plus douces, qu'elles avaient fait leurs preuves chez plusieurs personnes atteintes de cancer.

L'une d'elles en qui elle avait particulièrement confiance lui parla de moi. Elle me téléphona et vint me rencontrer quelques jours après.

Je passai plus de trois heures avec elle, établissant tout d'abord un climat de confiance pour l'amener à me confier ce qu'elle avait vécu avant l'apparition de ce cancer. Elle me répondit: «Rien de particulier sinon une séparation qui s'est très bien passée puisque c'était mon souhait.»

Son compagnon et elle avaient maintenu leur relation sur une base occasionnelle plutôt que régulière, ce qui lui convenait.

Donc, a priori, elle n'avait pas vécu de traumatisme. Je lui demandai de me parler de ses autres relations avant ce compagnon. Elle me confia qu'elle s'était mariée à l'âge de 21 ans. Elle aimait beaucoup son mari et il le lui rendait bien. Son époux était pilote de course automobile et elle assistait à chacune de ses compétitions.

Elle se souvenait particulièrement de la dernière. Ils avaient fêté leur deuxième anniversaire de mariage quelques jours plus tôt. Ils se rendaient à cette course dans la joie et le bonheur d'être ensemble. La course était commencée depuis environ dix minutes lorsqu'elle sentit de l'agitation dans la foule; quelque chose se passait, mais elle ignorait ce que c'était. Puis le patron de l'écurie pour laquelle son mari courait vint la trouver et lui dit: «Juliana, Philippe vient d'avoir un accident très grave, il a percuté une voiture de plein fouet, il a été tué sur le coup!»

Ce fut un choc si terrible pour elle qu'elle faillit s'évanouir. Pour surmonter ce drame, elle fut très bien épaulée par sa famille et ses amis. Avec le temps, elle accepta la mort de Philippe et se refit une nouvelle vie. Lorsqu'elle rencontra Jean, elle sentit son cœur battre à nouveau, mais elle craignait continuellement de le perdre.

Jean ne pouvait cependant lui apporter la sécurité affective qu'elle aurait tant souhaitée puisque, pour lui, sa liberté était sacrée. Il ne voulait pour rien au monde vivre avec des contraintes. S'il était avec des amis, il ne voulait pas se sentir obligé de téléphoner à une femme ou de rentrer à une heure précise. Juliana ne pouvait plus supporter cette situation qui l'insécurisait.

C'est ce qui, malgré son attachement à lui, l'amena à lui demander de partir.

Après son départ, ils furent plus de deux années sans se revoir. Ils avaient tous les deux changé d'emploi et de lieux de résidence. Ils habitaient maintenant à 300 km l'un de l'autre. Ils reprirent graduellement leur relation sur une base occasionnelle.

Juliana portait la même équation qui m'avait amenée à développer cette tumeur au sein, soit «départ = abandon». Aussi, chaque fois que Jean repartait pour un bon moment, cela la ramenait au choc qu'elle avait vécu à l'âge de 23 ans où le décès de son mari lui fit vivre un terrible sentiment d'abandon. À ce moment-là, elle avait pu compter sur le soutien de ses proches, mais lorsque Jean s'en allait, elle n'avait personne vers qui se tourner.

La répétition de ce sentiment d'abandon qui réactivait son métabolisme en sympathicotonie finit par se manifester par ce cancer du sein.

J'aidai Juliana à se libérer des émotions liées à la mort de Philippe, qui étaient encore bien présentes et l'aidai à transformer son équation «départ = abandon» par «départ = je me retrouve, j'apprends à vivre pour moi-même plutôt qu'en fonction de l'autre».

Le phénomène de résonance ne s'applique pas qu'aux cancers, mais à bien d'autres maladies et en particulier aux allergies[4].

Cancer latent ou progressif

Un cancer latent ou progressif peut résulter de préoccupations constantes, de pensées qui nous obsèdent ou qui nous rongent intérieurement.

Il peut s'agir d'un chagrin d'avoir perdu l'être qu'on aimait, le refus de son départ; de craintes continuelles de mourir, de manquer d'argent, de ne pas arriver à payer ses comptes ou de mourir de faim, d'être traqué ou qu'on nous enlève ce qui nous est cher (son enfant, sa maison, son entreprise ou l'avoir qu'on a mis des années à amasser).

[4] Voir le livre *Métamédecine, la guérison à votre portée*, de la même auteure.

La plupart du temps, ce sont des pensées qu'on garde pour soi et dont on n'arrive pas à se débarrasser.

Christine avait 32 ans lorsque sa sœur apprit qu'elle souffrait d'un cancer du sein. Elle la vit surmonter une épreuve après l'autre; la perte de ses cheveux, la chute de ses globules blancs qui la prédispose aux infections, l'extrême faiblesse et la maigreur. C'est dans ses bras qu'elle mourut un matin du mois d'août.

Après la mort de sa sœur, Christine devint obsédée par la mort. Elle n'arrivait plus à trouver un sommeil réparateur et les cauchemars hantaient ses nuits.

Elle avait l'impression que si elle parlait de cette peur irrationnelle, on essayerait de la convaincre que c'était idiot, qu'elle devait chasser de telles idées de sa tête, alors elle n'en disait mot à personne. Cela l'amena à sombrer pendant des années dans une profonde mélancolie.

Puis, un jour, elle décida d'entreprendre une psychanalyse. Un an après, elle consulta un médecin pour un problème d'oppression pulmonaire. Il lui fit passer une radiographie. Les résultats de la radiographie révélèrent des taches rondes sur les deux poumons. On lui dit qu'il s'agissait d'un cancer du poumon.

Pour Christine, ce fut la panique puis la révolte. Elle se disait: «Tout ce travail que j'ai fait sur moi-même pour en arriver à avoir à mon tour un cancer.» Elle ne savait plus si elle devait tout laisser tomber ou tenter de s'en sortir. Elle avait vu sa sœur se battre, souffrir atrocement pour finir au cimetière. Heureusement, son psychanalyste l'encouragea à chercher ce qui l'avait amenée à développer ce cancer du poumon.

Elle reconnut que, depuis la mort de sa sœur, elle avait été complètement obsédée par la peur de la mort. Enfin, elle pouvait confier à quelqu'un capable de la comprendre et d'accueillir ses tourments, ce qu'elle portait comme une croix depuis des années. Elle opta pour une thérapie tout en douceur. Elle se fit donner des massages énergétiques, mangea des aliments frais et biologiques. Elle prit des suppléments à base de spiruline, de gingembre et de gelée royale. Elle prit en outre le temps de vivre, d'apprécier chaque moment, bénissant chaque journée qui lui était donnée.

Au bout de neuf mois ses taches avaient presque complètement disparu.

Elle n'avait plus peur de mourir puisqu'elle avait appris à vivre. Les taches qui persistaient sur ses poumons ne la préoccupaient plus, elle savait qu'elles s'effaceraient, car, dans sa tête, elle était convaincue qu'elle était guérie.

POURQUOI LE CANCER TOUCHE-T-IL UN ORGANE PLUTÔT QU'UN AUTRE?

Toutes les cellules de notre corps appartiennent à quatre grandes familles de cellules issues de trois feuillets embryonnaires.

Voici leur histoire

Il était une fois un ovule, Madame X et un spermatozoïde, Monsieur Y. Ils firent connaissance, se plurent et s'unirent.

De leur union sont nées rapidement plusieurs cellules, de sorte qu'au huitième jour, on constata qu'il y avait trop de cellules dans la maison. On décréta que la moitié irait à l'extérieur de la maison et que l'autre moitié demeurerait à l'intérieur.

Pour les différencier, on appela celles qui demeurèrent à l'intérieur les «Endoblastes» et celles qui allèrent à l'extérieur, les «Ectoblastes».

La famille continua de proliférer. Au seizième jour, on se rendit compte que les Ectoblastes, qui étaient à l'extérieur, en profitaient pour établir des contacts et s'éloigner de sorte qu'il ne restait pratiquement plus personne pour protéger la maison en cas d'invasion territoriale.

D'un commun accord, les familles des Endoblastes et des Ectoblastes acceptèrent de déléguer une partie de leurs membres pour protéger la maison pendant que les Ectoblastes s'éloigneraient. On donna à cette troisième famille le nom de «Mésoblaste».

Parmi les membres de cette nouvelle famille, les Mésoblastes, la moitié qui provenaient de la famille des Ectoblastes regrettaient le temps où ils étaient libres de partir à la découverte. Aussi revendiquèrent-ils le droit d'aller explorer le monde qui les entourait. On leur concéda ce droit, mais pour les différencier on les appela les «Mésoblastes nouveaux», réservant le nom de «Mésoblastes anciens» à ceux qui préféraient continuer à assurer la protection de la maison.

Au vingt et unième jour, les familles devenues fort nombreuses se concertèrent pour décider de leur avenir. Il fut décrété qu'il n'y aurait pas d'autres familles, mais qu'avec la croissance démographique que connaîtrait chaque famille on formerait un organisme.

La famille des Endoblastes se proposa pour s'occuper de la survie de cet organisme.

La famille des Mésoblastes anciens qui assumait déjà un rôle de protection s'offrit pour continuer à assurer la protection de l'organisme en portant une attention particulière aux grands centres d'activité de cet organisme.

La famille des Mésoblastes nouveaux qui aimait beaucoup l'exploration se porta volontaire pour assurer le mouvement de cet organisme ainsi que la circulation et la distribution des vivres à l'intérieur de cet organisme.

Enfin, la famille des Ectoblastes suggéra de s'occuper de la transmission des informations à l'intérieur de l'organisme et des communications avec l'extérieur.

Chacune des familles devait donc, avec la multiplication de ses membres (les cellules), procéder à la formation d'organes pour assumer les fonctions qui leur étaient dévolues.

Les familles se mirent d'accord que pour le bon fonctionnement de cet organisme, deux ou même trois familles pourraient s'unir pour former certains organes.

La famille des Endoblastes se concerta pour établir les besoins essentiels à la survie de l'organisme; les voici:

Respirer (pour oxygéner les cellules). Ils fabriquèrent donc les alvéoles pulmonaires (poumons);

Être alimenté (ce qui implique de recevoir la nourriture, la transformer en nutriments assimilables et éliminer les déchets de cette transformation). Ils fabriquèrent donc le tube digestif et ses composantes, la bouche (sous-muqueuses), les amygdales, le foie (parenchyme ou tissu hépatique), le pancréas (parenchyme), l'estomac (grande courbure), le duodénum et l'intestin (grêle, colon, rectum, sigmoïde).

Éliminer les déchets du métabolisme (il fallait que les cellules puissent éliminer leurs déchets cellulaires. Ils fabriquèrent donc un système de filtration (rein, vessie).

Se reproduire (il fallait assurer la continuité de cet organisme). Ils fabriquèrent donc les systèmes génitaux mâles (prostate, testicules, urètre) et femelle (utérus, ovaire, trompes utérines).

La famille des Mésoblastes anciens qui s'était chargée de la protection des grands centres d'activité de l'organisme forma des enveloppes de protection autour des organes vitaux. Les méninges protégeraient le cerveau; le péricarde, le cœur; la plèvre, les poumons; le péritoine, les principaux organes du tube digestif; la bourse, les testicules, les seins et les canaux galactophore; enfin, une peau cérébelleuse protégerait les organes.

La famille des Mésoblastes nouveaux, qui avait proposé de s'occuper du mouvement de l'organisme ainsi que de la circulation, fabriqua tout le tissu conjonctif (de soutien), soit les os, les muscles, les tendons ainsi que la graisse et les ganglions. De plus, elle élabora tout un réseau de canalisation pour la circulation du sang et de la lymphe.

Enfin, la famille des Ectoblastes, qui avait pris en charge la transmission des informations à l'intérieur de l'organisme ainsi que les communications avec l'extérieur, fabriqua le tissu nerveux, l'épiderme ainsi que les tissus épithéliaux de revêtement (muqueuses), de la bouche, des bronches, des coronaires, du rectum et de l'orifice du col utérin.

Chacune de ces familles avec les tissus ou les organes qui en dérivent ont leur poste de commande dans une zone spécifique du cerveau.

> *«Le cerveau est vraiment l'ordinateur de l'organisme qui s'est constitué au cours de millions d'années. Il est logique que les organes du corps présentant une affinité ontogénique "cohabitent" au sein de l'ordinateur qu'est notre cerveau.»* *Ryke Geerd Hamer*

Le tronc cérébral

Les tissus ou organes issus de la famille des Endoblastes ont leur centre de commande dans le tronc cérébral, soit la partie la plus ancienne du cerveau ou cerveau ancien.

Le tronc cérébral comprend trois parties: le bulbe rachidien, la protubérance annulaire et le mésencéphale.

Le **bulbe rachidien** renferme les centres vitaux (groupes de cellules nerveuses assurant la régulation automatique du rythme cardiaque, de la respiration, de la pression sanguine et de la digestion).

La **protubérance** est composée d'épaisses fibres nerveuses connectées au cervelet situé immédiatement en arrière. La protubérance renferme les noyaux du cinquième au huitième nerf crânien. Ces noyaux assurent le relais des informations sensorielles provenant de l'oreille, de la face, des dents et des signaux commandant les mouvements de la mâchoire, l'expression du visage ainsi que certains mouvements des yeux.

Le **mésencéphale** renferme les noyaux des troisième et quatrième nerfs crâniens qui contrôlent les mouvements des yeux, les variations du diamètre de la pupille et ses réactions. Il contient aussi des groupes de cellules (*locus niger* ou noyau rouge) qui confèrent de la souplesse à la coordination des mouvements.

Tout choc, tout stress important ou toute peur intense concernant la survie va stimuler une réponse du tronc cérébral vers un organe endodermique ou tissu adénoïde (qui dérive de l'endoderme donc de la famille des Endoblastes).

Dans la phase active d'un cancer, le tronc cérébral répondra par une **prolifération cellulaire** pour former un **adénocarcinome** (tumeur compacte de type adénoïde).

Alors que dans la phase de réparation (vagotonie), il commandera une **réduction cellulaire**, ce qui pourra créer des trous, de la nécrose, des abcès, des ulcères, des saignements (désagrégation de la tumeur) ou déblayement de la tumeur par les bactéries, champignons et mycobactéries.

Le cervelet

Les tissus ou organes issus de la famille des Mésoblastes anciens ont leur centre de commande dans le cervelet qui fait également partie du cerveau ancien. Le cervelet ne sert pas qu'à accomplir des tâches mécaniques, comme la coordination des mouvements (marche, préhension d'objets, etc.) ainsi qu'on le croyait. Selon des travaux récents, il intervient également dans l'analyse sensorielle et permet de comparer la texture des objets au toucher, de distinguer le sec de l'humide. Il joue également un rôle dans l'évaluation de la durée des événements et dans le raisonnement spatial et géométrique.

Par ses connections étroites avec le tronc cérébral, le cervelet reçoit des informations provenant de diverses parties du corps dont la peau cérébelleuse. Signalons que la peau cérébelleuse fut la première peau des organismes vivants; ce n'est qu'avec l'évolution que se développa une seconde peau faite de cellules épithéliales (épithélium pavimenteux).

Cette peau cérébelleuse constitue le derme de notre peau extérieure et le chorion, de notre peau intérieure. Le terme «mésothéliomes» est utilisé pour désigner des cancers du chorion de cette peau cérébelleuse. Notons que cette peau intérieure (cérébelleuse) est également recouverte d'une mince couche d'épithélium pavimenteux qui relève de l'ectoderme.

Peau extérieure →	Cortex (ectoderme) = épiderme (épithélium pavimenteux et terminaisons nerveuses superficielles, sensibilités tactiles).
→	Cervelet (mésoderme) = derme (glandes sudoripares, sébacées et mélanocytes).
Peau intérieure →	Cortex (ectoderme) épithélium pavimenteux (nerfs sensitifs).
→	Cervelet (mésoderme) chorion.

Tout choc, tout stress ou toute peur intense concernant la survie d'un organe vital (cerveau, poumon, cœur, système digestif) va stimuler une réponse du cervelet vers les organes ou les tissus mésodermiques anciens (peau cérébelleuse).

Dans la phase active (sympathicotonie) d'un cancer, le cervelet répondra par une **prolifération cellulaire** pour former soit une tumeur compacte du chorion (mésothéliomes) ou des neurinomes du derme (prolifération de cellules mésothéliales du chorion).

Dans la phase de réparation (vagotonie), le cervelet commandera **un épanchement** (accumulation de liquide dans une cavité naturelle qui n'en contient pas normalement). Cet épanchement (liquide pleural de la plèvre, liquide d'ascite dans la cavité péritonéal, épanchement liquidien du péricarde) résulte d'un œdème d'un enkystement ou de l'intervention des bactéries et mycobactéries.

La moelle

Les organes issus de la famille des Mésoblastes nouveaux ont leur centre de commande dans la moelle du cerveau nouveau. La moelle cérébrale joue un rôle important dans la communication des informations sensitives afin de fournir les réponses motrices appropriées.

Tout choc, tout stress important concernant des **sentiments de dévalorisation** va stimuler une réponse de la moelle (cerveau nouveau) vers un organe mésodermique ou un tissu conjonctif (de soutien) de façon inverse par rapport au cerveau ancien. Ainsi, dans la phase active (sympathicotonie), la moelle ne commandera pas de prolifération cellulaire mais plutôt une **réduction cellulaire** donnant lieu à des **trous**: dans les dents, dans la rate, dans les reins ou l'ovaire. On parle alors d'ostéolyse des os, nécrose de la rate, du rein ou de l'ovaire, ou mortification des ostéocytes (cellules osseuses) dans le cas du cancer des os.

En revanche, dans la phase de réparation (vagotonie), elle fera de la **prolifération cellulaire** en formant soit un sarcome (bourgeonnement cicatriciel excessif), un ostéosarcome (cicatrice des tissus osseux), un chondrosarcome (cicatrice des cartilages), un myosarcome (nouvelle croissance musculaire) ou encore une phase leucémique.

Comme nous l'avons vu au début de ce chapitre, un cancer, selon la médecine classique, est une prolifération de cellules atypiques. Or, nous voyons ici que des cellules peuvent proliférer dans la phase active d'un conflit, mais également dans la phase de réparation du conflit (choc, stress important).

Le sarcome en est un bon exemple puisqu'il ne s'agit pas d'une tumeur maligne, mais d'une multiplication excessive de tissu cicatriciel.

Le cancer des os n'est donc pas un ostéosarcome, mais une mortification des os qui les rend fragiles et cassants. Il atteint particulièrement les os des vertèbres, du bassin, les côtes et le crâne. On le rencontre lors d'un premier cancer, mais plus fréquemment après un autre cancer (sein, prostate, pancréas, etc.).

L'ostéosarcome qui, malheureusement pour les patients, est pris pour un cancer des os est traité avec tout l'arsenal anti-cancer, soit l'amputation, la chimiothérapie et la radiothérapie alors qu'il s'agit d'une recalcification qui s'accompagne d'une inflammation de l'os. Dans ce processus, de nouveaux vaisseaux viennent apporter des matériaux de reconstruction. C'est une phase douloureuse pouvant être appelée rhumatisme inflammatoire. La moelle épinière peut également être sollicitée pour régénérer la moelle osseuse de l'os, ce qui peut donner lieu à une augmentation de l'hématopoïèse (formation des cellules sanguines) appelée à tort leucémie.

Le cortex cérébral

Les tissus ou organes issus de la famille des Ectoblastes ont leur centre de commande dans le cortex cérébral du nouveau cerveau. La plupart des informations sensorielles comme celles provenant des yeux, des oreilles ou de la peau aboutissent au cortex cérébral. Cependant, il semblerait que certaines sensations primitives comme l'odorat puissent être perçues à un autre niveau que celui du cortex.

Tout choc ou stress important causé par des relations interpersonnelles qui nous perturbent, soit par ce qu'on entend, ce qu'on voit ou ce qui entre en contact avec nous par le biais de notre peau, va stimuler une réponse du cortex cérébral vers un tissu ou un organe à épithélium pavimenteux tel que la peau ou les muqueuses (buccales, digestives, vaginales, etc.).

Le cortex, appartenant au nouveau cerveau, aura une réponse différente du cerveau ancien qui se multipliait pour donner des tumeurs compactes. Sa réponse, en phase active (sympathicotonie), sera plutôt des ulcères alors qu'en phase de réparation, il fera une forte prolifération cellulaire. Il y a toutefois quelques exceptions où on retrouvera de la masse en phase active comme par exemple dans le cas du carcinome canalaire du sein.

Par exemple, un cancer de l'épiderme rend la peau rugueuse au toucher, pâle, mal irriguée et froide. De plus, la sensibilité cutanée est de plus en plus réduite. Le patient sent peu de chose ou rien du tout. Le tout peut en outre s'accompagner de troubles de la mémoire.

Dans la phase de réparation, la peau rougit, devient très chaude et se met à enfler. Ces manifestations ou éruptions s'appellent exanthèmes, dermatites, urticaires, neurodermites. La peau paraît malade.

La phase active passe souvent inaperçue. Les dermatologues interviennent bien souvent dans la phase de réparation alors que le corps est justement en train de mettre en place ses propres mécanismes de guérison.

Lorsqu'il s'agit de tumeurs ulcératives des muqueuses en phase de réparation, elles seront éliminées par les bactéries. Leur désintégration peut donner lieu à des saignements.

C'est le cas du cancer de la muqueuse de l'orifice du col utérin. En phase de réparation, elle s'accompagne de leucorrhée et de sang. Il en va de même pour la muqueuse de l'intestin.

En médecine classique, c'est le signe qui alerte les médecins, laissant croire qu'il y a cancer. Ils font alors des frottis vaginaux ou une exploration histologique. Ils trouvent bien sûr des cellules cancéreuses puisqu'elles étaient en train d'être éliminées. Ils sortent alors le grand arsenal de guerre aux cellules cancéreuses alors que le corps était en train de se guérir lui-même et que le mieux à faire était de ne pas intervenir. En intervenant, on crée de nouveaux problèmes et bien souvent de nouveaux cancers.

Pauvre corps, s'il pouvait avoir un langage audible aux médecins qui sont pourtant bien intentionnés, cela éviterait bien des souffrances aux patients!

Un ulcère de l'épithélium pavimenteux du larynx peut, en phase de réparation, donner des polypes aux cordes vocales. Dans l'intima coronaire, il peut, en phase de réparation, se manifester par des douleurs cardiaques et, suite à un violent choc, par un infarctus du myocarde. Un ulcère de l'épithélium vésical peut se traduire par des cystites.

Dans le cortex cérébral, des relais d'organes aussi divers que la muqueuse buccale, la muqueuse bronchique, l'intima coronaire, la muqueuse rectale ou la muqueuse de l'orifice du col utérin se voisinent et ont pratiquement tous pour cause de fortes émotions liées à notre territoire, ce à quoi l'on tient particulièrement (partenaire sexuel, maison, entreprise, etc.).

Voici un exemple: j'ai eu en consultation une personne qui avait des aphtes dans la bouche ainsi que des douleurs cardiaques et qui ressentait de petits chocs électriques lorsqu'elle inclinait la tête. Cette personne avait le sentiment de s'être fait ravir le compagnon qu'elle considérait comme l'homme de sa vie, c'est-à-dire le seul qu'elle croyait pouvoir aimer. Cet homme représentait donc, pour elle, son territoire.

À cette étape, je tiens à faire une distinction importante entre la phase de récupération (réparation) et celle de guérison. Lorsque nous vivons un conflit qui affecte notre organisme, le cerveau va intervenir avec des solutions biologiques pour nous alerter ou pour procéder à la réparation de l'organe affecté, et ce, dans le but de nous maintenir en vie. La phase de guérison (qui passe par la phase de réparation) survient lorsque le problème est réglé. Tant que cette personne vivait ce problème, elle se «promenait» entre la sympathicotonie et la vagotonie. D'où les symptômes qu'elle ressentait et qui persistaient. La solution pour elle était de lâcher prise et de trouver un autre compagnon.

En connaissant les familles embryologiques (feuillets embryonnaires), leurs relais au cerveau et les tissus qui leur correspondent, on peut arriver à un système de classification des tumeurs qui s'ordonne dans une logique incontestable[5].

DÉMYSTIFIER LES DIFFÉRENTES TUMEURS

L'une de mes amies me confia un jour à quel point chaque fois qu'elle devait se rendre en France, elle était impressionnée par l'aéroport Charles-de-Gaulle. Elle me dit: «Je me suis procuré un plan de l'aéroport et je me suis promenée d'un terminal à l'autre. Maintenant, cet aéroport ne m'impressionne plus et je ne crains plus de m'y perdre.»

---

[5] Cette classification des tissus, issue des feuillets embryonnaires, leurs relais au cerveau et la réponse de ce dernier ainsi que les solutions biologiques retenues pour la réparation de l'organe affecté provient des recherches du Dr Ryke Geerd Hamer.

Résumé pratique des tumeurs

Famille	Centre de commande	Tissu	Réponse	Réparation de l'organe
Endoblaste ou endoderme	Tronc cérébral (cerveau ancien)	Adénoïde	Multiplication des cellules, tumeur compacte, adénocarcinome.	Arrêt de croissance et réduction de la tumeur par les bactéries, enkystement.
Mésoblaste ancien ou mésoderme cérébelleux	Cervelet (cerveau ancien)	Adénoïde, cérébelleux	Multiplication cellulaire, tumeurs compactes du chorion, neurinomes.	Arrêt de croissance et réduction de la tumeur par les bactéries, enkystement, épanchement.
Mésoblaste nouveau ou mésoderme cérébral	Moelle (cerveau nouveau)	Conjonctif	Décalcification, réduction, ostéolyse, nécrose.	Croissance luxuriante, sarcome, myome, leucémie, gonflement, bourgeonnement.
Ectoblaste ou ectoderme	Cortex (cerveau nouveau)	Épithélium pavimenteux	Ulcération, tumeur ulcérative, carcinome, nécrose, dysfonctionnement organique.	Expulsion de la nécrose, restitution cicatricielle, désintégration de la tumeur par les bactéries et les saignements, épilepsie, polype, infarctus, œdème, décollement (rétine).

Ce qu'on ne connaît pas et qui nous semble menaçant nous fait peur. Il s'agit parfois de mieux connaître quelque chose pour que la peur s'éclipse à son sujet. En connaissant mieux les tumeurs, ce qu'elles sont et ne sont pas, nous serons plus à même d'éliminer les peurs qu'elles font naître en nous et les répercussions que cela peut entraîner.

Selon l'approche de la médecine classique, il y a deux types de tumeurs: les tumeurs bénignes et les tumeurs malignes.

Les tumeurs bénignes

La médecine classique nous enseigne que ces tumeurs conservent la plupart des caractères histologiques des tissus d'origine. Elles demeurent en général circonscrites à l'intérieur d'une capsule et ne produisent pas de métastases. En revanche, elles peuvent parfois comprimer des organes voisins et présenter un danger particulièrement dans des espaces restreints comme la cavité crânienne.

Adénome: tumeur qui se forme aux dépens de l'épithélium d'une glande, et dont la structure rappelle celle de la glande qui lui a donné naissance. Les adénomes des glandes endocrines (hypophyse, thyroïde, glandes surrénales, ovaires et testicules) relèvent du tissu adénoïde appartenant à l'endoderme (famille des Endoblastes). Elles sont souvent associées à la peur de perdre ou de se retrouver démuni.

Adénofibrome: tumeur constituée par une prolifération de type glandulaire (adénoïde) et de tissus fibreux (conjonctif) qui se développe en général dans le sein. Il y a donc ici la participation de l'endoderme (famille des Endoblastes) et du mésoderme nouveau (famille des Mésoblastes nouveaux). Donc un mélange de peur (abandon) et de dévalorisation de soi.

Lipome: tumeur qui se développe à partir du tissu adipeux (graisse). Relève donc du mésoderme nouveau (famille des Mésoblastes nouveaux). Ici, on peut parler de dévalorisation esthétique.

Neurinome: il y a le neurinome mammaire et acoustique. Le *neurinome mammaire* est constitué par des petites excroissances des terminaisons nerveuses du sein appelées parfois «grappe de raisins». Il relève du tissu mésodermique ancien (famille des Mésoblastes anciens). Ils surviennent le plus souvent chez une femme qui s'est sentie non respectée, voire souillée, après avoir été tripotée ou pelotée, d'où l'aversion à être touchée. Le *neurinome acoustique* ou Schwannome est une tumeur chargée de pigment brunâtre dont la nature est mélanique et qui entrave souvent la fonction acoustique du troisième nerf crânien.

Il est relié le plus souvent à une aversion pour une personne dont le contact est désagréable. Ce neurinome concerne deux tissus, l'un provenant du mésoderme ancien (pigment mélanique) et l'autre, de l'ectoderme (nerf acoustique)

Hépatome: tumeur qui se développe aux dépens des cellules hépatiques d'origine endodermique (famille des Endoblastes). Lorsqu'il s'agit d'une tumeur isolée, elle est presque toujours bénigne alors que si elle se développe après un cancer du sein, de l'estomac, du pancréas ou du côlon, elle est souvent maligne. Dans un premier cancer, elle relève bien souvent d'inquiétudes par rapport à l'argent (dans le sens de s'alimenter). Après un autre cancer, elle peut traduire l'abdication (la personne peut en avoir assez de souffrir).

Sarcome: contrairement à la croyance médicale, un sarcome n'est pas une tumeur maligne. C'est une excroissance du tissu cicatriciel qui se produit lors de la phase de récupération (vagotonie) à la suite d'un choc où intervient un sentiment de dévalorisation de soi. Un sarcome n'a rien à voir avec un adénocarcinome qui prolifère pendant la phase active de déstabilisation (choc, grand stress) ou sympathicotonie. De plus, leurs composantes cellulaires sont très différentes. Les sarcomes se développent aux dépens d'un vaisseau sanguin, des tissus conjonctifs ou fibreux qui entourent et soutiennent les organes. Ces tissus proviennent du mésoderme nouveau (famille des Mésoblastes nouveaux) tandis que les adénocarcinomes proviennent des tissus de l'endoderme (famille des Endoblastes) et les carcinomes sont issus de l'ectoderme (famille des Ectoblastes).

Le sarcome prend différents noms selon qu'il concerne les os, les cartilages ou les muscles:

l'ostéosarcome est la recalcification de l'os affecté. C'est ce qui se produit lors d'une fracture due à un accident;

les chondrosarcomes sont des cicatrices cartilagineuses;

le myosarcome est une nouvelle croissance musculaire.

Les sarcomes apparaissent donc lors de la phase de récupération concernant une dévalorisation de soi. S'ils font suite à un accident, cela peut être lié à un besoin de ralentir ou de mettre un terme à une situation qui ne nous convient plus. Un accident peut aussi être relié à un sentiment de culpabilité.

Les tumeurs malignes

La médecine officielle nous dit que ces tumeurs se différencient de leur tissu originel et que c'est la raison pour laquelle elles sont considérées comme étant anarchiques ou atypiques. De plus, selon la médecine, elles ont tendance à envahir les tissus environnants et peuvent former des métastases dans un autre organe.

Démystifions un peu ces tumeurs.

Adénocarcinome: cette tumeur reproduit la structure glandulaire dont elle tire son origine; c'est pourquoi on parle également de cancer glandulaire. Un adénocarcinome est formé d'un tissu adénoïde.

En médecine classique, on enseigne que les adénocarcinomes prennent naissance dans la couche épithéliale d'un organe. Si la tumeur était formée de tissus provenant de l'épithélium pavimenteux, ce serait un carcinome alors qu'un adénocarcinome est formé d'un tissu adénoïde ou glandulaire. La méprise vient sans doute du fait que dans certains organes comme l'intestin, la tumeur peut traverser la couche de tissu épithélial. Cela expliquerait peut-être également cette double appellation «adéno» et «carcinome».

Le tissu adénoïde provient de l'endoderme soit de la famille des Endoblastes. Il concerne donc ce qui est essentiel à notre survie: respirer, manger, éliminer ses déchets métaboliques et se reproduire.

Les adénocarcinomes se rencontrent dans les cancers:

de l'hypophyse (adénohypophyse);

des parotides

glandes lacrymales (partie acineuse);

des sublinguales

des trompes d'Eustache;

de l'oreille moyenne;

du poumon (taches rondes et tumeurs);

de l'œsophage (tiers inférieur);

sous-muqueuses buccales (partie acineuse);

du palais;

des amygdales;

de la glande thyroïde (partie acineuse);

des glandes parathyroïdes;

de la vessie (muqueuses sous-jacentes);

des tubes collecteurs des reins;

du nombril;

de l'intestin grêle: supérieur (le jéjunum) et inférieur (l'iléon);

de l'appendice et du cæcum;

du côlon;

de l'estomac (la grande courbure);

du duodénum (hormis le bulbe);

du foie;

du pancréas;

du sigmoïde;

du rectum;

du grand épiploon;

du corps de l'utérus;

des trompes utérines;

des ovaires;

de la prostate;

des testicules;

du sein.

Carcinome: un carcinome est une tumeur qui se développe aux dépens de l'épithélium pavimenteux. Ce tissu fait partie de la peau et des muqueuses, des appareils respiratoire, digestif, urinaire et génital et qui constitue l'essentiel des glandes de l'organisme.

Le carcinome est un cancer des organes ou des tissus provenant de l'ectoderme (famille des Ectoblastes). Il est donc relié à des chocs ou des stress ayant trait à nos relations avec notre entourage ou notre milieu.

Les carcinomes sont présents dans les cancers:

de la peau (épiderme; p. ex.: le vitiligo);

des paupières et conjonctive;

du larynx;

de la thyroïde (ancien canal d'excrétion);

du sein;

de l'estomac (bulbe duodénal);

du pancréas (voies intra-pancréatiques);

de la vessie;

des bronches;

des veines et des artères coronaires (à l'intérieur du cœur);

des voies biliaires (intra- et extra-hépatique);

des reins (bassinet);

de l'uretère;

de l'utérus (orifice et col utérin);

du vagin;

du rectum.

Épithélioma baso-cellulaire: il s'agit d'un cancer cutané touchant principalement la face, le cou ou les seins. Ses cellules sont assez uniformes et ressemblent à celles de la couche basale de l'épiderme. Elles sont issues de l'ectoderme (famille des Ectoblastes) et sont dans la plupart des cas reliées à des émotions concernant une séparation. On peut se sentir séparé de soi en voulant sauver les apparences ou en se préoccupant constamment de ce que les autres peuvent penser ou dire.

Mélanome et mélanome amélanotique: le mélanome malin est un cancer de la peau. Le mélanome amélanotique se distingue du mélanome par l'absence de lentigo (petit nævus pigmenté, plat ou saillant, appelé aussi grain de beauté).

Le mélanome ayant pour origine des mélanocytes relève des tissus du mésoderme ancien (famille des Mésoblastes anciens). Il concerne des chocs ou des stress importants ayant porté à atteinte à son intégrité (être défiguré, amputé) ou reliés à des conflits de souillure (avoir été abusé, voir sa réputation salie, être traité de manière déshonorante, faire l'objet de sobriquets avilissants, etc.).

Mésothéliome: il s'agit d'une prolifération des cellules mésothéliales qu'on retrouve au niveau des enveloppes des organes tels que le cœur (péricarde), les poumons (plèvre) et le tube digestif (péritoine).

Les cellules mésothéliales relèvent du mésoderme ancien (famille des Mésoblastes anciens). Le mésothéliome est relié soit à une attaque véritable contre les organes que protègent ces enveloppes (ponction, opération, substance toxique telle que l'amiante [pour les poumons]), soit à une menace contre ces organes. Par exemple, le fait d'entendre: «Vous êtes cardiaque...» ou «Vous avez un cancer du foie...» ou encore, à une menace concernant notre survie (la peur de perdre son emploi).

Lymphome: le lymphome n'est pas une tumeur compacte du genre adénocarcinome. C'est en fait une nécrose de la capsule surrénale. La phase de remplissage des nécroses appartient à la phase de récupération.

Il existe deux catégories de lymphomes, les lymphomes hodgkiniens et les lymphomes non hodgkiniens.

Les ganglions et les vaisseaux lymphatiques ont pour origine le mésoderme nouveau (famille des Mésoblastes nouveaux). Le lymphome peut être relié à une dévalorisation d'avoir été mis hors jeu ou d'avoir pris la mauvaise direction. Il peut également être relié à un sentiment de culpabilité d'avoir pris un chemin qui chagrine un ou des êtres qu'on aime. Une personne qui quitte son pays pour aller vivre à l'étranger peut s'en vouloir de faire de la peine à ses parents qu'elle aime.

Leucémie: selon la médecine, la leucémie désignerait plusieurs formes de cancer caractérisées par une prolifération massive de leucocytes et des cellules dont ils originent dans la moelle osseuse. Elle se caractérise par une augmentation de leucocytes immatures et anormaux dans le sang.

La leucémie appartient à la phase de récupération (guérison) d'un cancer des os. Lors d'un cancer des os, comme nous l'avons vu, il y a une mortification des ostéocytes (cellules osseuses) qui rend les os plus fragiles. Dans la phase de réparation de ce cancer, l'œdème qui affecte l'os provoque une extension du périoste, ce qui crée de vives douleurs. Puis survient la recalcification des ostéolyses appelée à tort «ostéosarcome». La leucémie participe à cette reconstruction osseuse en suscitant un accroissement des cellules sanguines dans la moelle. Ce processus peut laisser des douleurs rhumatismales para-articulaires.

La leucémie n'est donc pas un cancer comme on le croit, mais un processus de guérison du cancer des os qui relève, pour les leucémiques adultes, d'une dévalorisation de soi. Chez les enfants de moins de cinq ans, la leucémie serait consécutive à un cancer des os qui est passé inaperçu. Ce cancer pourrait être en lien avec les vaccinations multiples alors que leur système de défense n'est pas suffisamment fort pour combattre de telles agressions.

Les tumeurs pourraient-elles avoir un sens insoupçonné par la médecine classique?

Selon le Dr Ryke Geerd Hamer, ce que nous appelons une cellule cancéreuse assure les mêmes fonctions qu'une cellule normale mais de façon démultipliée. Une cellule cancéreuse de l'estomac digère beaucoup plus activement qu'une cellule normale. Une cellule cancéreuse du pancréas produit bien plus d'insuline, une cellule cancéreuse du sein, beaucoup plus de lait, une cellule cancéreuse du poumon possède une capacité d'échange oxygène–sang nettement supérieure, une cellule cancéreuse du rein filtre nettement plus, etc.

Si nous reprenons l'exemple du Dr Hamer cité au chapitre un, un renard affamé attrape un lapin. Au moment où il s'apprête à le manger, il entend un bruit; effrayé, il avale tout rond une patte et s'enfuit. Un os reste coincé dans l'estomac; il n'arrive ni à le digérer ni à l'éliminer.

La famille des Endoblastes par le biais du tronc cérébral va lui apporter une solution biologique. Les neurones reliés à ce centre vont commander un surplus de muqueuse qui formera une tumeur appelée adénocarcinome de l'estomac (ou cancer de l'estomac). Il s'agit de cellules digestives spéciales qui vont sécréter de l'acide chlorhydrique en quantité excédentaire afin de dissoudre l'os. C'est donc une solution de survie et non un dysfonctionnement de cellules anarchiques.

Pour le renard, l'os est réel, mais pour l'être humain qui ne peut digérer une situation qu'il considère injuste ou inacceptable, cela équivaut à un os imaginaire. Comme le cerveau ne fait pas la différence, il intervient avec la même solution biologique.

Voici un autre exemple: un renard avait l'habitude de voler des poules au fermier pour se nourrir. Malheureusement pour lui, le fermier se départit de toutes ses poules. Le renard doit donc se trouver une autre source de subsistance.

Comme il risque de mourir de faim, la famille des Endoblastes, par le biais du tronc cérébral, va commander au groupe de neurones une réponse organique ou une solution biologique pour assurer la survie du renard. Cette solution consistera à fabriquer, à partir de la muqueuse hépatique (cellules hépatiques), une tumeur qui aura pour fonction de stocker davantage de nourriture. Ainsi, le renard utilisera plus d'éléments nutritifs de ce qu'il consommera, de sorte qu'il pourra survivre même s'il mange peu.

Pour une personne qui vit dans l'angoisse de manquer d'argent (l'argent étant ce dont l'homme a besoin pour se procurer de la nourriture), cette zone de son cerveau réagira de la même façon que chez le renard, soit en commandant un surplus de muqueuse hépatique (adénocarcinome ou cancer du foie) pour lui permettre de survivre si elle mange peu.

Ce type de cancer ne se rencontrerait pas chez une personne vivant dans l'aisance ou n'ayant aucune crainte de manquer d'argent.

Tumeurs kystiques

Une lionne a accouché de lionceaux qu'elle allaite. Le lion, souhaitant faire revenir les chaleurs de la lionne pour s'accoupler avec elle, tue les lionceaux. La lionne fait un conflit de perte.

De nouveau, la famille des Endoblastes va intervenir par le centre de commande du tronc cérébral avec une solution biologique. Cette solution sera une tumeur kystique des ovaires qui produira plus d'hormones et qui augmentera sa fécondité.

Une femme qui se fait avorter, qui subit une fausse couche ou qui n'arrive pas à enfanter peut très bien, elle aussi, développer une tumeur kystique des ovaires pour la même raison.

Comme les animaux, nous, les êtres humains, sommes soumis à des programmes biologiques de survie.

Un homme part en vacances au bord de la mer. Il se baigne alors qu'il y a un fort courant en lame de fond. Soudain, cet homme se rend compte qu'il ne peut plus revenir au rivage et qu'il est à bout de forces, qu'il risque de se noyer; il est sauvé *in extremis*.

Cet homme a vécu un énorme stress. Par la suite, il fait des rêves où il se voit en train de se noyer.

Ce choc vécu amplifié par ses rêves l'amène à faire un cancer nécrotique du parenchyme rénal (cancer du rein) donnant des nécroses jusqu'à ce que finalement tout le tissu rénal soit épuisé et que le rein soit privé de sa fonction.

Quelques années plus tard, le traumatisme finit par être résolu. Sa fille qui aimait tellement se baigner rêvait d'aller à la mer. Il retourna donc en vacances au bord de la mer en choisissant cette fois une baie où les vagues sont brisées avant d'y pénétrer, donc sans danger. Il retrouve par conséquent le plaisir de se baigner à la mer.

En phase de réparation (guérison dans son cas), il se forme un gros kyste rénal dû à une prolifération cellulaire. Le kyste se solidifie dans le but de redevenir du tissu rénal afin de filtrer plus de sang en éliminant une plus grande quantité d'urine.

Taches rondes sur les poumons

Une femme apprend qu'elle a un cancer du sein. Sa mère, sa cousine et sa meilleure amie sont mortes d'un tel cancer. Pour elle, le mot cancer signifie souffrance et mort. Elle a très peur de mourir; elle n'en dort plus et y pense continuellement. Cette peur l'empêche en outre de bien respirer.

Le tronc cérébral qui est le centre de commande de la famille des Endoblastes va intervenir avec une solution biologique de survie. Cette solution consistera à commander aux cellules pulmonaires la fabrication d'un tissu alvéolaire spécial afin d'augmenter la capacité respiratoire de cette femme pour l'aider à mieux respirer.

Ces cellules spéciales se présentent sur une radiographie comme des taches rondes aux poumons qu'on appelle adénocarcinomes alvéolaires ou cancer du poumon. Elles peuvent aussi se regrouper en une masse pour former une ou plusieurs petites tumeurs.

Cette famille des Endoblastes, par le biais du tronc cérébral, a-t-elle l'intention de faire du mal à l'organisme en optant pour cette solution biologique? C'est plutôt l'inverse.

Lorsque cette personne aura surmonté sa peur de la mort, qu'elle pourra dormir convenablement et cesser d'être stressée, elle retrouvera graduellement une respiration normale. Alors ces taches rondes ou tumeurs n'auront plus raison d'être. C'est alors qu'interviendront les mycobactéries (bacilles de la tuberculose) qui se chargeront d'éliminer ces taches ou ces tumeurs.

Ce qui est paradoxal, c'est que les traitements proposés par la médecine classique ont comme effet d'amplifier la peur de la mort alors que c'est justement cette peur qui est à l'origine de la formation de ces taches ou de ces tumeurs.

Dans l'ignorance de ce que ce sont réellement ces taches ou ces tumeurs, on les considère comme des cellules malignes. On les traque, on les extirpe, on les irradie ou on les empoisonne alors qu'elles sont là pour aider le corps à mieux respirer.

Cancer métastasique ou nouveau cancer

Selon la médecine classique, les métastases sont des foyers secondaires de la tumeur primitive qui les a engendrées. Une métastase peut se former dans les os à partir d'un cancer du sein ou encore aux poumons à partir d'un cancer du côlon. Le mot métastase vient du grec «*metastasis*» qui signifie «changement de place».

Elle nous enseigne aussi qu'elles peuvent diffuser d'un point à un autre de l'organisme par transport cellulaire dans la circulation sanguine, lymphatique ou à travers une cavité naturelle du corps comme entre les parois externes et internes de la membrane péritonéale qui tapisse l'abdomen.

Cette affirmation est-elle juste? Pour que des cellules cancéreuses puissent atteindre des territoires éloignés de l'organisme, elles n'ont d'autre choix que d'emprunter la voie vasculaire artérielle étant donné que, dans les systèmes veineux et lymphatiques, le sang et la lymphe circulent de la périphérie vers le centre, c'est-à-dire vers le cœur, et non vers la périphérie.

Or, on a mené de multiples expériences sur les animaux et chez des êtres humains pour trouver des cellules cancéreuses dans le sang artériel et l'on n'y est jamais parvenu. De plus, il est extrêmement rare d'observer un cancer secondaire chez un animal atteint de cancer.

Autre point à considérer: nous avons vu que toutes les cellules de notre corps proviennent de quatre familles différentes ou feuillets embryonnaires. Les cellules du sein sont des cellules soit épithéliales, soit glandulaires (adénoïde).

Supposons qu'une cellule adénoïde provenant d'un adénocarcinome réussisse à atteindre un organe mésodermique (les os par exemple). Comment pourrait-elle se transformer en ostéocyte (cellule osseuse) atypique pour engendrer un cancer des os? La cellule adénoïde provient de la famille des Endoblastes et l'ostéocyte provient de la famille des Mésoblastes nouveaux. C'est comme si une jument accouchait d'un poulet! Même malade, une jument n'engendrera jamais de poulet!

Bien entendu, il arrive qu'un premier et un second cancer présentent des cellules de même type histologique parce qu'ils sont issus de la même famille; par exemple, un cancer primaire du côlon et un second cancer aux poumons. Comme ces deux organes sont issus de la famille des Endoblastes, cela a pu laisser croire à l'existence des métastases.

Il est remarquable de constater qu'à peu près tous les organes peuvent être affectés de cancers primaires, mais que les cancers dits «secondaires ou métastasiques» affectent principalement des organes particuliers tels que les os, les poumons, le foie et (supposément) le cerveau.

On entend assez souvent parler de femmes souffrant d'un cancer du sein qui ont ensuite été atteintes d'un cancer des os. Mais il est très rare de voir l'inverse se produire.

Se pourrait-il qu'une femme affectée d'un cancer du sein et qui a subi l'ablation d'un sein ainsi que la perte de ses cheveux s'en trouve dévalorisée? Qu'elle pense: «Je ne suis plus désirable pour mon mari ou pour un homme que je pourrais éventuellement rencontrer» et que cela atteigne ses os, particulièrement ceux de son bassin qui correspond à la région sacrée, lieu des relations sexuelles?

Dans notre étude, nous avons vu que des sentiments de dévalorisation peuvent atteindre des organes mésodermiques dont font partie les os.

Les métastases ou cancers métastasiques ne sont en définitive qu'une hypothèse pour tenter d'expliquer l'émergence d'un second cancer au cours de la maladie en traitement.

La médecine classique postule également que les tumeurs bénignes n'engendrent pas de métastases.

Prenons une femme qui vient de consulter son médecin pour l'investigation d'une petite masse qu'elle a décelée dans son sein. Que se passera-t-il lorsque son médecin lui dira: «J'ai une bonne nouvelle pour vous, ce n'est qu'un lipome, une petite tumeur bénigne»? Cette femme se sentira soulagée, son stress s'éliminera, ce qui la fera passer de la sympathicotonie à la vagotonie.

Mais si, au contraire, son médecin lui dit: «J'ai une bien triste nouvelle à vous annoncer, vous avez un cancer du sein», son stress s'éliminera-t-il, sera-t-elle soulagée ou aura-t-elle peur?

Cette nouvelle pourrait-elle susciter un choc, lui occasionner un nouveau stress important? Et si, de surcroît, cette femme demande à son médecin: «Est-ce que je peux en mourir?» et que celui-ci, dans son désir d'être honnête, lui répond: «Oui, c'est le cancer le plus mortel chez les femmes», comment réagira-t-elle?

Cette réponse pourrait-elle amplifier sa peur de mourir et donner lieu à un nouveau cancer, aux poumons cette fois?

Serait-il plausible de penser qu'une personne qui a beaucoup souffert à la suite de 2 interventions chirurgicales, de 30 radiothérapies et de 12 séances de chimiothérapie et qui apprend que le cancer n'a pas été vaincu et qu'il va falloir intensifier les traitements de chimiothérapie réagisse en se disant à elle-même ou à son médecin: «Ça suffit, j'en ai assez, je n'en peux plus. Tant qu'à souffrir autant, je préfère en finir maintenant.» Se pourrait-il que ce renoncement équivaille pour le corps à ne plus vouloir manger (donc le risque de mourir de faim peut inciter le foie à stocker de la nourriture en fabriquant de gros nodules qu'il sera possible de diagnostiquer comme un cancer du foie).

Les cancers secondaires ne seraient-ils pas plutôt de nouveaux chocs intenses qui pourraient avoir des répercussions sur divers organes:

sur les poumons, si cela crée un choc ou un grand stress qui amène la personne à avoir très peur de mourir;

sur les os, si cela crée un choc ou un grand stress qui amène la personne dans une dévalorisation totale d'elle-même;

sur le foie, si cela crée un choc ou un grand stress qui amène la personne à abdiquer, à ne plus vouloir vivre.

Il y a longtemps qu'on aurait pu reconnaître ces faits, mais pour cela il aurait fallu s'intéresser plus au malade qu'à sa maladie.

Le cancer du cerveau

D'après ce que nous enseigne la médecine classique, d'une part, le cancer résulte d'une prolifération anormale de cellules dans un tissu et, d'autre part, les cellules nerveuses ou neurones ne font pas de mitose puisqu'elles ont perdu, après la naissance, leur capacité de se diviser, donc, de se multiplier.

De deux choses l'une, soit qu'il y a contradiction, soit que le cancer du cerveau est une autre hypothèse erronée. La seule chose qui puisse se multiplier dans le cerveau, c'est le tissu conjonctif appelé «névroglie» qui est formé de cellules gliales issues du mésoderme nouveau.

Au même titre que le sarcome qui résulte d'une excroissance du tissu cicatriciel dans la phase de réparation, ce qu'on appelle à tort gliome, blastome (médulloblastome) ou astérocitome ne peut être considéré comme un cancer, mais plutôt comme une augmentation de la névroglie. Le tissu glial a une fonction de support, de protection et de cicatrisation pour le cerveau. De plus, il a un rôle nourricier. Lorsqu'une personne fait un cancer et qu'elle entreprend une série de traitements agressifs, cela crée une très grande activité dans son cerveau en phase de récupération. Le cerveau a donc plus besoin d'être nourri; c'est ce qui explique la multiplication des cellules gliales.

Prenons par exemple un feu qui endommage une partie d'une maison. On fait alors appel à des ouvriers qui devront travailler sans relâche pendant quelques semaines. Comme il faut nourrir ses ouvriers, l'activité de la cuisine s'en trouvera augmentée, le réfrigérateur contiendra plus de vivres qu'en temps normal. C'est un peu ce qui se passe au niveau du cerveau.

De plus, ce sont les cellules gliales qui participent à la cicatrisation des zones du cerveau endommagé lors d'un court-circuit.

Alors sur quoi s'appuie-t-on pour dire d'une personne qu'elle est atteinte d'un cancer au cerveau?

Au moment même où se produit un choc, il se crée au cerveau un court-circuit et une affection dans l'organe qui lui est relié.

Une personne apprend la mort de sa fille qui était jeune, belle et en bonne santé. C'est un choc énorme qui amplifie sa sympathicotonie. Cela a le même effet que sur un appareil que l'on soumettrait au double du voltage qu'il peut supporter; cela pourrait griller des circuits qu'il faudrait par la suite réparer. C'est ce qui se passe dans l'organisme de cette personne, le circuit cerveau-organe s'en trouve affecté.

Si l'on fait passer un scanner à cette personne, on observera dans une zone particulière de son cerveau un œdème périfocal bien circonscrit et on pourra le prendre pour une tumeur cérébrale ou des métastases cérébrales.

C'est ce qui a été démontré par le Dr Hamer et qui a permis d'élucider ces œdèmes spécifiques cérébraux qu'il a nommés «foyers de Hamer»[6].

Il y a un autre facteur qui peut laisser croire à des métastases cérébrales. Dans la phase de réparation de la tumeur cancéreuse ou de la nécrose (cancer par réduction), il se produit toujours une phase d'œdème au cerveau. Cet œdème cérébral local, bien qu'étant un signe de guérison, peut créer une hypertension intracrânienne qui peut provoquer des maux de tête, des difficultés d'articulation (selon la zone affectée) et d'autres séquelles toutes aussi inquiétantes. Il s'agit en fait d'une hyperactivité cérébrale pour réparer (guérir) le plus rapidement possible le circuit cerveau-organe endommagé.

Dans les cas anodins, du café, du thé, de la vitamine C ou un coca-cola et un sac de glace sur la tête peuvent suffire à atténuer ces symptômes. Il faudra éviter les sources de chaleur importantes comme les bains de soleil, les saunas ou des bains trop chauds.

Dans les cas les plus graves, il serait sage de boire peu, de maintenir la tête surélevée, d'éviter de poser la tête autant que possible sur le côté de l'œdème cérébral. De plus, on pourra avoir besoin de recourir à la cortisone du type hydrocortisone de retard; c'est un sympathicotonique qui aura comme effet de diminuer la vagotonie. Le travail se fera alors plus lentement, donc, d'une manière moins intense.

Il va sans dire que, dans cette période, il faudra privilégier le repos physique et psychique et surtout éviter tout nouveau choc qui pourrait être fatal à la personne dont l'organisme met tout en œuvre pour l'aider à guérir.

Exciser des supposées tumeurs cérébrales dans cette phase pourrait laisser la personne amoindrie pour le reste de sa vie, en admettant qu'elle survive.

---

[6] Pour en savoir davantage sur les travaux du Dr Hamer, lire *Fondements d'une médecine nouvelle Tome I et II*, France, ASAC.

CHAPITRE

4

Et si le sida n'était pas ce qu'on croit?

«Ce qui a été cru par tous et toujours et partout a toutes les chances d'être faux.»

Paul Valéry

Si les mots «cancer et métastases» éveillent des sentiments d'angoisse, que dire des mots «séropositivité et sida»?

Un malade atteint de cancer souffre certes, mais il ne porte pas, en plus de la souffrance, les séquelles de la honte, de la culpabilité et de la discrimination que peut vivre une personne déclarée «séropositive» ou qui a le sida.

Et si toute cette histoire autour de la séropositivité reposait sur une rumeur?

Qu'est-ce qu'une rumeur? Une rumeur est une révélation dont l'origine et la véracité sont incertaines. Lorsqu'elle est amplifiée par les médias (télévision, radio, journaux), les médecins, les revues médicales et les associations d'aide aux victimes, cette rumeur peut prendre de l'importance au point de laisser croire à une vérité.

LA RUMEUR

On dit que… Il paraît que… Savez-vous que…

En 1980 se serait déclarée à San Francisco une épidémie de sida parmi les homosexuels mâles dans la trentaine, qui entretenaient plusieurs contacts sexuels et qui consommaient des drogues dures.

L'origine de la rumeur

En 1980, Michael Gottlieb, un immunologiste récemment promu au centre médical de l'University of California à Los Angeles (UCLA) a l'idée d'utiliser la toute nouvelle technologie de comptage des cellules T. Il demande de façon informelle à tous ses collègues de lui signaler tous les cas de déficit immunitaire. Dans les mois qui suivent, il reçoit cinq dossiers concernant des homosexuels frappés de pneumonie à *Pneumocystis carinii*. Rassemblant toutes les données, il rédige un rapport pour le Centre de recensement des maladies (CDC). Normalement chacun de ces cinq cas aurait dû être traité par un médecin sans que jamais l'idée d'épidémie n'effleure qui que ce soit. Mais la présence sur place d'un agent de l'Epidemic Intelligence Service (EIS), baptisé avec ironie «CIA médicale», a certainement aidé le CDC à réunir ces cas disparates pour les faire apparaître comme un foyer d'épidémie.

À partir de là, le CDC avait beau jeu pour annoncer qu'une nouvelle maladie du nom d'«Acquired Immune Deficiency Syndrome» (AIDS)[1] ou syndrome de l'immunodéficience acquise (SIDA) s'était déclarée dans un groupe (cinq cas isolés) d'homosexuels toxicomanes de San Francisco et que cette maladie était contagieuse.

Si cette maladie n'avait pas été considérée comme

---

[1] MMWR (Morbidity and Mortality Weekly Report), vol. 31, n° 37, 24 septembre 1982.

étant contagieuse, qui en aurait eu peur? Qui se serait intéressé à une maladie frappant des homosexuels toxicomanes?

Les répercussions de la rumeur

À la suite de l'annonce de cette prétendue épidémie, Donald Francis, membre de l'EIS, décide que le syndrome baptisé AIDS ou SIDA doit être attribué à un rétrovirus se manifestant après une longue période d'incubation.

Mettant à contribution ses nombreux contacts parmi les scientifiques étudiant les rétrovirus, Donald Francis pousse durant deux années Robert Gallo à en isoler un nouveau. C'est alors que Gallo reçoit de Luc Montagnier de l'Institut Pasteur à Paris des échantillons d'un «présumé virus» isolé dans le sang de quelques malades du sida qu'il souhaite faire évaluer par ses confrères américains.

Lors d'une conférence de presse largement publicisée et tenue à Washington, D.C., le 23 avril 1984, Robert Gallo annonça qu'il avait découvert la cause du sida. Il prétendit avoir découvert un nouveau rétrovirus auquel il avait donné le nom de HTLV-III, concluant qu'il faisait partie de la famille des rétrovirus qu'il avait identifié auparavant. Son affirmation fut soutenue par Margaret Heckler, secrétaire du département de la Santé et des Services humanitaires des USA, Margaret Heckler l'acclama en disant:

> *«Aujourd'hui, nous ajoutons un autre miracle au long tableau d'honneur de la médecine et de la science américaine[2].»*

C'est inouï comme l'histoire peut se répéter. N'est-ce pas très semblable à l'histoire de Pasteur qui s'était servi

[2] Dr Robert E. Willner, *L'ultime supercherie*, France, Vivez Soleil, 1992.

des travaux de Pierre-Victor Galtier pour présenter son vaccin contre la rage et qui fut acclamé par l'Académie de médecine française quelque cent ans plus tôt? Ce fut alors le début de la commercialisation des vaccins.

Ce même jour, soit le 23 avril 1984 où Robert Gallo a annoncé qu'il avait découvert la cause du sida, il déposa un brevet américain pour un test de dépistage du VIH. Ce fut alors le début de la commercialisation des tests de dépistage du VIH.

Bien qu'aucun rétrovirus n'ait été démontré comme étant pathogène chez l'être humain, Gallo propose que plus que tout autre virus humain, le VIH est de 50 % à 100 % mortel en tuant des billions de cellules T, ce qui crée l'immunodéficience. De plus, ajoute Gallo, ce rétrovirus lymphotropique se transmet sexuellement.

Margaret Heckler attribua par la suite le juteux contrat pour l'AZT à la compagnie pharmaceutique Burrough-Wellcome avant même la parution de la première étude scientifique dans une revue scientifique américaine. L'AZT fut mis au point dans les années 1960 spécifiquement comme chimiothérapie anticancéreuse mais ne fut pas utilisé en raison de sa grande toxicité.

Dans quel dessein voulait-on offrir un tel médicament aux patients détectés séropositifs?

Les tests de dépistage du VIH

En 1993, le Dr Eleni Papadopoulos-Eléopoulos, médecin du Royal Perth Hospital (Australie), et son équipe démontrent l'invalidité des tests de dépistage du VIH, que ce soit Elisa, Western Blot ou le PCR (Polymérase Chain Reaction). Leurs recherches prouvent que d'autres facteurs non liés au VIH comme la tuberculose, la malaria, la lèpre, la vaccination contre l'hépatite B la vaccination antigrippale et même une grossesse peuvent déclencher la séropositivité au test du VIH[3].

Si, depuis 1993, la communauté scientifique connaissait les travaux du Dr Papadopoulos-Eléopoulos et de son équipe, pourquoi a-t-on continué à faire passer ce test à des millions de personnes? Serait-ce que le test de dépistage du VIH viserait un but particulier? On vaccine certains groupes avec le vaccin anti-hépatite B, puis un peu plus tard, on leur fait passer le test de dépistage du VIH, et comme par hasard, il est positif.

Des études ont montré que d'un pays à l'autre et d'un laboratoire à l'autre les résultats changent en fonction des tests utilisés, des façons d'utiliser chacun des tests et de les interpréter.

Il est intéressant de noter qu'en 1978 on vaccina des groupes d'homosexuels de New York contre l'hépatite B. En 1980, ce fut au tour des homosexuels de cinq autres villes américaines dont San Francisco[4].

En 1996, Christine Johnson publie une liste de près de 70 maladies susceptibles de conférer cette séropositivité.

"*Des réactions croisées avec des anticorps qui ne sont pas spécifiques du VIH ont été prouvées avec les virus de la grippe, de l'herpès, de l'hépatite B, avec des mycobactéries, avec la tuberculose, la lèpre, les vaccinations contre la grippe et l'hépatite B, la grossesse (présente ou passée), les transfusions sanguines d'hémophilie et de conditions associées à un terrain très oxydé en rapport avec la consommation de drogues ou de désordres immunitaires comme le lupus, l'arthrite rhumatoïde et le myélome multiple. On trouve aussi*

[3] E. Papadopoulos-Eléopulos, V.F. Turner et J.M. Papadimitriou, «Is a positive Western Blot proof of HIV infection?», Bio/Technology, vol. 11, 1993, p. 696 à 702.

[4] Guylaine Lanctôt, *La mafia médicale*, Montréal, Louise Courteau, 1994.

des tests faussement positifs en cas d'hépatite alcoolique, d'alcoolisme et de maladies du foie ou encore d'anticorps contre des hydrates de carbone, des antigènes nucléaires, des vers ou d'autres parasites. Le test peut aussi être positif en présence de malaria , de malnutrition et de bien d'autres conditions." Christine Johnson

"Le seul moyen de distinguer entre des réactions de production d'anticorps dues au VIH et des réactions d'anticorps produites par d'autres causes serait d'isoler le VIH. Malheureusement le virus n'a jamais été isolé. **Les tests qui mesurent les anticorps ne sont pa spécifiques pour une infection à VIH.**" Bio Technology Journal

Le journal *Continiuum* à Londres dénombrait, en 1997, 66 facteurs pouvant déclencher des séropositivités qui n'avaient rien à voir avec le rétrovirus du VIH.

Bien entendu, plus il y a d'homosexuels séropositifs, plus cela confirme la rumeur que le VIH se transmet sexuellement et qu'ils forment, comme les drogués, un groupe à risque.

Après les homosexuels, pourquoi pas les Africains? Ainsi, on pourra laisser croire que ce rétrovirus est venu d'Afrique? Effectivement, comme toute rumeur qui part d'un fait, elle évolue et se transforme.

La rumeur évolue donc pour se transformer ainsi:

Officiellement, le sida a une origine naturelle et accidentelle. Un singe d'Afrique porteur du virus aurait, semble-t-il au milieu des années 1970, contaminé l'homme par une simple morsure. Suite à ce concours de circonstances, le virus gagna toute la planète, notamment par une succession de rapports sexuels et de transfusions sanguines mettant en présence des personnes contaminées[5].

Pour donner force à la rumeur et expliquer l'inexplicable, ou du moins pour masquer la vérité, on a même trouvé une coupable africaine. Après le singe, ce fut la voie de la contamination: la route qui mène à Kinshasa qu'on a nommé la «route du sida». Cette route est une grande voie d'accès transcontinentale qui traverse l'Afrique. Il s'agit d'un axe routier fréquenté par des camionneurs de toutes nationalités où des prostituées offrent leurs services.

Ainsi, la rumeur selon laquelle le sida se transmet sexuellement et qu'il s'est propagé à toute l'Afrique pour gagner le reste du monde trouve-t-elle ici son explication:

"*L'épidémiologie du sida n'est qu'une accumulation d'histoires anecdotiques qui ont été choisies pour confirmer le dogme populaire du virus comme cause du sida.*" Dr.Peter Duesberg.

"*Le sida est une grande illusion qui est maintenue parce qu'il y a beaucoup de gens qui gagnent beaucoup d'argent grâce à elle. Enlevez la question financière et toute la mythologie s'effondrera.*" *Charles Thomas, PhD, ancien directeur du département cellulaire du Scripps Research Institute.*

Sur les 25 pays les plus touchés dans le monde, 24 se situent en Afrique et 22,5 millions d'Africains seraient infectés par le VIH. Rappelons que cette présumée infection n'est basée que sur le test de dépistage du VIH qui peut se révéler positif en raison de la présence d'autres facteurs dont les vaccins anti-hépatite B ou anti-grippal.

Campagne de vaccination un jour, tests de dépistages un autre jour puis traitement d'un supposé virus.

[5] Professeur Léonard G. Horowitz, *La guerre des virus*, Paris, Éditions Félix, 1998.

Voilà la recette pour empocher des milliards et réduire le taux de croissance des populations du tiers monde.

On retrouve dans un texte officiel du Mémorandum NSSM 200 ces quelques lignes: «Le dépeuplement est l'axe prioritaire de la politique étrangère américaine dans les pays du tiers monde. La réduction de la croissance des pays du tiers monde est vitale pour la sécurité nationale américaine.»

Robert McNamara, ancien président de la Banque mondiale, ancien secrétaire des États-Unis qui ordonna le bombardement massif au Viêt Nam déclara ceci:

> *Il faut prendre des mesures draconiennes de réductions démographiques contre la volonté des populations. Réduire le taux de natalité s'est avéré impossible ou insuffisant. Il faut donc augmenter le taux de mortalité. Comment? Par des moyens naturels: la famine et la maladie*[6].

Onze millions de personnes sont mortes des conséquences liées à la séropositivité en une quinzaine d'années.

En 1998, le sida a tué 1,83 million de personnes en Afrique; plus que les guerres et le paludisme selon les chiffres de l'Organisation mondiale de la santé (OSM). Près de 70 % des personnes reconnues comme séropositives vivent en Afrique subsaharienne selon des chiffres de l'ONUsida. Dans cette région qui constitue un dixième de la population du globe, on a enregistré 83 % des décès. En 1999, 2,2 millions de personnes en sont mortes.

En 1999, on estimait à 570 000 le nombre d'enfants de moins de 14 ans qui étaient séropositifs. Tous ces enfants s'adonnent-ils à des pratiques sexuelles non

[6] *J'ai tout compris*, nº 2, février 1987, Machiavel.

protégées ou auraient-ils été vaccinés par les nombreuses campagnes de vaccination qui se sont déroulées et qui se déroulent encore en territoire africain[7]?

Conséquences du test de dépistage du VIH chez les séropositifs

L'hypothèse HIV = SIDA alimentée par les médias et confirmée par la médecine officielle a semé un vent de terreur amenant les personnes diagnostiquées séropositives à vivre dans l'angoisse, le secret, la honte, la culpabilité, la tristesse et le désespoir.

Certains ont perdu leur emploi lorsqu'on a su qu'ils étaient séropositifs. D'autres ont choisi de vivre dans l'isolement, de crainte de transmettre le fléau dont ils étaient porteurs. D'autres se sont suicidés. D'autres enfin s'en sont remis à leur médecin pour tenter de guérir. Mais ce qu'on leur a proposé n'est ni plus ni moins une façon de mourir à petit feu. Toute leur vie doit être centrée sur leur traitement. Traitement qui les rend si faibles et si malades qu'ils ne peuvent plus assumer un travail et avoir une vie décente.

Et que dire de la médication proposée?

Selon le professeur Peter Duesburg les médicaments employés dans le traitement du sida représentent de causes établies d'immunodéficience:les antibiotiques,les nitrates, les stéroïdes et particulièrement l'azidothydine(AZT) et ses dérivés, le DDC et le DDI.

Ces médicaments, en particulier la combinaison

[7] *Votre Santé*, n° 10, juin 2000.

Bactrim et nitrate, ont comme effet d'abîmer le génome des mitochondries, ce qui entraîne une altération de la fonction respiratoire de la cellule. L'organisme produit alors plus de T8 (lymphocytes cytotoxiques suppresseurs) que de T4 (lymphocytes auxiliaires), ce qui ne peut qu'engendrer une immunodépression attribuée au rétrovirus VIH[8].

Voici ce que nous dit au sujet de l'AZT le professeur Peter Duesburg:

> *L'AZT tue les cellules T, les cellules B, les globules rouges. Il tue toutes les cellules. L'AZT est un exterminateur à la chaîne de l'adénosynthèse de toutes les cellules sans exception. Il extermine tout. À la longue, il peut seulement conduire à la mort de l'organisme et au cimetière. L'AZT est un tueur infaillible qui sera tenu responsable de la mort des patients (environ 50 000 actuellement traités à l'AZT) qui résulte de la thérapie de l'AZT – Homicide pharmacologique [9]?*

En 1990, une étude AZT/placebo révéla que, chez les séropositifs traités avec 1500 mg d'AZT par jour, le taux de mortalité s'élevait de 80 % à 90 % après quatre ans de thérapie.

En Afrique, à la commission consultative, il apparut avec évidence que la dose initialement utilisée d'AZT (1500 mg en 1987) était bien trop élevée. Avec une telle dose, la situation des patients s'aggravait au lieu de s'améliorer. Mais, à cette époque, le taux élevé de mortalité des patients traités n'étonnait pas parce qu'on s'attendait à une mort rapide des sidéens.

En 1990, on finit par s'interroger sur cet énorme taux de mortalité et par diminuer les doses d'AZT. Il était évident que la moelle osseuse ne pouvait pas

---

[8] Wechsel Wirkung, *Fehldiagnose Aids*, décembre 1994.

[9] Extrait de l'article de Peter Duesburg dans *Truth Seeker*, septembre-octobre 1989. Peter Duesburg est un éminent chercheur en virolo.

supporter une telle chimiothérapie.

Pourtant, le traitement antiviral fut et est toujours considéré comme devant durer la vie entière.

Ce n'est que tout récemment qu'on envisagea des interruptions thérapeutiques, car les nouveaux antiviraux (inhibiteurs de protéases) avaient beaucoup d'effets secondaires[10].

Cette réduction des doses d'AZT a laissé croire à de nouvelles thérapies plus efficaces. En réalité, ces thérapies sont tout simplement moins toxiques, donc moins mortelles.

Cela n'empêche que jusqu'en 1990, toute une génération de patients avaient été traités avec des doses immunosuppressives fatales. Cette catastrophe de l'AZT a conforté la croyance indéracinable que le sida est causé par le VIH, car l'énorme mortalité a toujours été attribuée à la virulence extrême du VIH plutôt qu'à la toxicité du traitement[11].

L'AZT sur les hémophiles

Une étude menée au Royaume-Uni sur plus de 6000 hémophiles suivis entre 1977 et 1991 a démontré que la mortalité annuelle des patients était remarquablement stable jusqu'en 1985, soit 8 pour 1000. Cependant, dès 1986, la mortalité des hémophiles séropositifs monta en flèche pour atteindre des valeurs dix fois plus élevées, soit 81 pour 1000 en 1991-1992. Or, c'est à partir de 1986-1987 que l'AZT fut administré aux séropositifs à la dose très toxique de 1,5 g par jour[12].

---

[10] *The Lancet*, 2000.

[11] Dr Claus Köhenlein, *Bio-Énergie*, n° 20, septembre 2002, p. 46.

[12] Darby, *Nature*, 1995.

Que penser de la mesure de la charge virale et de la chute des lymphocytes T4?

La charge virale est censée être la quantité de VIH dans le sang. Plus le VIH se multiplie, plus la charge virale est élevée, nous dit-on. En ce qui concerne le test de la «charge virale», il s'agit d'une mesure quantitative rendue possible grâce à la technique du PCR (Polymerase Chain Reaction) de Kary Mullis. Toutefois, l'inventeur de cette technique, qui lui valut le prix Nobel de chimie en 1992, nie catégoriquement que «sa technique puisse mesurer le nombre de particules virales dans le sang circulant».

> *Mesurer la «charge virale» implique une étude quantitative du nombre de particules virales dans le sang circulant qui doivent être intactes pour transmettre l'infection. Or, personne n'a jamais réussi à montrer la moindre particule de rétrovirus dans le sang de patients sidéens étiquetés comme ayant une charge virale élevée par la technique du PCR. De plus, le décryptage du génome humain a en effet prouvé qu'un pourcentage non négligeable de notre patrimoine génétique consiste en séquences d'ADN pratiquement identiques au prétendu génome du VIH*[13].

La chute des lymphocytes

D'après Antony Fauci, le nombre total de nos lymphocytes T4 (ou CD4) est réparti de la façon suivante: environ 97 % dans les tissus et 3 % dans le sang circulant. Il est connu depuis les travaux de Hans Selye que, sous l'effet du stress, un grand nombre de lymphocytes quittent la circulation sanguine pour infiltrer le tissu conjonctif.

Cet exode intervient quelques heures après le stress.

[13] Kary Mullis, *Newsweek*, août 1992, traduction libre..

Un stress émotionnel suscité par l'analyse à laquelle doit se soumettre une personne, qui a peur d'être séropositive ou qui craint un résultat pessimiste, peut très bien expliquer la chute rapide des lymphocytes circulants sans qu'il n'y ait aucune infection rétrovirale.

Cette rumeur a-t-elle quelque fondement?

Dans une étude prospective qui débuta en 1990 en Californie, Pudian a observé 175 couples dont l'un des membres était séropositif pendant une période de six ans; aucun partenaire séronégatif n'est devenu séropositif.

Le sida ne peut pas être reproduit en injectant d'importantes concentrations de «supposé virus» pur à n'importe quel animal de laboratoire, y compris au chimpanzé.

Il n'existe pas le moindre ouvrage de référence prouvant que le VIH est la cause du sida, et l'on n'a jamais trouvé de VIH dans le cerveau de victimes du sida autopsiées.

Si le VIH est censé détruire les cellules T, c'est là qu'il devrait être, mais il n'y est pas: il est nulle part[14].

Le Dr Stefan Lanka, biologiste moléculaire à l'Université de Constance en Allemagne, déclare que l'existence du VIH n'a jamais été prouvée. Il n'existe aucune entité isolée qui puisse être baptisée «VIH»; seules ont été isolées des protéines cellulaires, une enzyme appelée Reverse Transcriptase (RT). Il a été affirmé que la RT était spécifique aux rétrovirus. Cependant, dès 1983, on a découvert cette enzyme dans toutes les cellules vivantes. Lanka soutient que ce qui a été trouvé au niveau génétique n'est pas un VIH mais du

[14] Robert E. Willner, *L'escroquerie du sida*, France, Vivez Soleil, 1992

matériel génétique endogène humain (appartenant aux cellules) provenant de 90 % du génome non décodé, des éléments présents dans tous les chromosomes humains.

Voilà qui prouve encore l'inutilité du test du VIH qui atteste seulement qu'un individu est entré en contact avec des protéines provenant d'un autre individu et probablement des protéines de globules blancs puisque le test du VIH est réalisé à partir de protéines de globules blancs leucémiques (brevetés) produits en laboratoire.

Si quelqu'un entre en contact immunologique avec des protéines humaines non endogènes et produit des anticorps, il sera séropositif au test du VIH[15].

Voici ce que nous dit Mark Griffiths:

> *Le virus du sida n'est pas le résultat de manipulations génétiques financées dans le but d'une guerre bactériologique (cf. Les thèses des Drs Strecker, Horovitz, De Brouwer, etc.) c'est encore pire,* ***ce virus n'existe pas du tout!*** *On utilise une collection de signaux biologiques non spécifiques, mais brevetés par les multinationales, pour donner une sentence de mort aux séropositifs*[16].

Le Dr Peter Duesberg a publié la preuve que l'immunosuppression décelée chez les hémophiles a pour source directe la contamination protéique qui existe dans les facteurs de coagulation qui constitue 99 % des produits qu'on administre aux hémophiles[17]. Ce qui anéantit la croyance que le sida se transmet par le sang.

Lorsqu'on veut avoir du pouvoir sur des masses, deux ingrédients sont essentiels: la peur et l'ignorance. La peur et l'ignorance nous amènent à renoncer à notre pouvoir au profit d'autorités qui nous semblent capables de décider de notre vie ou de notre mort.

[15] Wechsel Wirkung, *Fehldiagnose AIDS*, décembre 1994.

[16] Mark Griffiths, *Se guérir pour se libérer*, France, Vivez Soleil.

[17] *Genetica*, 1995, p. 51-70.

Rappelons que celui qui crée l'antivirus peut être le même qui crée le virus. Ainsi, on lance la rumeur de l'existence d'un virus effroyable et on met au point un test pour le dépister. Après on vend les médicaments pour le guérir et on amasse des milliards de dollars grâce auxquels on peut tout contrôler: les médias, les politiciens, l'ordre des médecins et les universités qui endoctrinent les étudiants en médecine. Ces derniers sont si absorbés par leurs études ou l'acquisition d'une spécialité qu'ils n'ont ni le temps ni l'énergie pour remettre en question ce qu'on leur enseigne.

Voici les points essentiels que soutient le groupe pour la réévaluation scientifique de la thèse VIH–sida composé de plus de 450 médecins et éminents scientifiques:

Le VIH n'a jamais été isolé depuis toutes ces années où il a été présumé être la cause du sida;

Si le virus VIH existait vraiment, il serait maintes fois plus petit que les pores de la fibre de caoutchouc d'un préservatif;

Le test du VIH n'est pas valide;

Les médicaments employés dans le traitement du VIH sont des causes établies d'immunodéficience et provoquent le sida;

L'AZT et ses dérivés sont des poisons mortels qui tuent les cellules;

Le test PCR dit de «charge virale» n'est pas fondé ni spécifique, son inventeur, Kary Mullis, soutient que le VIH n'est pas la cause du sida;

Le sida n'est pas transmissible ni par le sang ni sexuellement pour la simple et bonne raison que les immunodéficiences ne sont pas transmissibles;

Le sida est un syndrome, pas une maladie;

Le sida regroupe plusieurs maladies distinctes, environ 35, dont certaines remontent au XVIe siècle;

En 400 ans, aucune preuve n'a été établie pour attester que cet ensemble de maladies très variées pouvait être provoqué par un seul micro-organisme.

Aujourd'hui, dès que l'une de ces affections connues depuis très longtemps touche un patient reconnu comme étant séropositif, elle est rebaptisée «sida». C'est ainsi qu'une personne faisant une pneumonie sera considérée comme ayant le sida si elle est séropositive et qu'une femme ayant un cancer du col utérin ou un patient développant un lymphome seront diagnostiqués «sidéens» s'ils sont séropositifs.

Le sida contrairement à la croyance populaire n'est pas une nouvelle maladie. Le sida est simplement un nouveau nom utilisé pour désigner un ensemble de maladies qui éxistaient auparavant[18].

Et si cet ensemble de maladies auquel on a donné le nom de sida était plutôt une forme d'autodestruction liée à un profond sentiment de culpabilité de vivre?

On a beaucoup associé le sida aux drogues dures que consomment certains alcooliques, prostituées, homosexuels ou hétérosexuels. Sans sous-estimer les méfaits de ces drogues, peut-être y aurait-il lieu de chercher quelle souffrance pousse une personne à vouloir fuir ainsi sa réalité.

---

[18] Pour en savoir davantage sur le sujet lire,*Sida ? La première maladie virtuelle de l'histoire !*
http://www.sidasante.com/critique/malvir.htm

Cette souffrance est très souvent en lien avec une culpabilité de vivre qui amène la personne à chercher inconsciemment à s'autodétruire.

J'ai reçu en consultation plusieurs personnes affectées du syndrome du sida et, dans tous les cas sans exception, j'ai relevé qu'à la base la personne était aux prises avec une culpabilité de vivre.

Voici quelques exemples.

J'ai rencontré Marc-André en 1994. Il s'était inscrit à un séminaire que j'offrais sur le «défi d'être soi-même». Nous étions un petit groupe. Chaque participant était invité à se présenter et à dire pourquoi il s'était inscrit à ce séminaire. Lorsque son tour fut venu, Marc-André se présenta puis nous dit: «J'ai le sida», ce qui n'a pas manqué de faire sursauter quelques participants.

Pour lui, révéler qu'il avait le sida était le plus grand défi qu'il pouvait relever à ce séminaire et il le fit dès la présentation.

Je donnai un second séminaire sur la «libération de la mémoire émotionnelle»; Marc-André s'y inscrivit. Au cours de ce séminaire, il me confia que lorsqu'il avait 12 ou 13 ans, il ressentait une attirance marquée pour les garçons, mais cela était son secret. Un jour, il entendit ses parents discuter au sujet des homosexuels. À un moment donné, sa mère dit avec conviction: «Les homosexuels, on devrait les mettre dans des camps de concentration.»

Marc-André me dit: «Je me suis mis dans un véritable camp de concentration. J'ai voulu me détruire parce que je ne me sentais pas accepté. Je me sentais coupable de vivre en tant qu'homosexuel.» Nous avons fait un travail de libération de ces émotions. Je l'ai amené à accepter que ses parents avaient à se libérer de jugements à l'égard de l'homosexualité, c'est pourquoi la vie leur avait donné un fils qui, lui, avait une expérience homosexuelle à vivre.

Je l'aidai à se donner le droit d'être, de vivre cette expérience sans se juger, sans se condamner. Il traînait une bronchite depuis neuf mois et, dans les jours qui suivirent le séminaire, sa bronchite guérit.

Quelques mois plus tard, il revint participer à un séminaire de 12 jours dans le cadre d'une formation en Métamédecine. Lorsqu'il rentra chez lui, il revit son médecin. Ce dernier lui avait donné six mois à vivre avant notre première rencontre. Son médecin l'observa, intrigué, et lui répéta à quelques reprises: «Mais vous avez bonne mine..., vous avez bonne mine...». Il ne s'expliquait pas ce qui s'était passé, il aurait déjà dû être mort, mais il était en excellente forme.

Puis, quelque six mois après, il se laissa convaincre de prendre la médication qu'on lui proposa. Il fut affecté de vomissements, de diarrhées et de douleurs à l'abdomen. Il ne pouvait plus s'alimenter, il devint si faible qu'il n'avait plus la force de se lever de son lit. Puis la mort rôda autour de lui. Soudain, il comprit que la vie lui envoyait un ultimatum: il lui fallait choisir la vie ou la mort. Il le comprit et, du plus profond de son être, il dit «Oui, à la vie».

Il fit le choix de vivre, ce choix qu'il n'avait pas encore fait. Dès cet instant, il fit tous ses efforts pour simplement se redresser dans son lit. Puis, le jour suivant, il réussit à faire quelques pas près de son lit. Chaque pas, chaque victoire, c'était son «oui à la vie». Graduellement, il a mis toute cette médication de côté, a repris des forces et a recommencé à s'alimenter. Il a par la suite poursuivi avec d'autres personnes le travail qu'il avait amorcé avec moi.

J'ai eu de ses nouvelles par un ami l'été dernier. Il me dit qu'il allait très bien, qu'il avait ouvert un commerce, qu'il s'était acheté un appartement et qu'il rayonnait, et ce, huit ans après qu'on ne lui eût donné que six mois à vivre.

Adéline ou le parcours douloureux d'une personne diagnostiquée séropositive.

Adéline a deux enfants. Elle était séparée depuis quelques années lorsqu'elle rencontra Didier. Il avait le sida. Son médecin lui avait proposé le traitement à l'AZT, ce à quoi Didier avait répondu: «Donnez-moi le nom d'une seule personne que ce médicament a guéri et je le prendrai.» Son médecin ne pouvant lui répondre accepta son choix.

Didier choisit de vivre pleinement chaque instant qui lui serait donné et c'est ce qu'il fit avec Adéline.

Jamais il ne parla de sa maladie. Il mit l'accent sur la joie, l'amour, la tendresse et le partage. Il combla Adéline et ses enfants d'attentions, d'amour, multipliant les occasions de célébrer.

Didier était heureux et plus vivant que jamais. Il venait de dépasser de 18 mois les 6 mois que les médecins lui avaient donné à vivre.

C'est alors qu'Adéline dut être hospitalisée pour un problème aux amygdales. Au cours de son séjour, on lui fit passer un test de dépistage du VIH. Didier était à ses côtés lorsque le médecin lui donna le verdict: «positif». À ce moment-là, Didier s'est effondré: «Pas toi, oh non, pas toi, tout mais pas cela...»

Didier crut que c'était de sa faute, qu'il l'avait contaminée. Malgré tout ce que put lui dire Adéline, il s'enfonça dans cette culpabilité qui le rongea et le déchira intérieurement.

Adéline se sentit impuissante à apaiser la souffrance que Didier gardait au fond de lui. Elle-même n'arrivait pas à croire qu'elle soit malade, elle se portait bien et était remplie d'espérance. Elle était convaincue que l'amour entre elle et Didier était si fort qu'il surmonterait bien cette épreuve. Le bien-être de Didier avant l'annonce de sa séropositivité était la preuve qu'on peut vivre plus longtemps même avec une telle maladie, croyait-elle.

Mais cette culpabilité dont Didier n'arrivait pas à se libérer eut raison de sa santé. Dans les mois qui suivirent, Didier dut arrêter son travail, il se sentait de plus en plus fatigué. Six mois plus tard, Didier mourut dans les bras d'Adéline.

Après le décès de Didier, Adéline se retrouva devant un infini vide, une infinie tristesse, incapable de penser ou d'avancer. Elle me confia: «Son départ a laissé ma vie comme un chant sans musique, une fleur sans parfum, un soleil sans chaleur, un ciel sans couleur. Je me sentais vide et anéantie. Je ressentais à la fois de la tristesse, de la colère, de la révolte, des sentiments d'abandon et d'injustice. Je me répétais pourquoi, pourquoi moi, pourquoi m'a-t-il laissé? La vie ne m'intéressait plus. Je laissai la mort s'installer au fond de moi, laissant à la maladie le pouvoir de me détruire à son gré. Je n'avais qu'un désir, c'était celui d'aller rejoindre Didier.»

Pour surmonter son chagrin, remplir le vide que lui avait laissé Didier, Adéline se jeta à corps perdu dans son travail. Elle n'écoutait pas sa fatigue ni les signaux que lui donnait son corps.

Deux ans après un tel régime, elle se retrouva complètement épuisée, ayant beaucoup de mal à respirer: elle faisait une pneumopathie. Elle prit un traitement d'antibiotiques qu'elle allia à l'homéopathie et à des séances de kinésithérapie et se rétablit rapidement.

Mais, un mois plus tard, ce furent les diarrhées qui

ne faisaient qu'empirer. Elle n'eut d'autre choix que de réduire ses activités de moitié. Elle perdait en outre l'appétit et maigrissait beaucoup.

Les membres de sa famille s'inquiétaient et ne comprenaient pas ce qui lui arrivait. Adéline portait le lourd secret de sa séropositivité; elle ne savait comment l'annoncer à ses proches. Elle pria le ciel de lui donner le courage d'y arriver. Elle en parla d'abord à ses enfants. Ils accueillirent la nouvelle très calmement. L'aîné lui dit: «Maman, je t'aime telle que tu es.» Le plus jeune se jeta dans ses bras et lui dit: «Pour moi, c'est comme si tu avais la grippe maman.» Cela lui fit du bien, elle sentit son cœur soulagé.

Le plus difficile restait à venir: le révéler à ses parents. Cette nuit-là, elle fit un rêve où elle se voyait annoncer sa maladie à sa mère. Sa mère l'accueillit sans jugement, prête à lui tendre la main; elle se réveilla calme et sereine.

Le lendemain, elle alla voir sa mère. Tout se passa comme dans son rêve. Au fur et à mesure qu'elle se libérait de ce lourd secret, elle sentit ses poumons se dégager, elle pouvait respirer plus profondément sans aucune douleur. Sa mère lui en fit la remarque: «Tu vois, tu peux à nouveau mieux respirer.»

Le soir même, son médecin lui demanda ce qui s'était passé, car la fièvre qu'elle traînait depuis des semaines avait complètement disparu. Elle s'était guérie d'une pneumopathie en même temps qu'elle s'était libérée de ce poids qui l'étouffait.

Ses parents se chargèrent d'annoncer sa séropositivité à ses frères et sœurs. Ils furent tous profondément consternés, choqués et désemparés.

Dans les yeux de ses frères et sœurs, elle pouvait lire toutes leurs questions, leurs craintes, leurs doutes, leurs colères, leur incompréhension et leur impuissance. L'une de ses sœurs se demandait si elle connaissait aussi bien Adéline qu'elle le croyait, avait-elle une vie cachée de toxicomane ou de prostituée? L'autre n'arrivait pas à comprendre pourquoi elle leur avait caché ce secret pendant aussi longtemps. Quant à ses frères, ils se réfugièrent derrière un mur de silence, évitant même de prononcer le mot maladie en sa présence.

Adéline avait épuisé toutes ses réserves; elle ne faisait plus que 39 kilos. Sa mère se proposa de l'aider. Elle se rendit chez elle tous les jours pour faire son petit entretien et lui préparer ses repas, tandis que son père s'occupait de ses courses.

Puis, après quelques mois, sa sœur Véronique se proposa pour prendre le relais afin de permettre à sa mère de se reposer. Après quelques jours seulement, en apportant le plateau à Adéline, elle lui dit: «Ne t'imagine pas que je vais faire cela pendant des semaines. Tu ne te rends pas compte à quel point tu es un poids pour toute la famille, tu nous perturbes tous la vie. Il y a des hôpitaux qui peuvent te prendre en charge…» «À ce moment-là, me dit Adéline, j'aurais voulu mourir, disparaître à jamais. Dans l'état où j'étais, j'avais bien plus besoin de compréhension et d'encouragements que de jugements et de reproches.»

Elle se sentit soudain si lasse, si découragée. Elle n'avait plus la force de se battre ni de s'accrocher. Elle démissionna. La fièvre s'empara d'elle et, dans les jours qui suivirent, elle perdit encore du poids. Elle se sentait de trop, un poids pour les autres, elle n'aspirait plus qu'à mourir.

Elle sentit la mort comme un nuage gris et noir s'approcher d'elle et lui dit: «Fais ton travail, mais ne me torture pas.»

Ensuite, elle demanda qu'on appelle le médecin de garde pour être hospitalisée. À son arrivée à l'hôpital, le médecin qui l'accueillit s'adressa à sa mère en ces termes: «Que voulez-vous que je fasse de ce cadavre, vous auriez aussi bien fait de la laisser mourir chez vous.»

Adéline rejoignit le service des malades du sida. Elle était mourante. Puis l'un de ses frères vint la voir. C'était la première fois qu'elle le voyait pleurer. Il lui dit à travers ses larmes: «Tu ne peux pas mourir, je t'aime et je ne veux pas que tu meures.»

C'étaient ces mots qu'elle avait tant besoin d'entendre, des mots qui lui donneraient une raison de vivre.

Adéline reprit graduellement goût à la vie et pensa: «S'il n'y a sur terre qu'une personne capable d'aimer de cette façon, une personne qui tient autant à moi, la vie vaut peut-être encore l'effort qu'elle me demande.»

Sa période d'hospitalisation n'en fut pas moins un véritable calvaire. Comme elle avait mal partout, on l'avait installée sur un matelas d'eau sur lequel elle avait horriblement froid. Elle réclamait sans arrêt un peu de chaleur, une couverture, on lui répondait: «Non, vous avez de la fièvre.»

Tous les matins, elle avait droit à une séance de fauteuil. Les aides soignantes l'y installaient puisqu'elle ne pouvait se déplacer. Elles l'attachaient pour qu'elle ne tombe pas, lui laissant une sonnette pour les appeler. Elle ne tenait pas cinq minutes tant tout son corps lui faisait mal. Elle sonnait alors pour qu'on la recouche. Comme personne ne venait, elle sonnait encore et encore. On lui retira la sonnette, la laissant sur ce fauteuil plus d'une heure dans des souffrances atroces.

Au cours de cette période d'hospitalisation, Adéline reçut la visite d'un psychiatre qui lui posait tous les jours et plusieurs fois de suite les mêmes questions, à savoir son âge, le prénom de ses enfants, de ses parents, la date et l'année en cours. Cela finissait toujours sur le sujet de la trithérapie qu'Adéline refusait.

Puis, il en vint un autre et un autre encore. Au lieu d'essayer d'entendre la souffrance qui l'habitait, de lui permettre de parler de son chagrin, de son angoisse, de ce qu'elle avait vécu, tout ce qu'ils voulaient c'était l'amener à accepter la trithérapie. C'était un véritable harcèlement autant de la part des psychiatres, des médecins que des infirmières.

Toutefois, parmi ce personnel infirmier, certains savaient encore prodiguer des soins aux malades avec amour et respect, mais il y en avait d'autres qui se montraient impatients, durs, indifférents et qui manquaient totalement de délicatesse.

Adéline reprit tout de même un peu de poids et de forces. Elle entreprit des séances de rééducation avec un kinésithérapeute. Elle savait que tant qu'elle n'accepterait pas la trithérapie, elle ne pourrait quitter cet hôpital, alors elle se résolut à l'accepter.

Tous les membres du personnel, les uns après les autres, la félicitèrent de son choix et l'encouragèrent. Les psychiatres ne revinrent plus la voir; elle était redevenue normale à leurs yeux.

Adéline avait dit oui à la trithérapie pour qu'on cesse de la harceler avec cette question, mais ne voulait pas prendre pour autant les cachets.

Alors elle les faisait disparaître du mieux qu'elle pouvait. Mais les infirmières eurent tôt fait de s'en rendre compte et ne la laissèrent plus seule pendant la prise des médicaments, l'aidant même à les avaler. Il lui fallut plusieurs mois d'hospitalisation pour réapprendre à vivre, c'est-à-dire dormir, respirer, marcher et faire sa toilette. Ce fut également le départ d'une nouvelle vie avec les grandes questions existentielles: «Quel est le sens de ma vie, comment vais-je vivre maintenant, que vais-je faire de cette vie?»

Avant son départ de l'hôpital, le médecin l'informa qu'elle ne pourrait plus jamais travailler, qu'elle devrait prendre ses médicaments à vie.

Pour Adéline, accepter ce verdict équivalait à renoncer à l'espoir qu'elle avait su raviver malgré toutes les souffrances endurées, c'était signer son arrêt de vie et elle le refusa.

Elle quitta l'hôpital remplie de doutes, de peurs, et avec la croyance que sa vie tenait à un traitement. Elle diminua graduellement son traitement de trithérapie, optant plutôt pour un traitement à base de vitamines, des infusions de buis, de gui et de silice.

Elle reprenait du mieux lorsqu'elle dut faire face à de grosses difficultés financières. Elle se vit obligée d'arpenter les bureaux de l'aide sociale; elle finit par obtenir une misérable pension d'invalidité. Cela ne pouvait que donner raison aux médecins, la ramenant dans le désespoir. Sa santé en prit un coup. Elle retourna voir son médecin qui lui dit alors: «Vous voyez bien que vous ne pouvez pas vous passer de vos médicaments. Maintenant soyez sérieuse! Pensez à vos enfants et à tous ceux qui ne peuvent bénéficier de ces traitements!»

Elle reprit donc une nouvelle fois la trithérapie, la considérant cette fois comme une béquille dont elle finirait un jour par se libérer.

Comme ses lymphocytes T4 ne remontaient pas suffisamment et que sa «charge virale» restait détectable selon son médecin, il décida de changer ses médicaments.

Après avoir entendu la pharmacienne lui expliquer tous les effets secondaires, elle rentra chez elle complètement démoralisée. Elle réalisa qu'elle avait bien plus peur des effets secondaires que de la maladie elle-même. Puis en septembre 2001, elle prit la décision ferme d'arrêter la trithérapie et de choisir un soutien naturel.

Elle fit attention à son alimentation, prit des vitamines, fit de l'exercice. Elle consulta un homéopathe, un acupuncteur et se motiva à être de plus en plus «séropositive» dans le sens «sert au positif». Elle pratiqua la méditation et retrouva une paix intérieure.

C'est à ce moment-là que je fis sa connaissance. Elle s'était inscrite à un séminaire de dix jours que j'offrais dans sa région. Ensemble, nous avons reconstitué l'histoire de ce mal de vivre ou, plutôt, de cette culpabilité de vivre qui l'avait conduite sur ce parcours si douloureux.

Tout avait débuté avant sa naissance. Ses parents vivaient une période très difficile. Sa mère songeait à se séparer lorsqu'elle découvrit qu'elle était de nouveau enceinte. Elle se sentit si désemparée et, ne voyant plus de solution, elle songea au suicide.

Après la naissance d'Adéline, sa mère fit une dépression nerveuse avec tentative de suicide qui l'obligea à être hospitalisée. Ce fut son père et sa grand-mère qui s'occupèrent d'elle.

Adéline crut qu'elle avait été la cause de la dépression de sa mère. Aussi, ne réclamait-elle rien pour elle-même, comme si elle avait pu dire avant même de naître: «Maman, je serai si gentille, je ne te demanderai rien, je ferai tout pour soulager ta souffrance.»

Sa mère lui raconta que lorsqu'elle était bébé ou toute petite, elle ne réclamait rien du tout, même lorsqu'elle avait eu la coqueluche, elle toussait puis reprenait sa sucette.

Deux événements majeurs réveillèrent cette culpabilité de vivre. Tout d'abord, c'est à la suite du constat de sa séropositivité que son compagnon s'était effondré. Adéline voulut tout faire pour le sortir de la souffrance dans laquelle elle le voyait s'enfoncer. Ce qui ne pouvait que la ramener à sa période fœtale où sa mère s'enfonçait elle aussi dans sa souffrance et qu'elle croyait que c'était à cause d'elle. Après le décès de Didier, elle avait le sentiment d'avoir échoué; les sentiments d'impuissance et d'abandon vécus à sa naissance avec sa mère se réactivaient, ce qui l'avait amenée à vouloir mourir à son tour.

Mais lorsque sa mère lui prodigua les soins qu'elle n'avait pas pu lui prodiguer à sa naissance, elle reprit goût à la vie et c'est alors que survint le choc. Un terrible choc lorsque sa sœur lui dit: «Tu ne te rends pas compte à quel point tu es un poids pour toute la famille, tu nous perturbes tous la vie...»

N'était-ce pas exactement ce qu'avait cru Adéline à sa naissance, que sa venue avait perturbé la vie de sa mère puis de toute sa famille par ricochet, qu'elle était un poids pour eux?

C'est à partir de ce choc qu'il fallait intervenir pour amener Adéline à se libérer de sa culpabilité de vivre.

J'invitai Adéline à prendre trois bonnes respirations puis je l'aidai à se détendre pour la ramener au moment de ce choc. Je lui demandai de visualiser la chambre dans laquelle elle était alitée. Puis de voir sa sœur entrer dans la chambre avec le plateau et de se voir se redresser dans son lit pour manger.

Ensuite, je lui demandai de regarder sa sœur déposer le plateau puis de l'entendre prononcer ces mots:

Tu ne te rends pas compte à quel point tu es un poids pour toute la famille, tu nous perturbes tous la vie, il y a des hôpitaux qui peuvent te prendre en charge…

À ce moment-là, je lui demandai de se voir dire à sa sœur ce que ces mots lui font, ce qui donna:

Véronique, si tu savais ce que je donnerais pour ne pas être dans ce lit, pour ne pas être un fardeau pour toi, maman, papa et les autres. Ce que tu viens de me dire m'a atteint au plus profond de mon être, m'a enlevé toute volonté de guérir, je voudrais mourir, disparaître pour ne plus être un poids pour personne.

Elle vit sa sœur pleurer et lui dire:

Je te demande pardon, ce que je voulais dire, c'est comment il nous est difficile de te voir ainsi, moi-même je me sens si impuissante à pouvoir t'aider, cela me perturbe tellement de te voir ravagée par la maladie, je donnerais tout ce que j'ai pour que tu guérisses…

Elles pleurèrent ensemble dans les bras l'une de l'autre. Adéline comprit à quel point sa sœur et toute sa famille l'aimaient. Ce n'était pas elle qui était un poids, mais la souffrance qui l'affectait.

Je l'ai amenée par la suite à retrouver ce petit bébé qui avait cru que c'était à cause de lui que sa maman ne voulait plus vivre. Elle se servit d'une photo d'elle qu'elle avait vue à plusieurs reprises dans l'album familial. Elle se vit aller près de ce petit bébé, le prendre dans ses bras puis lui dire que ce n'était pas à cause de lui que sa maman avait voulu se suicider, mais parce qu'elle ne voyait pas de solution à la situation difficile qu'elle vivait avec son mari. Elle lui dit également: «C'est toi qui va lui donner le courage de se relever, de reprendre goût à la vie et cela va l'aider à trouver des solutions.»

L'équation qui nourrissait la culpabilité de vivre d'Adéline était la suivante: «Ma venue a apporté tant de soucis à ma mère qu'elle a voulu se suicider.»

Avec ce travail, l'équation devenait: «Ma venue a donné à ma mère le courage de surmonter ses difficultés et de redémarrer sur de nouvelles bases avec son conjoint.»

Voici ce qu'écrivait Adéline au sujet de cette période fœtale:

Maman, dans ton ventre j'ai cherché en vain la douceur et la chaleur. Je sais aujourd'hui que tu ne pouvais me donner ce que toi-même tu te refusais. Mais, moi, j'étais là, si petite et si perdue. De ce nid qui aurait dû être un abri bercé d'amour et de sécurité, tu as fait l'obscurité et tu as brisé la vérité, car toi-même ne voyais plus la lumière. Mais, moi, j'étais là si petite et si perdue à tendre les bras vers toi, à crier ma peur, à me nourrir de tes larmes et de ton désespoir aussi grand que mon impuissance.

Après la libération de cette culpabilité, Adéline fut elle-même étonnée de retrouver autant de vitalité. Elle se sentait même apte à reprendre un travail.

Puis elle fit la connaissance d'un grand souffrant qu'elle voulut aider. Je crois qu'inconsciemment elle voulait redonner à quelqu'un d'autre l'aide qu'elle avait reçue. Elle se retrouva blessée dans cette nouvelle expérience et sa santé périclita à nouveau.

Elle dut être hospitalisée de nouveau mais, cette fois, elle avait compris ce qui l'avait conduite là. Elle mit fin à cette relation et se reprit en main; elle n'eut pas pour autant recours à la trithérapie.

Aujourd'hui, plus de 15 mois se sont écoulés depuis notre rencontre. Adéline poursuit la reconquête de sa santé. Je sais qu'il y aura encore des choses à travailler. Elle est toutefois entourée de merveilleux thérapeutes qui l'accompagnent sur la voie de sa guérison.

Message d'Adéline

Des informations nous sont données régulièrement ainsi que des explications, mais est-ce suffisant pour bien comprendre ce mal qui détruit la vie et fait si peur? Je dirais aux personnes désireuses d'approfondir le sens du mot «sida» et de mieux comprendre cette maladie, d'aller à la rencontre de celui ou celle qui en souffre, d'oser le regarder et l'écouter. N'est-ce pas au cœur du problème et sur le terrain qu'on apprend le mieux?

Le **Syndrome de l'ImmunoDéficience Acquise** *n'est-il pas plutôt un:*

Signe Important d'une Déficience d'Amour et une Sérieuse Invitation à Donner et à Aimer?

Aux malades, je dirai:

Je peux vous parler de la maladie, de la souffrance, de la peur, des angoisses, du désespoir et des ténèbres, de la honte et des culpabilités, mais vous qui souffrez, vous les connaissez aussi bien que moi. Je ne crois pas que ma situation soit plus difficile à vivre que celle des autres. Ne le croyez pas vous non plus, car une souffrance ne se mesure pas, ne se compare pas, ne se juge pas. Elle se vit, elle se ressent et quelle qu'elle soit, unique ou multiple, ancienne ou récente, la vôtre ou la mienne, elle est dure pour celui qui la vit et elle est seulement à respecter.

Tout comme moi, vous criez ou vous taisez ce mal qui vous ronge et vous déchire. Tout comme moi, vous essayez de vivre avec ou contre lui. Mais tout comme moi aussi, vous avez le choix de vous laisser détruire ou celui de continuer à vivre votre vie jusqu'au bout. À travers tous ces moments difficiles que chacun de nous traverse comme il peut, l'espérance ne s'éteint jamais, même si nous devenons parfois incapables de la ressentir au point de ne plus y croire. Que l'espérance qui brûle au fond de nous soit comme une étoile qui nous permette de retrouver le chemin du possible, car l'amour jamais ne meurt. Il est grand et indestructible, lumineux et intarissable. Il traverse les murailles les plus infranchissables, les espaces les plus insaisissables. Il se mélange à l'air que l'on respire et l'on ne peut alors qu'en être (ou bien qu'en naître) imprégné.

Je dois ce que je suis et ce que j'écris à ceux qui m'aiment et à ceux qui m'aiment moins! À ceux que j'ai compris et à ceux qui m'ont révoltée, à ceux qui m'ont aidée et à ceux qui m'ont ignorée, à ceux que je n'ai pas compris et si mal aimés, à ceux qui m'ont écoutée et tendu la main, à ceux qui pleurent et ceux qui rient, à ceux qui savent que l'amour est bien plus fort que tout et à ceux qui ont encore à le découvrir. Et pour tous ceux qui nous ont quittés: leur sourire et leur souvenir ne sont pas morts, ils vivent en chacun de nous. Par amour pour eux et pour l'amour qu'ils nous ont donné, ne laissons pas s'éteindre la flamme qu'ils nous ont transmise, VIVONS!

Qui est le malade? C'est moi aujourd'hui, mais demain c'est peut-être la mère qui nous a donné la vie, le père qui nous a élevé, le compagnon ou la compagne sans qui nous ne pouvons imaginer la vie, l'enfant tant désiré et que nous aimons à tout prix, l'ami(e) qui nous tend la main, le voisin qui nous rend service, celui qui nous exaspère ou celui que nous ne connaissons même pas et pourquoi pas vous?

Qui peut dire qu'il est assurément à l'abri? Qui peut ignorer la maladie et la souffrance que l'on retrouve dans tous les hôpitaux. Il ne s'agit pas de s'investir sans le désirer, ni au détriment de sa famille, ou de soi-même, mais de transformer son regard; avoir un seul instant d'accueil et d'amour ne prend pas de temps et peut changer beaucoup pour le malade. Un malade est avant tout et d'abord un être humain. Chacun de nous peut l'aider à conserver sa dignité. Je me souviens de ces longues minutes, interminables, d'attente dans les couloirs de l'hôpital, dans les différents services où l'on m'amenait pour des examens. Je tirais la couverture sur mon visage tant je ne pouvais supporter le regard des autres. J'aurais voulu hurler et je suppliais qu'on ne me laisse pas là, qu'on m'isole. Je ne pouvais supporter leurs yeux, leur regard d'angoisse, de peur, de pitié et parfois même de terreur et de dégoût. «Ne me regardez pas avec ces yeux-là, suppliait mon regard!» Entre une personne couchée et une autre debout, il ne devrait pas y avoir de différences. Pourtant existent celles que le malade et le bien-portant veulent bien entretenir, toujours avec l'aide de cette peur et de cette ignorance. Un malade, même s'il peut parfois et même souvent paraître fort et courageux, a peur. Il n'est pas équilibriste et pourtant il marche sur un fil; il n'est pas aventurier et pourtant il voyage seul en terre inconnue. Il est, à lui seul parfois, un cri de détresse et un appel au secours, même s'il faut souvent le deviner à travers sa solitude, son isolement, son rejet de lui-même qui le mène au rejet des autres, à travers sa colère ou sa résignation, son coup de cafard ou son exubérance, à travers sa quête d'amour, qu'il faudra deviner dans un regard tendre ou furieux, implorant ou orgueilleux, dans un geste doux ou violent, dans un mot blessant ou un silence, dans un rire, une larme ou un cri.

De quoi meurent les malades du sida? Pas toujours seulement d'une maladie tout court, mais aussi de la honte, de la peur. Mon compagnon est mort du sida, mort de croire qu'il était condamné, sans aucun espoir, mort de ne pas avoir pu réaliser ce qui lui tenait à cœur, mort de s'être senti si coupable de m'avoir contaminée.

Les malades du sida meurent aussi de la peur de mourir et peut-être plus encore de la peur de souffrir et d'être un poids pour les autres. Ils meurent aussi du regard des autres sur leur vie, leur choix de vie, car souvent ils sont d'abord homosexuels, toxicomanes ou prostitués avant d'être sidéens. Ils vivent mal l'exclusion et peut-être même l'auto-exclusion et les différences. Comment peut-on vivre sans amour? Comment peuvent vivre ces malades qui sont justement devenus aussi malades en partie par manque d'amour? Ils ont peur d'aimer par peur de contaminer et peuvent refuser ou s'interdire d'être aimés et de s'aimer soi-même parce qu'ils se croient contaminés, alors qu'ils ont justement tant besoin d'être aimés. À quel moment vont-ils annoncer leur séropositivité? Le sida est une maladie difficile à vivre, car elle touche à l'amour même et donc à la vie.

Je suis comme les autres malades du sida, j'ai plus peur de souffrir que de mourir, mais aussi bizarre que cela puisse paraître, le sida m'a permis de naître à la vie et d'être en vie, car il est aussi et malgré tout, une très grande histoire d'amour. Et tous les traitements du monde ne remplaceront jamais cet amour qui, lui seul, peut accomplir des miracles.

DEUXIÈME PARTIE

De la guérison du corps à la guérison de l'âme

Notre santé n'a jamais autant d'importance que lorsque nous sommes malades.

Dans les chapitres précédents, nous avons vu que la maladie n'est pas un ennemi à combattre à tout prix, mais qu'au contraire elle représente l'effort que fait notre organisme pour tenter de s'adapter à une situation qui le perturbe.

De plus, nous avons vu que la maladie comporte toujours deux phases, soit une phase de déstabilisation suivie d'une phase de récupération ou de réparation, selon les besoins de notre corps.

Dans cette seconde partie, nous verrons comment parvenir à une véritable guérison plutôt que d'éliminer simplement nos symptômes.

Pour ce faire, nous verrons l'importance de garder une attitude positive, nourrie par la volonté et la foi en notre guérison. Nous verrons comment remonter à la source de nos souffrances ou aider d'autres personnes dans cette démarche de guérison.

Le questionnement pertinent, l'écoute en profondeur, l'introspection et la transformation des scénarios de souffrance ne sont que quelques exemples des outils qui seront proposés pour aider à panser les plaies de l'existence et, à plus ou moins long terme, à les guérir.

Enfin, nous découvrirons les raisons des souffrances qui jalonnent notre vie sur terre.

CHAPITRE

5

Soigner ou guérir

«Si les médecins ont souvent du mal à établir une relation thérapeutique fructueuse avec leurs patients, c'est en grande partie parcequ'on les a formés à devenir de simples mécaniciens. En faculté, nous apprenons tout ce qu'il faut savoir sur la maladie, sauf la façon dont elle est vécue par celui qui souffre.»

Dr Bernie S. Siegel

Être soigné ou guérir est une question de choix

Choix de la personne affectée

Certaines personnes se contentent de ne plus éprouver de symptômes et nous disent: «Depuis que je prends ce médicament, je n'ai plus de problèmes...» D'autres retirent de l'attention des soins qu'elles reçoivent: «J'ai un si gentil médecin qui me traite bien...» D'autres encore croient que la souffrance est le prélude à l'élévation spirituelle; elles passent d'une souffrance à une autre, convaincues d'avoir beaucoup de mérite. D'autres, enfin, choisissent d'aller au cœur de leurs problèmes pour atteindre une véritable guérison.

Choix de l'intervenant pour nous aider

Ici encore, nous disposons d'un grand éventail de praticiens dans différentes disciplines. Nous avons ainsi le choix entre la médecine allopathique (classique), ayur-védique, chinoise, Nouvelle Médecine du Dr Hamer, Métamédecine, médecines douces, énergétiques, vibratoires, naturelles, alternatives, etc.

Toutes ces médecines ou ces thérapies pourraient, en fonction de l'intervenant et de sa pratique, se classer dans une médecine symptomatique ou dans une médecine globale.

Quelle est la différence entre les deux?

La médecine symptomatique vise à l'élimination des symptômes pour enrayer la maladie, tandis que la médecine globale cherche à rétablir l'harmonie chez la personne qui consulte: harmonie dans son corps mais également dans tout son être. C'est pourquoi elle tient compte autant de l'affection que des pensées, sentiments et émotions que vit cette personne en relation avec le milieu où elle évolue.

Comment savoir si notre médecin ou notre thérapeute pratique une médecine symptomatique ou globale?

On n'a qu'à observer à quoi il donne la priorité. Met-il l'accent sur nos douleurs, sur nos symptômes, pour nous aider à les faire disparaître ou cherche-t-il plutôt à nous aider à reconnaître la cause de notre souffrance pour que nous puissions y apporter les correctifs appropriés?

Dans le premier cas, il pratique une médecine symptomatique et, dans le second, une médecine globale.

MÉDECINE SYMPTOMATIQUE

La médecine symptomatique a comme préoccupation première d'atténuer la douleur, de supprimer les symptômes ou d'éliminer l'agent causal comme le virus, les bactéries, les cellules malignes, etc.

Si l'on souffre, par exemple, de migraine, le médecin nous prescrira des médicaments, l'homéopathe, des granules ou des dilutions, le naturopathe, des produits naturels, etc. Chaque praticien d'une médecine symptomatique aura un produit spécifique à nous proposer. Notons toutefois que, parmi ces intervenants, plusieurs pratiquent une médecine globale.

Ces cachets, granules, dilutions, peuvent atténuer la douleur et même, parfois, faire disparaître le symptôme, mais est-ce qu'on peut parler de guérison? Pourquoi ces médicaments ou traitements arrivent-ils à faire disparaître les symptômes chez certaines personnes mais pas chez d'autres?

Dans le cas où l'affection s'estompe ou disparaît:

Il est possible que ce remède, ce médicament ou le traitement ait apporté de l'aide au corps dans son processus de guérison;

Il est possible que la personne, au moment où elle a consulté, fût en phase de guérison. Son corps était justement en train de guérir.

Il est possible que la foi dans le médicament ou le traitement ait mobilisé des énergies de guérison de la personne affectée.

Dans le cas où l'affection persiste:

Il est possible que la cause physique ou psychique déstabilisante perdure parce qu'elle n'a pas été établie ni éliminée.

Il est possible que la personne n'ait pas confiance en ce médicament ou en ce traitement, ce qui ne mobilise pas son énergie de guérison et peut même se manifester par des réactions allergiques.

Il est possible que l'organisme de la personne soit trop affecté pour que le médicament ou traitement puisse opérer favorablement.

Toute la pharmacologie repose sur la médecine symptomatique, médecine à laquelle les médecins de la médecine allopathique (classique) ont été formés. Pour telle affection, on prescrit tel médicament et si cela ne produit pas les résultats escomptés, ou donne des effets secondaires indésirables, on prescrit soit un nouveau médicament pour remplacer le premier ou de nouveaux médicaments pour contrer ses effets secondaires.

La bible des médecins, le «Vidal» médical, contient plus de deux mille pages où sont décrits trois médicaments par page en moyenne.

Cette médecine symptomatique est avant tout une approche masculine dans l'art de traiter la maladie.

Il est intéressant de noter que Louis Pasteur, qui influença la médecine classique, était paralysé du côté gauche de son corps. Or, le côté gauche du corps correspond à la partie féminine de notre être, c'est-à-dire la sensibilité, l'intuition et la capacité de synthèse qui nous donnent une vision globale de ce qui se passe.

On pourrait se demander si, à l'image de Pasteur, la microbiologie et, par la suite, la médecine classique tout entière n'auraient pas été édifiées sur des valeurs masculines au détriment des valeurs féminines.

Le propre du masculin est de rechercher une solution concrète, pratique et objective à un problème dans le but d'obtenir un résultat probant, alors que le féminin aborde un problème de manière subjective et globale en s'appuyant sur le ressenti et l'intuition.

Voici une petite histoire qui illustre bien leurs modes de fonctionnement différents.

Conflit entre la logique et l'intuition

Un jour, dans un département de soins, M. Logique eut une argumentation avec Mme Intuition.

M. Logique, convaincu d'avoir raison, tenta d'entraîner Mme Intuition dans sa direction.

Mme Intuition, sachant que ce n'était pas la voie juste, refusa de suivre M. Logique.

M. Logique insista en disant qu'il fallait être réaliste.

Mme Intuition lui répondit que, selon elle, mieux valait écouter la voix de son ressenti.

M. Logique voulut lui démontrer mathématiquement qu'il avait raison en lui disant que si une personne pouvait marcher deux kilomètres par jour, elle ne saurait parcourir 30 kilomètres en sept jours, ce qui est logique, selon sa perception.

Mme Intuition n'eut que faire de tels calculs, pour elle, seule comptait la certitude qu'elle ressentait. Elle savait que, malgré les apparences et les mathématiques, cette personne y parviendrait. Comment? Elle l'ignorait: elle savait seulement qu'elle réussirait.

M. Logique se fâcha et accusa Mme Intuition d'obstination, ce à quoi elle répondit: «Ne serait-ce pas toi qui veux tellement avoir raison?»

M. Logique lui demanda une explication.

Mme Intuition renchérit: «Lorsque je t'ai dit que cette personne avait marché trois kilomètres le premier jour, qu'as-tu dit? Qu'as-tu fait?»

«Je n'ai émis qu'une réserve», répondit M. Logique.

Mme Intuition insista: «Qu'as-tu fait? N'as-tu pas éclaté de rire?»

«C'est vrai que j'ai ri, car je ne croyais pas et ne crois toujours pas au résultat», répondit M. Logique.

«Pourtant, poursuivit Mme Intuition, après seulement trois jours, elle en a déjà parcouru plus du tiers de la distance.»

«Oui, renchérit M. Logique, mais il lui reste encore un long parcours et plus que quatre jours.»

M. Logique ajouta que, lui, il s'appuie sur ce qui est reconnu et établi.

Mme Intuition lui répondit: «Moi, je prends appui sur ce que je ressens sans l'ombre d'un doute.»

M. Logique voulait avoir raison pour se protéger des répercussions et Mme Intuition voulait défendre sa position, car, elle le savait, jamais ses certitudes ne l'avaient trompée.

Mme Intuition ne cherchait pas à avoir raison, elle ne voulait qu'être en accord avec sa vérité profonde; y renoncer équivaudrait à se renier.

M. Logique revint à la charge en affirmant: «Moi, au moins, je sais pourquoi je sais.»

Mme Intuition reconnut: «Moi, je ne sais pas pourquoi je sais, je sais seulement que je sais.»

Que de discussions et d'arguments pour défendre chacun sa position. Mme Intuition ne demandait pas mieux que de collaborer.

Mais M. Logique répliqua: «Il ne saurait en être question tant que tu ne lâcheras pas ta position.»

M. Logique ne gagnerait-il pas à faire confiance à son intuition? Mme Intuition ne gagnerait-elle pas à découvrir que ses intuitions sont, au fond, logiques.

Quelle est la solution à cette confrontation? Que peut faire Mme Intuition pour faire entendre raison à M. Logique? Que peut faire M. Logique pour accueillir Mme l'Intuition?

Mme Intuition devra, certes, rassurer M. Logique pour qu'une fois libre de ses peurs il puisse s'ouvrir à de nouveaux horizons. Quant à M. Logique, il pourra proposer à Mme Intuition de vérifier ses propositions pour être en mesure de lui fournir des argumentations.

Encore quelques discussions et le désir d'unité régla la question.

N'est-ce pas cette unité qu'il nous faut également trouver si nous voulons que notre médecine évolue vers une médecine globale où le patient deviendra un participant dans la prise en charge de sa guérison?

Voici quelques exemples des approches masculine et féminine des problèmes de santé.

Maladie	Approche masculine	Approche féminine
Myopie	Verres correcteurs, intervention au laser.	Introspection, prise de conscience et libération de la peur y ayant donné naissance.
Allergie	Test pour déceler les facteurs allergènes, antihistaminiques et autres médicaments.	Recherche de ce qui est non accepté ou de ce qui réveille un souvenir d'aversion ou de tristesse. Libération de ce qui perturbe le corps ou l'esprit.
Arthrite	Anti-inflammatoires pendant des années avec médicaments pour contrer les effets secondaires.	Recherche du sentiment en cause, qui est très souvent lié à un sentiment de dévalorisation. Aide au participant afin qu'il ne se dénigre plus et reconnaisse sa valeur.
Cancer	Radiologie, scanner, biopsie, chirurgie, radiothérapie, chimiothérapie (avec médicaments pour contrer les effets secondaires).	Recherche du choc émotionnel ou du stress intense qui a pu y donner naissance. Libération de ce stress. Aide au corps pour qu'il amorce un processus d'autoguérison.
Grippe	Aspirine, sirop, décongestionnant, souvent antibiotiques, etc.	Repos pour permettre au corps de récupérer (fait souvent suite à une grande fatigue), décongestionnant si nécessaire.
Otite	Antibiotiques, pose de tubes dans les oreilles si complications.	Recherche de ce qui est entendu et qui perturbe, libération de l'émotion ou du facteur responsable. Nouvelle compréhension ou attitude à l'égard de la situation déstabilisante.

Dans ma pratique, je suis souvent amenée à constater les moyens utilisés par la médecine masculine pour tenter d'éliminer les symptômes d'une affection.

Voici quelques exemples.

À une personne qui souffrait d'acouphène, le kinésithérapeute consulté suggéra de demander à quelqu'un de la bousculer à plusieurs reprises pour rétablir le liquide dans son oreille interne. D'autres patients furent soumis à des interventions chirurgicales au niveau du tympan ou du nerf auditif pour éliminer ce bruit intérieur qu'ils entendaient. Résultat: ils entendent encore ce bruit intérieur ou ont perdu l'audition du côté de l'oreille affectée.

Avec une approche féminine, on cherchera plutôt à découvrir quelle est la surcharge de tension intérieure que vit cette personne pour l'aider à trouver la solution qui va lui permettre de relâcher cette surcharge.

Julie et des maux de dents

Julie a consulté plusieurs dentistes pour des douleurs aux dents et aux mâchoires. On lui a proposé de lui faire des traitements de canal. Après ces traitements, les douleurs n'ayant pas cessé, on lui proposa une extraction graduelle de ses dents.

Après deux ans de soins qui lui ont coûté plus de 12 000 euros, et presque toutes ses dents, ses douleurs étaient toujours aussi intenses.

Une personne lui parla d'un dentiste ayant une approche différente, elle prit rendez-vous avec lui. Sur sa chaise, elle s'effondra, laissant aller tout son désespoir dans un flot de sanglots. Touché par son désarroi, ce dentiste lui conseilla de me consulter.

Voici, en résumé, le processus que j'utilisai pour l'amener à identifier la cause de ses douleurs pour ensuite l'aider à les libérer.

Moi: «Julie, quand ont débuté tes douleurs aux dents?»

Julie: «Il y a environ deux ans.»

Moi: «Aurais-tu vécu un événement particulier juste avant l'apparition de ces maux de dents?»

Julie: «Je m'en souviens très bien. C'était un vendredi après-midi. J'étais à la cour comme à l'habitude, je suis greffière. J'en entends des causes. Ce vendredi-là, la cause portait sur un cas d'inceste. Je ne sais pour quelle raison l'accusé ne cessait de me fixer du regard, j'en étais troublée. Quand je suis rentrée chez moi, je me suis mise à pleurer. J'ai pleuré tout le week-end, je ne pouvais m'expliquer ce qui m'arrivait; j'étais toute chamboulée et c'est là que j'ai commencé à avoir mal aux mâchoires, puis ce mal s'est propagé à mes dents.»

> *Cet événement avait réveillé, à son insu, une peur incommensurable vécue dans son enfance. Tant et aussi longtemps qu'on n'intervenait pas sur la cause mais sur la manifestation, les douleurs persistaient. Je soupçonnais qu'elle avait été abusée, étant donné que l'élément déclencheur avait été le regard d'un jeune homme incestueux. Ce n'était pas le premier procès ayant pour cause un inceste qu'elle entendait, mais c'était ce regard plus que la cause qui l'avait troublée.*

Moi: «Julie, aurais-tu vécu un inceste?»

Julie: «Je n'en ai aucun souvenir.»

Moi: «Comment t'es-tu sentie lorsque ce garçon t'a regardée?»

Julie: «Mal, très mal, mais je ne sais pas pourquoi.»

Moi: «Peut-tu mettre un mot sur le sentiment ou l'émotion qui t'a habitée?»

Julie: «Non, je ne sais pas quel mot je pourrais mettre.»

Moi: «Est-ce du dégoût, du mépris, de la haine?»

Julie: «Non.»

J'invitai Julie à fermer les yeux, à se détendre puis je l'invitai à revoir le palais de justice, la cour, le juge, les avocats, le jury, puis à se voir elle à sa place de greffière. Enfin, à voir l'accusé.

Pour amener une personne à revoir intérieurement une situation traumatisante, il faut procéder graduellement. On l'amène à voir tout d'abord le lieu, l'environnement, les personnages secondaires (s'il y en a), puis on termine avec les acteurs principaux de la scène traumatisante. Dans le cas présent, elle et l'accusé de l'inceste.

Moi: «Julie, regarde bien, cet homme, il va te fixer du regard..., dis-moi ce que tu ressens.»

Julie: «J'ai peur, j'ai très peur.»

Moi: «De quoi as-tu peur?»

Julie: «J'ai peur de lui...»

Moi: «Regarde-le bien encore, ces yeux te rappellent-ils quelqu'un...?»

Julie: «Oui, ce sont les yeux de mon frère.»

Moi: «Lequel de tes frères?»

Julie: «Ce sont les yeux de Cyril...»

Je la ramenai graduellement avec moi et l'interrogeai sur ce qui s'était passé avec Cyril.

Julie était la benjamine d'une famille de sept enfants. Cyril était le deuxième et avait neuf ans de plus qu'elle. À l'adolescence, il consommait de la drogue et perturbait beaucoup l'harmonie familiale. Je vérifiai si Julie en avait peur. Elle en avait effectivement très peur.

Je travaillai avec elle relativement à un événement où Cyril, sous l'effet de la drogue, avait voulu tuer l'un de ses frères avec un couteau. Sa mère intervint pour les séparer. Julie eut à ce moment-là horriblement peur que son frère ne tue sa mère.

Par imagerie mentale, je l'aidai à libérer cette peur dans laquelle elle avait figé. Après cette séance, cela lui apporta un certain soulagement, mais les douleurs réapparurent.

Il me fallut trois rencontres de plus de deux heures chacune pour l'amener à toucher à une profonde souffrance liée à l'inceste qu'elle avait totalement occulté.

Ces douleurs aux mâchoires et aux dents étaient liées à ces cris que l'on avait étouffés en lui mettant la main sur la bouche pendant qu'on l'abusait.

Pour elle, homme égalait danger. Ce n'était pas Cyril qui l'avait abusée, mais il avait participé à cette situation qui l'avait traumatisée[1].

Après avoir libéré ces fortes émotions, elle entra dans un véritable processus d'autoguérison. Dans les heures qui suivirent la thérapie, ses douleurs furent encore plus intenses pour ensuite diminuer graduellement. Elle était véritablement entrée, cette fois, dans sa phase de guérison. Il lui fallait maintenant laisser le temps à son corps de procéder à la réparation des tissus affectés par le stress intense qui l'avait habitée.

[1] Nous verrons plus en détail au chapitre 8 comment pratiquer ce processus de libération de la mémoire émotionnelle.

Ce travail de libération de l'émotion aurait-il pu lui éviter l'extraction de ses dents s'il avait été entrepris dès le départ? La réponse est oui. Alors pourquoi ne lui a-t-on pas proposé cette thérapie dès le départ?

Julie, comme la majorité des personnes qui souffrent, a tout d'abord consulté un médecin formé à la médecine masculine. Ce n'est que lorsque cette médecine masculine ne peut plus faire grand-chose pour elles que ces personnes cherchent dans d'autres approches la voie de la guérison.

La médecine masculine a sa place lorsqu'il s'agit d'agir sur un problème concret tel qu'un traumatisme, une urgence, une crise aiguë, l'amélioration fonctionnelle d'un organe, etc. Mais lorsque la cause est abstraite, la médecine masculine atteint vite ses limites et peut parfois faire plus de mal que de bien.

La médecine féminine a aussi ses limites en ce sens que si une intervention chirurgicale est de rigueur ou la pose d'une prothèse nécessaire à l'amélioration de la fonction d'un organe, cela relève de la médecine masculine.

L'idéal ne serait-il pas une association d'une médecine masculine et féminine? Non pas dans un mélange des deux mais dans l'application de l'une ou de l'autre à bon escient. Hélas, la médecine masculine qui est convaincue d'avoir raison puisqu'elle possède le pouvoir et la reconnaissance du public n'est pas prête à céder une partie de sa place à la médecine féminine. Pourtant, elle reconnaît bien volontiers que plus de 80 % des problèmes de santé ont des origines psychosomatiques. Ces causes psychosomatiques ont besoin d'être exprimées, accueillies sans jugement, avec compassion pour que la personne puisse extérioriser sa peine, sa colère, ses doutes, ses peurs, sa honte, ses déceptions ou son désespoir.

Bien que notre médecine classique soit masculine, cela ne signifie pas que tous ceux qui y ont été formés ont une approche masculine. Il y a des médecins qui prennent tout de même le temps d'écouter leurs patients. Parfois ils leur suggèrent un livre qui peut les aider, à d'autres moments, ils les encouragent à poser une action précise pour résoudre leurs problèmes.

Des médecins ouverts à cette pratique m'ont avoué qu'avec certains patients cette approche ne semble pas convenir. Tout ce que souhaitent ces derniers, c'est une ordonnance pour faire taire leur douleur. Par conséquent, s'il y a des médecins avec une approche masculine, il y a aussi des patients avec des attentes masculines.

LA MÉDECINE GLOBALE

La médecine globale peut prendre différentes appellations, la plus courante est celle de médecine «holistique» qui vient de l'anglais *whole* qui signifie «entier». La médecine globale s'occupe de toutes les dimensions de l'être humain plutôt que de ne s'attarder qu'à son corps ou à une partie de ce corps.

Pour comprendre cette interrelation, prenons un instrument à cordes, une guitare par exemple. Si l'on ne joue qu'une seule note en pinçant une seule corde, la vibration se propage dans l'instrument. Cela engendre inévitablement une réaction, si minime soit-elle, sur les autres cordes qui se mettent à vibrer à leur tour. Selon l'approche holistique, l'être humain réagit de façon similaire à toute forme de thérapie.

Soigner une dimension de l'être a invariablement des répercussions sur les autres dimensions. Le traitement de l'être dans sa globalité a donc plus de chances de l'aider à s'élever jusqu'à un niveau d'harmonie qu'aucun traitement pris isolément ne pourrait permettre d'atteindre. Ainsi, dans une perspective véritablement holistique, aucune dimension n'est plus importante que l'autre. C'est la relation corps, âme et esprit qui est pris en considération.

> *«Soigner en cloisonnant les dimensions physique, psychique, relationnelle et spirituelle relève d'un aveuglement dommageable et inefficace.»*
>
> *Jean-Jacques Crèvecœur*

Relation corps-esprit

L'effet placebo est la meilleure preuve qu'il n'existe pas de séparation entre l'esprit et le corps.

Voyons-en quelques applications.

Un médecin voulant vérifier la théorie selon laquelle l'acide ascorbique était un remède préventif fit appel à deux groupes de participants. Au premier groupe, il donna un placebo en leur laissant croire qu'ils prenaient de la vitamine C. Au second, il donna de la vitamine C, mais leur fit croire qu'ils prenaient un placebo. Le groupe qui prenait un placebo en croyant prendre de l'acide ascorbique eut moins de rhumes que le groupe qui prenait de l'acide ascorbique en croyant prendre un placebo.

Au cours de recherches sur l'effet placebo, on fit des injections de placebo à des patients à qui les tablettes de placebo n'avaient procuré aucun soulagement:

64 % d'entre eux furent soulagés et leur état s'améliora. Ces patients devaient certainement croire qu'un médicament administré par injection était plus efficace que des comprimés.

Une Canadienne, peintre et écrivaine de 46 ans, Linda McKenzie, atteinte de la maladie de Parkinson a subi une chirurgie placebo.

Le journaliste[2] qui rapporte son histoire relate que l'une des premières choses dont cette femme s'est souvenue, c'est le bourdonnement sourd d'une perceuse que les médecins utilisaient pour forer quatre trous dans son front anesthésié.

Au cours de l'intervention, elle entendit le chirurgien demander des implants. On l'avait prévenue que ces implants étaient composés de cellules fœtales que l'on injecte profondément dans le cerveau des patients parkinsoniens afin de compenser les neurones détruits par la maladie.

Après l'intervention, Linda McKenzie a affirmé avoir ressenti que son état s'était nettement amélioré. Elle n'avait toutefois reçu aucun implant puisqu'elle faisait partie d'un groupe témoin dont les sujets allaient être opérés mais n'allaient pas recevoir les implants. Évidemment, elle ignorait avant l'opération si elle recevrait les implants ou non.

Le journaliste ajoute que ses symptômes ont temporairement diminué grâce à cette seule chirurgie placebo.

Il semble que d'autres malades ont connu, grâce à cette intervention placebo, une amélioration remarquable et permanente de leur état.

[2] *L'actualité*, avril 2000.

Dans *Le mystère du placebo*[3], le psychiatre Patrick Lemoine précise que le seul patient sur 17 qui ait connu une amélioration sur le plan électrocardiographique avait subi une chirurgie placebo. Ce médecin écrit que les placebos les plus courants, les pilules de sucre, sont parfois, voire souvent, aussi efficaces que les véritables médicaments. Il rapporte aussi de nombreux cas où le placebo a agi plus vite que le médicament actif. Mieux encore, l'efficacité du placebo peut même engendrer des effets secondaires! On parle alors d'effets «nocebo», mot qui rappelle que nous avons en nous autant la capacité de nous guérir que de nous détruire.

Ainsi, les médecins Petr Skrabanek et James McCormick relatent que des étudiants en médecine ayant participé à une étude ont ressenti plusieurs effets secondaires après avoir avalé un comprimé de sucre qu'ils croyaient être un puissant médicament. Ils se plaignaient d'un état dépressif, d'un effet sédatif, d'agitation, d'excitation, de tremblements, de maux de tête et d'un ralentissement du rythme cardiaque alors qu'ils n'avaient reçu qu'un placebo [4]. Ces symptômes étaient identiques à ceux qu'ils auraient pu ressentir s'ils avaient pris le véritable médicament.

On oublie trop souvent l'interaction de nos pensées sur notre corps.

Récemment, j'ai fait un voyage avec un groupe très réduit. Comme notre guide semblait connaître les bons restaurants, nous lui fîmes confiance pour le choix de l'endroit où nous irions dîner.

Nous venions d'arriver dans une localité où il y avait très peu de touristes et le restaurant où il nous amena ne comptait que nous comme clients. Notre guide nous commanda des pâtes aux fruits de mer.

---

[3] Patrick Lemoine, *Le mystère du placebo*, Paris, Odile Jacob, 1996.

[4] Petr Skrabanek et James McCormick, *Idées folles, idées fausses en médecine*, Paris, Odile Jacob, 1997.

Je pensai que s'il y avait si peu de clients, ces fruits de mer ne devaient pas être très frais. Lorsque j'ai reçu mon plat, je mis de côté les fruits de mer, me contentant de manger les pâtes qui avaient cependant été nappées du mélange aux fruits de mer. Tous les membres de notre petit groupe digérèrent très bien leur dîner, sauf moi qui fut indisposée.

Si nos pensées peuvent avoir une telle incidence sur notre organisme, quel impact crois-tu que les propos d'un médecin ou d'un thérapeute peuvent avoir chez une personne inquiète par rapport à ce qui lui arrive?

Un homéopathe, qui avait participé à une formation avec moi, se servait d'un pendule ou parfois simplement de son index pour dire à la personne qui le consultait ce dont elle souffrait et, par la suite, quel produit homéopathique lui serait salutaire.

Il avait offert des consultations gratuites à certains participants de notre séminaire qui avaient, sans aucun doute, besoin d'apprendre à utiliser leur discernement. Il avait dit entre autres à mon époux qu'il avait les artères bouchées à 80 %. Or, mon mari n'a jamais eu de problèmes de circulation ou de tension artérielle; fort heureusement, il n'est pas du genre à être facilement influencé. On peut donc imaginer l'effet que de tels propos peuvent avoir sur une personne influençable, surtout lorsqu'ils sont tenus par un médecin.

Je reçois beaucoup de courrier de mes lecteurs qui me demandent mon avis par rapport à un diagnostic qu'ils ont reçu ou des traitements qu'on leur propose. Ils s'interrogent à savoir si, en identifiant la cause, ils ne pourraient pas s'éviter ces traitements.

Hubert m'écrivit ceci:

Je vous écris, car je sais que vous avez surmonté plusieurs maladies dont deux cancers. En juillet dernier, lors d'une analyse de sang de routine, on a constaté que j'avais un PSA (ou APS antigène prostatique spécifique) trop élevé par rapport à la moyenne. Le médecin traitant m'a suggéré de consulté un urologue. Cet urologue, après m'avoir fait un toucher rectal et fait passer une biopsie, m'a diagnostiqué un cancer de la prostate.

J'ai également passé d'autres examens (échographie du foie, radiographie du thorax, scanner pelvien et scintigraphie osseuse). Tous étaient satisfaisants. L'urologue m'a dit que j'avais le choix entre l'ablation de la prostate ou 30 séances de rayons au cobalt à raison d'une par jour durant cinq à six semaines.

En ce qui me concerne, je considère que ce cancer est lié à une situation déstabilisante que j'ai vécue avec mon ex-épouse et qui est maintenant réglée. Je ne me sens absolument pas malade et j'ai la profonde conviction que ce cancer est en train de se résorber puisque je suis en excellente forme.

Avant de prendre une décision, j'ai demandé une nouvelle analyse de sang. À la surprise générale, le PSA était cette fois normal.

Selon l'urologue, le retour à la normale du PSA est dû uniquement à la prise du médicament Casodex qui permet d'arrêter la prolifération de cellules malignes.

Je n'ai pris ce médicament que quelques jours, car il me rendait malade alors que je ne l'étais pas avant de le prendre. Il me créait des dérangements au niveau du foie, perte d'appétit, douleurs au ventre et de la diarrhée.

Personnellement, je n'ai pas envie de m'en remettre aux traitements proposés, mais j'apprécierais avoir votre avis.

Je l'invitai à écouter ce qu'il ressentait plutôt que les résultats de tests qui peuvent changer comme il avait pu s'en rendre compte. Je lui ai dit que les problèmes à la prostate étaient très souvent reliés à un sentiment de perte de sa puissance masculine, relié soit à un travail, à une activité ou à sa partenaire. Avait-il encore des problèmes de ce côté-là? Cette question pouvait lui permettre de vérifier s'il était en phase de stress ou en phase de guérison.

Je l'invitai ensuite à s'interroger et à tirer ses propres conclusions en ce qui concernait les traitements proposés. Quels étaient les risques que représentaient ces traitements ou le refus de ces traitements? L'aideraient-ils à être en meilleure forme? Pourraient-ils lui créer des problèmes qu'il n'avait pas? Ne vaudrait-il pas mieux pour lui qu'il écoute son corps?

C'est en répondant à ces questions qu'il pouvait prendre la décision la plus appropriée pour lui.

Combien de patients comme Hubert vont prendre le temps d'aller chercher un autre avis? Combien vont plutôt réagir par la peur, l'angoisse et l'empressement?

Pendant des années, j'ai répété à mes participants que nous étions à l'ère du discernement. Je n'en ai jamais été aussi convaincue.

Mégane m'écrivit ceci:

À la suite d'une névrite optique que j'avais faite six mois auparavant et qui était totalement guérie, je devais, comme convenu, revenir pour une visite de routine chez le neurologue. Ce jour-là, j'ignore pourquoi, il me dit que selon les analyses que j'avais passées il y a six mois, je serais atteinte de sclérose en plaques et qu'il faudrait envisager d'entamer, dans les plus brefs délais, un traitement préventif.

J'ai reçu ce diagnostic de maladie dégénérative en pleine figure, sans ménagement, comme une douche froide qui m'a glacée.

Avant même que j'aie eu le temps de réagir, ce médecin ajouta: «Ne vous en faites pas, toutes les personnes qui en sont atteintes ne finissent pas dans un fauteuil roulant!» Perspective rassurante, n'est-ce pas?

J'ai réalisé ce jour-là combien j'avais eu de la chance d'avoir acquis un certain discernement pour ne pas me laisser emporter par les émotions. Par le passé, cette supposée maladie, je l'aurais développée à force de vivre avec cette menace perpétuelle.

Pour accroître l'ambiguïté du message de ce neurologue, il ajouta qu'il ne m'avait pas fait ce diagnostic six mois plus tôt parce que je n'avais reçu qu'une prescription de cortisone.

Il me refit une prescription de cortisone en me disant que je n'étais pas obligée de la prendre. Selon son protocole, il fallait que la personne ait reçu deux prescriptions de cortisone avant de pouvoir recevoir le traitement de fond de la sclérose en plaques pour que celui-ci soit pris en charge par les assurances sociales.

Tout était donc une question de remboursement. Je n'étais pas plus «atteinte» à présent qu'il y a six mois, mais là, je rentrais dans les normes pour recevoir le traitement. Il me proposait de prendre de «l'interféron» tous les deux jours en piqûres sous-cutanées à vie. Je ne me sens pas du tout malade, mais je le serais certainement devenue en acceptant de m'injecter ce poison.

Je veux vous remercier pour le cheminement que j'ai pu faire grâce à vos livres et à vos séminaires qui ont éveillé ma conscience. Ce cheminement n'a pas toujours été facile, mais il m'a permis de prendre la maîtrise de ma vie. Et si ce n'était que pour m'avoir évité cette souffrance, cela en valait largement le coup.

Que devons-nous penser de ces tests de dépistage?

Lorsque l'on considère la maladie comme un ennemi qui menace notre santé et notre vie, il est normal de vouloir mettre toutes les chances de son côté pour l'éliminer.

Mais si l'on envisage la maladie comme une tentative que fait le corps pour s'adapter à une situation perturbante, ne serait-il pas plus sensé de rechercher ce qui nous perturbe et d'apporter les corrections nécessaires?

Par ailleurs, il y a toute un différence entre prévention et dépistage précoce. Prévenir signifie «voir venir» pour empêcher que ne se produise l'événement ou la maladie. Prévenir, c'est donc être à l'écoute des symptômes de notre corps pour entendre ce que notre inconscient cherche à nous faire comprendre.

En étant à l'écoute de ces messages pour mieux rectifier une attitude, une croyance, des pensées ou des sentiments, nous pourrons échapper à la maladie.

Hubert avait-il des douleurs à la prostate? Non, il avait certainement un des symptômes, mais il avait transformé son attitude et ses sentiments à l'égard de son ex-conjointe. Ainsi, son corps était en train d'éliminer ces cellules cancéreuses et c'est ce qu'avait décelé le test APS.

Voici ce que nous dit Guylaine Lanctôt[5] à ce sujet:

> *Le dépistage précoce ne peut être de la prévention, car amorcer des traitements avant ou au cas où la maladie apparaisse, c'est agir comme si elle était déjà là;*

[5] Guylaine Lanctôt, *La mafia médicale*, Montréal, Louise Courteau, 1994.

Les tests dits de prévention sont faits pour nous traiter plus tôt;

Les appareils ne sont pas infaillibles et donnent souvent de faux résultats;

Traiter précocement, c'est obéir à des statistiques;

Passer des tests de prévention, c'est appeler la maladie;

La médecine dite préventive provoque la maladie qu'elle souhaite éviter;

La seule vraie prévention, c'est la santé et la paix.

Au cours de notre existence, il est naturel que nous vivions des émotions, des stress, voire des chocs. Notre corps a été conçu pour supporter ces stress, ces chocs. Autrement, nous n'aurions pas un système de réparation (le système parasympathique) intégré à notre ordinateur de bord, notre cerveau.

Autrefois, lorsqu'une personne vivait un choc, elle en avait des répercussions, mais cela se réglait en général avec du repos et les remèdes de grand-mère.

Bien sûr, il y en avait qui mouraient, cela fait partie du processus de vie et de mort dans lequel nous évoluons. Mais, aujourd'hui, au moindre petit signe, on nous encourage à consulter notre médecin. D'autant que c'est gratuit, du moins c'est ce que l'on croit.

Est-ce vraiment à notre avantage?

Prenons le cas de Diane qui peut ressembler à celui de bien d'autres femmes.

Diane a eu un conflit important avec son conjoint qu'elle aime beaucoup. Depuis ce conflit, il lui fait la tête. Blessée par son attitude, elle choisit un moment qui lui semble propice pour lui dire: «Ton attitude en ce moment a pour effet d'atténuer l'amour que j'ai pour toi.»

En colère, il lui répond: «En ce qui me concerne, il y a longtemps qu'il est mort cet amour.»

Ces paroles atteignent Diane au plus profond de son être et elle pense: «Ce couple, j'y ai toujours tenu plus que tout. Malgré toutes les difficultés que nous avons traversées, j'y ai toujours tenu. Si, pour lui, il y a longtemps que cet amour est mort, eh bien j'arrête de m'y investir, c'est peine perdue...»

Le lendemain, il lui demande pardon, mais les mots ont été lancés, la blessure a été violente. Puis, son mari se montre de nouveau gentil, tente de se rapprocher d'elle, la douleur est encore là, mais elle ne fait plus aussi mal. Diane se rapproche et lui pardonne. La relation repart agréablement.

Quelque temps après, elle fait une leucorrhée vaginale avec des pertes de sang en dehors de son cycle menstruel.

Dans l'information véhiculée sur le cancer du col utérin, on nous incite à consulter notre médecin si nous observons des saignements en dehors de la période menstruelle.

Que se passera-t-il si Diane consulte un médecin au cours de cette période?

Il est possible que l'on décèle sur son frottis des cellules atypiques qui la conduiront à passer une colposcopie puis une biopsie où l'on découvrira des cellules cancéreuses.

Le fait d'apprendre qu'elle a un cancer sera un nouveau choc pour elle qui la mettra en situation de stress. De plus, les traitements proposés pourront l'amener à développer d'autres problèmes de santé.

Si, au contraire, Diane comprend le processus de la maladie qui va de la phase du choc ou du stress à la phase de guérison, elle ne s'inquiétera pas outre mesure, reconnaissant le processus de réparation de son corps.

Au moment de son conflit avec son conjoint, quand il lui dit: «En ce qui me concerne, pour moi, il y a longtemps qu'il est mort cet amour.» Pour Diane ce fut un choc, une profonde déception amoureuse, l'homme qu'elle aime depuis des années ne l'aime plus.

Diane entre en sympathicotonie. C'est le cortex qui est sollicité, cela concerne les relations et touche le côté sexuel (c'est son partenaire sexuel). Le tissu en lien avec le cortex est l'épithélium pavimenteux, l'organe concerné est le col utérin. Cet organe sera affecté d'une petite tumeur ulcérative dans la phase active du conflit.

Lorsque la situation se règle, la relation repart. Son conjoint lui dit que ce n'étaient que des paroles de colère, qu'il ne pensait pas du tout. Diane passe alors en phase de parasympathicotonie (vagotonie) qui est la phase de réparation. Les bactéries interviennent pour désintégrer cette petite tumeur, c'est ce qui explique sa leucorrhée et les saignements sont des restes de la désintégration de la tumeur qui s'était formée aux dépens de sa muqueuse utérine.

Si Diane ne fait rien, tout va rentrer dans l'ordre et guérir, si bien sûr elle n'a pas d'autres chocs pour réactiver la phase active (sympathicotonie).

Selon de Dr Alain Scohy, tous les jours, on éliminerait spontanément des cellules cancéreuses de notre organisme sans problème. Nos microzymas, dont parlait Béchamp, fabriquent telle ou telle bactérie qui va éliminer tel déchet ou telle cellule cancéreuse.

On pourrait se demander si l'augmentation des cancers décelés aujourd'hui n'aurait pas, dans une certaine mesure, un lien avec un dépistage hâtif et des traitements précoces.

Tout cancer ulcératif passe par ce processus, mais c'est dans les cancers du col utérin et du côlon que peuvent plus facilement s'observer ces saignements dans la phase de réparation compte tenu qu'ils sont situés près d'une voie de sortie de notre organisme.

La sagesse ne serait-elle pas d'apprendre le langage de notre corps et d'écouter son ressenti plutôt que de s'en remettre à des tests de dépistage dont on ne peut vérifier la validité ni l'interprétation des résultats? Sans compter que ces tests ne peuvent révéler ce que l'on vit ou ce que l'on n'a vécu, ni si nous sommes en phase active de conflit ou en phase de récupération ou de guérison. Il n'y a que nous qui puissions répondre à ces questions.

Si on mange bien, si on dort bien et qu'on a les mains chaudes, quoi qu'en disent les tests, notre corps, lui, nous dit que nous allons bien. Écoutons-le! Mais si, au contraire, on est préoccupé, on a peu d'appétit, les mains froides et un sommeil agité, pourquoi ne pas chercher des solutions à nos problèmes ou à notre anxiété?

Voilà la véritable prévention.

Que devons-nous penser des pronostics?

Si un diagnostic peut nous créer un choc qui va nous déstabiliser, que dire d'un pronostic?

Qu'est-ce qu'un pronostic?

Un pronostic est une prévision médicale des suites probables d'une maladie et de son évolution. Il est basé sur des statistiques et l'évaluation que fait le médecin de son malade en tenant compte de son âge, de sa maladie et de son état général.

Le pronostic n'est qu'une supposition basée sur des probabilités, jamais une certitude. Mais lorsqu'un patient se fait dire par son médecin: «Il vous reste environ six mois à vivre», pour le malade qui entend ces mots, ce n'est pas une supposition, c'est une condamnation.

Je n'oublierai jamais ce que m'avait raconté l'un de nos professeurs de microbiologie. Cela se passait alors qu'il était interne; il accompagnait l'un de ses supérieurs dans sa tournée aux malades. Ce grand spécialiste entra dans la chambre d'un malade et lui dit: «*Mon cher monsieur, je n'irai pas par quatre chemins, j'ai eu les résultats de vos examens, vous avez un cancer des ganglions au stade trois, il vous reste moins de six mois à vivre.*» Mon professeur ajouta: «Au moment où nous sortions de la chambre, le patient sortait par la fenêtre!» C'était un professeur au cœur tendre; jamais il ne se serait adressé de cette façon à l'un de ses patients.

Un pronostic peut-il tuer l'espoir d'un patient?

L'histoire d'Alison ressemble à celle de bien des personnes atteintes d'un cancer. Son histoire nous montre comment les mots, les réponses et les pronostics des médecins peuvent avoir des répercussions autant favorables que dommageables sur l'état de santé d'un malade.

Alison est venue me rencontrer en janvier 2001. Elle avait déjà été traitée pour un cancer du sein. Au moment de notre rencontre, elle faisait un cancer du poumon.

Quatre mois après la mort de son père, Alison se découvrit une masse dans le sein droit. Dans la même période, elle apprit qu'une de ses sœurs devrait subir l'ablation complète d'un sein. Pour elle, c'était l'angoisse la plus totale. Elle n'en parla à personne. Elle préféra attendre les résultats des examens, plutôt que d'inquiéter ses proches.

Après une mammographie douloureuse, on lui apprit qu'elle avait une masse anormale et inquiétante et qu'une biopsie était nécessaire pour établir le diagnostic.

«Masse inquiétante», serait-ce un cancer demanda-t-elle à son médecin qui lui répondit: «Nous ne le saurons qu'après la biopsie.»

À la vue de cette longue aiguille qui allait pénétrer dans son sein, Alison était remplie d'appréhensions. L'opération se fit sans anesthésie. Alison ressentit une douleur effroyable lorsque cette aiguille entra et ressortit de son sein pour prélever des échantillons.

Les analyses confirmèrent qu'il s'agissait d'une tumeur maligne de haut degré (carcinome canalaire infiltrant).

Puis ce fut la chirurgie. On lui retira cette masse avec élargissement, en plus de 17 ganglions dont 6 avaient des métastases, selon les termes de son médecin. Il lui prescrivit par la suite 12 traitements de chimiothérapie très agressifs. Dans les jours qui suivirent le premier traitement de chimiothérapie, Alison dut être hospitalisée d'urgence, elle faisait une neutropénie fébrile (chute des globules blancs). La fièvre ne la quittait pas, elle avait de la difficulté à respirer, l'intérieur de sa bouche et de son œsophage était rempli d'ulcères et ses cheveux tombaient par poignées. On l'avait mise dans une chambre isolée et elle ne pouvait recevoir aucun visiteur par crainte d'une infection.

Elle demanda alors à son médecin ce qui arriverait si elle contractait une infection. Son médecin lui répondit: «Ça pourrait vous être fatal puisque vous n'avez presque plus de globules blancs pour vous défendre.»

Elle s'endormit dans cette crainte et fit un cauchemar où elle voyait un homme qui éternuait sur elle. Cela la ramena à ce que son médecin lui avait dit. Elle se réveilla en panique, la poitrine en feu, respirant avec difficulté. Le médecin de garde lui donna un calmant et la plaça sous un masque à oxygène. Elle était certaine qu'elle allait mourir, qu'il ne lui restait plus qu'une heure à vivre. Elle demanda qu'on téléphone à son mari, insistant pour qu'on lui dise de venir rapidement avec son jeune fils.

Quand elle vit son fils de cinq ans, elle lui expliqua qu'elle avait eu très peur de mourir et de ne pouvoir l'embrasser avant de partir. Son petit garçon mit ses bras autour de son cou et lui dit: «Mais non, maman, tu ne vas pas mourir, tu vas guérir, je le sais, moi…»

Toute la magie et l'amour qu'elle ressentit à travers ce petit bout de chou de 5 ans fut extraordinaire pour elle. Elle pensa: «Si lui est capable de voir que je vais guérir, alors je peux y croire aussi et m'accrocher à la vie.»

Son médecin passa la voir plus tard. Elle lui confirma que les sensations de brûlements dans la poitrine, les ulcères dans sa bouche et son œsophage, sa neutropénie, la chute de ses cheveux, son extrême faiblesse et ses difficultés à respirer étaient tous des effets de la chimiothérapie. Elle lui dit que le traitement avait été trop fort et qu'elle allait en diminuer l'intensité par la suite. Cela la rassura quelque peu, car elle croyait que sa fièvre et ses brûlures atroces dans la poitrine étaient dues à une infection.

La fièvre continua cependant, et Alison fut prise de délire pendant la journée. Son mari revint la voir dans la soirée. Voulant l'encourager, mais ne sachant trop quels mots employer, il lui dit: «Il faut que tu sois positive, optimiste...» (Devant un problème, l'homme [côté masculin] offre des solutions alors que la femme [côté féminin] a plutôt besoin de compréhension.)

Alison le prit très mal, ces mots semblant l'accuser de lâcheté. Cela lui fit vivre une telle révolte, une telle colère, elle me dit: «J'avais le sentiment d'être par terre et qu'au lieu de me tendre la main, il me reprochait d'être malade.» Alison ne se sentait pas comprise, pas entendue dans sa souffrance et son désarroi. Elle aurait tellement voulu qu'il lui dise qu'il comprenait sa souffrance et qu'il était là pour l'aider, pour l'appuyer dans cette étape difficile. Comme elle ne sentit pas cette compréhension, elle se ferma complètement, ne demandant plus d'aide à personne. Après sa sortie de l'hôpital, elle se rendait seule à ses traitements de chimiothérapie.

Un jour qu'elle était dans cette grande salle où l'on administrait de la chimiothérapie à d'autres cancéreux, elle croisa l'une de ses cousines. Cette cousine avait fait un cancer du sein et était maintenant traitée pour un cancer des os. Alison était bouleversée de la voir. Alison me confia: «Elle n'était que souffrance, elle se traînait tant elle avait de la difficulté à marcher et à respirer et, malgré tout, elle se battait encore pour vivre, je sentais que ces traitements la conduiraient à la mort.»

Lorsqu'elle apprit le décès de cette cousine, elle baissa les bras: elle n'y croyait plus. Cela se manifesta dans son corps, car ses globules blancs ne remontaient plus, pis encore, ils diminuaient.

Au neuvième traitement, les médecins convinrent que de continuer la chimiothérapie mettrait sa vie en danger. On lui proposa plutôt 25 traitements de radiothérapie. À chacun de ces traitements, elle était de plus en plus faible, elle n'avait plus aucun poil, plus un seul cheveu, son teint était grisâtre: elle avait l'air d'un cadavre ambulant. Ce qui l'amena à se dévaloriser, il lui semblait qu'elle n'était plus bonne à rien. Elle se disait: «À quoi bon tous ces traitements, toute cette souffrance. Cela n'a sauvé ni ma mère, ni ma cousine, aussi bien en finir tout de suite.»

Elle me dit: «Quel paradoxe, je me battais pour vivre et je n'avais qu'une envie, c'était de mourir.»

À la fin de ces traitements de radiothérapie, son médecin lui proposa de passer un test pour le dépistage du cancer du col utérin. Son médecin l'appela dans les jours qui suivirent ce test et lui dit: «Nous avons décelé des cellules anormales sur votre frottis, il faudrait que vous preniez rendez-vous pour une colposcopie.»

En entendant ces paroles, Alison ressentit un choc qui la laissa sans voix. Elle pensa: «Si j'ai maintenant des cellules anormales au col de l'utérus, c'est que le cancer s'est généralisé, je suis finie, je vais mourir.»

Elle eut très peur de mourir, et en songeant à son petit garçon, elle se disait: «Il n'a que six ans, il a encore tellement besoin de moi.» L'angoisse et le désarroi qui l'habitaient étaient horribles, elle n'en dormait plus.

Deux mois plus tard, son médecin lui fit passer une radiographie pulmonaire et l'on vit des taches rondes sur ses poumons. Il lui annonça que, malheureusement, elle faisait maintenant un cancer métastasique aux poumons. Il lui proposa de nouveau un traitement de chimiothérapie mais différent cette fois.

Elle découvrit au premier traitement qu'il s'agissait d'un traitement palliatif et non curatif. Cela lui fit penser: «Je suis maintenant à un stade avancé, il n'y a plus beaucoup de chances que je guérisse, tout ce qu'on peut faire, c'est d'atténuer un peu mon cancer.»

Elle chercha sur Internet des informations sur le «taxotère», ce médicament qu'on lui administrait. Elle découvrit qu'il n'y avait pratiquement pas de résultats et que la liste des effets secondaires était aussi longue qu'effroyable. Elle songea sérieusement à arrêter mais son mari n'était pas d'accord. Alors elle continua encore et fit une réaction très forte. Elle dut être hospitalisée de nouveau. «J'avais, me dit-elle, l'impression qu'on m'avait injecté de l'acide, c'était comme si je brûlais à l'intérieur, c'était une souffrance atroce, intenable.»

Cette nuit-là sur son lit d'hôpital, elle prit la décision d'arrêter tous ces traitements. Elle se sentit bien avec sa décision. Quand elle en parla aux membres de sa famille, ils ne purent que l'appuyer, car leur mère avait reçu tous ces traitements et cela ne l'avait ni guérie ni sauvée.

Lorsqu'elle fit part de sa décision à son médecin, cette dernière s'insurgea en lui disant: «Tu n'as pas le droit d'arrêter, tu dois te battre, tu es jeune, tu as un jeune fils qui a besoin de toi...»

Elle lui répondit: «Ce n'est pas à la vie que je renonce, c'est à la chimiothérapie, je veux simplement choisir une autre voie, car celle-ci est en train de me tuer. En choisissant d'arrêter ce traitement, c'est la vie que je choisis.»

À la sortie de l'hôpital, il lui semblait qu'elle était maintenant face à elle-même, qu'elle ne pouvait plus compter sur personne d'autre. Cela lui fit peur mais elle accepta de relever le défi. Elle lut des livres sur des personnes qui avaient choisi d'autres manières de guérir. Elle passa en revue toutes les personnes à qui elle en avait voulu ou qu'elle avait rendu responsables de sa maladie. Pour la première fois, elle s'ouvrit à l'aide extérieure. Elle osa même demander à son mari de l'aider. Mais il n'était pas d'accord avec son choix, ce qui leur créait des difficultés. Pour lui, me disait-elle, la médecine était un radeau de sauvetage, le seul qu'il connaissait. Quitter ce radeau équivalait à sombrer tous les deux.

Sa chirurgienne tenta aussi de la faire revenir sur sa décision, ajoutant que sans les traitements, elle n'en aurait plus pour longtemps à vivre. Elle pensa: «Avec ces traitements, je n'aurai pas plus de temps, sinon moins.»

Puis une nuit lui apparut en rêve un homme qui était l'ami de son père. Cet homme avait reçu pendant sept ans des traitements palliatifs pour un cancer des ganglions. Il avait beaucoup souffert et était mort dans une souffrance atroce. Dans ce rêve, il lui disait: «Ne fais pas comme moi, ne fais pas ce que j'ai fait, cherche autre chose...»

Cet homme revint cinq nuits consécutives pour lui redire ce message; elle en avait besoin pour ne pas céder à la pression de son mari. Quand, au sixième jour, son mari accepta enfin son choix, cet homme ne revint plus.

Sa prise en charge pouvait maintenant s'amorcer. Les portes s'ouvrirent, elle rencontra une dame qui donnait des traitements énergétiques et qui l'ouvrit à la relation de causes à effets. Elle s'offrit des massages bienfaisants, des traitements d'acupuncture, etc.

Elle avait le sentiment de renaître. Sa voix intérieure lui disait: «Appelle Claudia Rainville.» Elle pensait: «Je ne l'ai pas revue depuis près de huit ans, je ne sais où elle est.» Elle essaya par Internet en tapant simplement le mot «Métamédecine» dans son moteur de recherche, c'est ainsi qu'elle me retrouva.

Je travaillai avec Alison pour l'aider à comprendre ce qui l'avait amenée à développer son cancer du sein et du poumon. Je l'aidai également à libérer les émotions qui y étaient reliées et à faire le deuil de sa mère qu'elle n'avait jamais fait et qui avait été réactivé par la mort de son père, à se libérer de la peur de la mort, à dédramatiser le choc vécu lors de l'annonce des cellules anormales de son col utérin. Je l'aidai également à croire en sa guérison, à avoir des projets[6].

Alison reprit des forces, elle retrouva un sommeil plus régulier. Elle était vraiment en voie de guérison. Elle rayonnait de joie et de bien-être; sa famille se réjouissait de la voir afficher une aussi bonne mine. Même son mari se mit à croire en sa guérison.

Au cours d'un dîner familial, son frère lui dit à quel point il était heureux de la voir ainsi. Elle lui répondit: «Je vais bientôt dépasser l'année fatidique qu'on me donnait à vivre...» Son mari intervint à ce moment-là et lui dit: «Non, Alison, ce n'était pas un an que le médecin t'avait donné à vivre, c'était trois mois.»

[6] La thérapie utilisée avec Alison sera expliquée au chapitre 8.

Son mari lui dit ces mots pour lui montrer comment le travail personnel qu'elle avait entrepris l'avait aidée. Il voulait également lui démontrer qu'autant il avait eu peur qu'elle arrête ses traitements de chimiothérapie, autant maintenant il croyait en sa guérison.

Hélas, Alison reçut ces paroles comme un coup de masse sur la tête. Elle se répéta: «Trois mois, trois mois..., il ne doit plus m'en rester bien long à vivre...»

Cette peur de mourir qu'elle avait surmontée refit surface avec intensité. Depuis des mois, elle n'avait pratiquement plus de douleurs, mais, après ce choc, causé par ce pronostic qu'on avait donné à son conjoint, elle ne dormait plus, cette peur obsédante de mourir ne la lâchait plus. Ses douleurs revinrent avec intensité. Sa souffrance l'obligea à recontacter son médecin, qui lui fit passer de nouveaux examens pour ses poumons.

Lorsqu'elle rencontra sa chirurgienne, celle-ci lui dit que ses tumeurs avaient augmenté, qu'elle en avait une de la grosseur d'un œuf.

Alison lui dit: «Mais tous mes tests sont normaux, mes globules blancs ont remonté et sont maintenant normaux, je respire bien, je me portais bien jusqu'à cette nouvelle.» Ce qu'Alison voulait lui dire, c'était: «Dites-moi qu'il me reste encore des chances de m'en sortir.» La chirurgienne lui répondit avec assurance: «Ça n'a rien à voir.» Alison entendait dans ces mots: «Votre cancer continue d'évoluer. Vous êtes finie, c'est l'évidence.» Alison s'enfonça dans la maladie.

Que se serait-il passé si la chirurgienne lui avait répondu: «Ah, si tous vos autres tests sont normaux, que vos globules blancs ont remonté, c'est très bon signe, cela prouve que votre corps réagit bien, alors continuez ce qui vous a aidé, c'est de bon augure.»

Comment se serait sentie Alison? Se serait-elle sentie condamnée ou cela aurait-il activé l'énergie de guérison en elle?

J'étais à l'étranger lorsque Alison vécut ces nouveaux chocs. Quand je revins, je travaillai à l'aider à se libérer de ces pronostics défavorables, à croire encore en sa guérison même si nous n'étions qu'elle et moi à y croire. Elle reprit confiance et commença à récupérer.

Comme le choc et le stress avaient été importants, sa phase de récupération fut très intense, elle fit un œdème de guérison qui lui créa une hypertension intracrânienne. Elle m'appela un dimanche après-midi, elle avait des problèmes d'élocution avec des engourdissements aux bras et aux lèvres.

Elle ne savait que faire. J'avais lu dans les écrits du Dr Hamer, que dans les cas d'un œdème de guérison, on prescrivait de l'hydrocortisone de retard. Ne pouvant le lui prescrire, je lui suggérai d'appeler son médecin. Elle parvint à la rejoindre, elle lui recommanda de se présenter à l'urgence. Le médecin qui la reçut voulait absolument lui faire passer un scanner.

Elle refusa en lui disant: «Je ne veux pas passer de scanner, car je sais que vous allez voir des choses et je ne veux pas entendre vos sombres pronostics.» Il lui dit: «Je suis persuadé qu'il s'agit de métastases au cerveau… Vous en êtes rendue là avec votre maladie…» Elle lui répondit: «*C'est ce que je ne voulais pas entendre.*» Mais le mal était fait. Comme une vilaine prédiction qui nous hante malgré tous les efforts qu'on fait pour s'en départir. La phrase de ce médecin hanta Alison. Pour ce médecin, les mots «métastases au cerveau» n'étaient qu'un diagnostic parmi tant d'autres, mais pour la personne qui craint de devoir quitter son petit enfant de six ans, ces mots sont effroyables.

À quoi bon soigner le corps si c'est pour détruire l'espoir de son patient?

Il accepta tout de même de lui donner une prescription de cortisone pour quelques jours, lui recommandant de revoir son médecin traitant. Après quelques comprimés de cortisone, les engourdissements cessèrent et son élocution s'améliora.

Puis elle revit son médecin. Elle lui fit part du travail qu'elle avait fait, du bien-être qu'elle en avait ressenti. Elle lui parla de ce nouveau choc qu'elle avait vécu en entendant le pronostic.

Elle me confia: «Je la croyais ouverte à d'autres approches que la médecine. Je me rendis compte qu'il n'en était rien lorsqu'elle me répondit:

> *C'est bien beau toutes ces belles idées qu'on vous a mises dans la tête, mais il ne faut tout de même pas jouer à l'autruche, se mettre la tête dans le sable et se croire guérie. Les faits sont là, vous en êtes au stade terminal de votre maladie.»*

Un jour que je disais à Alison: «Tant qu'il y a de la vie, il y a de l'espoir», elle ajouta: «Quand on enlève l'espoir, on tue la vie…»

Et c'est bien ce qui s'est passé. Ces sombres pronostics eurent raison d'Alison. Alors qu'elle se portait à merveille avant ces nouveaux chocs, elle s'éteignit trois mois plus tard.

Voici ce que nous dit le professeur David Servan-Shreiber au sujet des pronostics[7]:

Dix ans après qu'on lui eut diagnostiqué le sida, Paul vivait toujours. C'était bien avant la trithérapie et tout le monde lui demandait ce qu'il faisait pour résister ainsi à la maladie. Il répondait qu'il prenait des suppléments naturels, surveillait son alimentation et faisait du sport régulièrement. Un jour, au cours d'une conférence de presse, un professeur de médecine lui annonça: "Je suis désolé de vous dire ça, mais j'ai eu beaucoup de patients qui faisaient la même chose que vous et ils sont morts quand même. Je pense que, malheureusement, d'ici à un an au plus, votre maladie aura pris le dessus." Effectivement, Paul est mort dans l'année, terrassé par cette terrible condamnation. Certains prêtres "vaudou" peuvent faire mourir en vingt-quatre heures ceux à qui ils jettent un "mauvais sort". Les grands prêtres de la médecine moderne sont moins rapides mais tout aussi redoutables!

On a fait l'expérience suivante: on greffe une tumeur cancéreuse à deux rats à qui l'on envoie ensuite des chocs électriques. L'un a la possibilité d'éviter les décharges en appuyant sur un levier, l'autre non. Chez le premier rat, le système immunitaire se met en place pour contre-attaquer et éliminer les cellules cancéreuses. Chez le second, rapidement découragé, les cellules immunitaires sont paralysées et son cancer le dissémine en quelques semaines.

[7] *Psychologies*, n° 213, novembre 2002. David Servan-Schreiber, professeur en psychiatrie, est fondateur et directeur d'un centre de médecine complémentaire à l'Université de Pittsburgh, aux États-Unis.

Est-ce ainsi que Paul est mort? Lorsqu'il a eu l'impression qu'il ne pouvait plus rien faire d'utile pour échapper aux "chocs" que lui assénait sa maladie? Le cancer se développe plus vite et de manière plus agressive chez les patients qui contrôlent mal le stress inévitable de l'existence (ce serait d'ailleurs une des raisons pour lesquelles les groupes de parole prolongent la survie). Or quel plus grand stress que de s'entendre dire qu'il n'y a pas d'espoir de guérison?

Mais qui le leur dira? Presque chaque semaine, j'entends des patients me raconter comment ils ont été condamnés sans appel par leur cancérologue. Ces sentences sont assénées avec la plus grande assurance, comme si les statistiques avaient valeur de loi. Pour avoir moi-même déjà fait cette erreur, je crois que les médecins ont plus peur de donner de faux espoirs que de parler de ce qui peut arriver de pire. Pour se défendre contre ce "vaudou" à l'occidentale, les patients se doivent désormais d'en savoir plus que leur médecin sur ce qu'ils peuvent faire pour s'aider eux-mêmes. En commençant par avoir davantage d'espoir en leur corps que la médecine veut bien leur en donner.

Mieux vaut donner de faux espoirs qu'engendrer un profond désespoir.

Si les médecins prenaient conscience du mal qu'ils peuvent faire avec leurs sombres pronostics, ils ne les prononceraient jamais.

N'ont-ils pourtant pas juré de s'abstenir de faire tout mal à leur patient lorsqu'ils ont prêté le serment d'Hippocrate: «Je dirigerai le régime des malades à leur avantage, suivant mes forces et mon jugement et je m'abstiendrai de tout mal et de toute injustice.»

CHAPITRE

6

L'énergie de guérison

«La force vitale est la plus puissante force de cohésion et d'action de tout ce qui existe. Cependant, elle est invisible à l'œil, seul le raisonnement peut la concevoir.»

Hippocrate

Tout être vivant a en lui un pouvoir de guérison naturelle, inné et illimité, qui lui est conféré par la force vitale qui l'anime.

La force vitale est à la fois la force de cohésion de notre organisme et l'énergie qui l'anime. N'étant pas matérielle, elle ne peut donc être vue, pesée, disséquée ou analysée.

La force vitale remplit de multiples fonctions. C'est elle qui édifie le corps et veille à sa conservation. Elle est une sorte de corps subtil faisant office de modèle, de double ou de matrice pour le corps physique.

C'est grâce à son action que la multiplication cellulaire dans l'embryon se fait de manière différenciée pour que se développent des tissus différents à des endroits bien précis pour former les organes.

Son rôle de «matrice» consiste à freiner cette multiplication cellulaire pour que chaque organe, tout comme l'organisme entier, acquière une forme et la conserve.

La force vitale est également une force motrice qui anime, synchronise, orchestre et harmonise toutes les activités physiologiques pour maintenir le corps en homéostasie.

Cette force vitale règle aussi notre biorythme entre les périodes où nous sommes actifs (sympathicotonie) ou au repos (parasympathicotonie).

À la suite d'un traumatisme (physique ou psychologique), la force vitale agit comme force réparatrice et met tout en œuvre pour réparer les tissus endommagés, cicatriser les plaies, ressouder les os, augmenter la fonction d'un organe, etc.

Lors d'agression par des agents nocifs ou de substances toxiques, la force vitale joue un rôle défensif en mettant en œuvre un système de défenses organiques (système lymphatique et immunitaire).

La force vitale agit en outre comme force médiatrice, car non seulement elle maintient le corps en vie, mais elle contribue également à le ramener vers la santé lorsqu'il est malade. À ce moment-là, elle utilise les mêmes moyens qu'en temps normal mais d'une manière plus intense, plus rapide et parfois même violente. Pour ce faire, elle procède à une élimination accrue pour libérer le corps des toxines (vomissements, diarrhée, expectorations, fièvre et forte sudation), à une production supplémentaire de globules blancs ou de globules rouges pour favoriser la réparation d'un organe, à de la fatigue et faiblesse pour favoriser le repos et la régénération organique. Elle peut également faire naître une envie prononcée pour certains aliments afin de combler une carence, etc.

Comme la force vitale a pour rôle d'animer et de garder le corps en vie, elle ne peut jamais travailler contre lui ou en opposition avec les lois physiologiques. Les moyens qu'elle met en œuvre pour guérir et conserver le malade en vie sont donc toujours utilisés de manière intelligente et salutaire.

Ce que nous appelons symptômes sont des signaux déclenchés par le système d'alarme de la force vitale pour nous inviter à réagir à ce qui nous déstabilise. Ce sont également des moyens retenus par cette force pour nous défendre, aider l'un de nos organes affectés ou le réparer.

Si la force vitale disparaît, la matière qui formait le corps se désorganise. Le corps se décompose et c'est la mort.

Sans force vitale, aucune guérison ni aucune vie n'est possible.

Le célèbre biologiste René Dubos écrit dans la préface du livre, *La volonté de guérir* de Norman Cousins[1]:

> *Les médecins d'autrefois connaissaient si bien ce pouvoir naturel de l'organisme de maîtriser la maladie qu'ils inventèrent à cet effet la très belle expression vis médicatrix naturæ, c'est-à-dire le pouvoir guérisseur de la nature. Ce pouvoir est si efficace que la plupart des maladies guérissent d'elles-mêmes. La médecine tente de hâter ce processus et crée parfois plus de problèmes que si elle avait laissé l'énergie de guérison agir.*

[1] Norman Cousins, *La volonté de guérir*, Paris, Le Seuil, 1980.

Dubos ajoute:

La médecine moderne ne deviendra vraiment scientifique que lorsque les médecins et les malades auront appris à maîtriser les forces du corps et de l'esprit à l'œuvre dans la vis médicatrix naturæ.

ACTIVER L'ÉNERGIE DE GUÉRISON

Qu'est-ce qui aiguise notre foi en la guérison? Quels sont les facteurs qui, agissant en synergie, éveillent le pouvoir d'autoguérison qui trop souvent sommeille en nous?

Il y a trois facteurs essentiels à la mobilisation de l'énergie de guérison. Ces facteurs sont:

la volonté de guérir;

la foi en sa guérison;

un objectif précis à atteindre.

La volonté de guérir

J'ai souvent dit à des participants qui se plaignaient de leur situation de souffrance et qui ne semblaient pas avoir un grand désir de guérir: «Se laisser tomber ne demande aucun effort, se relever en demande beaucoup, mais c'est la différence entre vivre ou se laisser mourir.»

Cette volonté de guérir, c'est elle qui nous stimule, c'est elle qui nous fait entreprendre les actions pour nous en sortir. Elle crée en nous une ouverture qui nous permet de trouver des réponses, de rencontrer des personnes aptes à nous aider.

Quand une personne malade dit: «Je suis prête à faire tout ce qu'il faut pour retrouver ma santé», c'est qu'elle a cette volonté de vivre et de guérir. Cette volonté a toutefois besoin d'être encouragée pour se maintenir.

L'une de mes participantes atteinte de cancer m'offrit un jour ce texte:

> *Il était une fois une course… de grenouilles. L'objectif était d'arriver en haut d'une grande tour. Beaucoup de gens se rassemblèrent pour les voir et les soutenir. La course commença. En fait, les gens ne croyaient pas que les grenouilles puissent atteindre la cime et toutes les phrases que l'on entendait furent de ce genre: «Quelle peine, elles n'y arriveront jamais!»*
>
> *Les grenouilles commencèrent à douter de leur réussite, sauf une qui continua de grimper et les gens ne cessaient de répéter: «Quelle peine, elles n'y arriveront jamais.» Et les grenouilles s'avouèrent vaincues sauf celle qui continuait à grimper. À la fin, toutes se désistèrent, sauf cette grenouille qui, seule et au prix d'un énorme effort, atteignit le haut de la tour.*
>
> *Les autres voulurent savoir comment elle avait fait. L'une d'entre elles s'approcha pour lui demander comment elle avait fait pour terminer l'épreuve et découvrit qu'elle était sourde!*
>
> *N'écoute pas les personnes qui ont la mauvaise habitude d'être négatives, car elles volent les meilleurs espoirs de ton cœur! Rappelle-toi pour toujours du pouvoir qu'ont les mots que tu entends ou que tu lis. Sois toujours POSITIF! En résumé: Sois toujours sourd lorsque quelqu'un te dit que tu ne peux réaliser tes rêves ou que tu as très peu de chances de guérir.*

Je lui ai acheté une petite grenouille que je lui fis parvenir avec ce petit mot: «Tu es ma grenouille gagnante.»

Cette grenouille fut un support pour elle, car chaque fois qu'elle la regardait, elle pensait: «Je vais y arriver même si, en ce moment, c'est difficile.»

Parfois je donne cette affirmation à une personne en lui proposant de la prononcer à voix haute et plusieurs fois jusqu'à ce qu'elle en soit convaincue: **«Je vais guérir, je ne sais quand ni comment, mais je vais guérir!»**

Cette affirmation répétée avec conviction a comme effet de stimuler l'énergie de guérison en plus de nous guider vers ce qui peut nous aider à guérir.

La volonté de guérir, c'est dire «oui» à la vie.

Je me souviens de cet homme atteint du sida. Il ne s'était pas senti désiré par sa mère au cours de sa grossesse ni à sa naissance. Toute sa vie avait été une suite de rejet qui faisait qu'il n'avait jamais vraiment dit «oui» à la vie.

Je l'aidai à accepter que ce n'était pas lui que sa mère ne voulait pas, mais la situation qu'elle vivait. Je l'aidai à se libérer de ce sentiment de rejet qu'il vivait continuellement, à se donner le droit d'être, à s'accepter et à s'aimer. Cela eut des répercussions favorables sur sa santé.

Il est remarquable d'observer que lorsqu'un participant a compris quelque chose d'essentiel dans sa vie, il se retrouve parfois confronté à un test. Comme si la vie nous faisait passer un examen pour vérifier si on a bien compris.

Quelques mois après ce travail que nous avions fait ensemble, il fut affecté d'une pneumopathie et d'un affaiblissement de tout son organisme. Il n'avait plus la force de quitter son lit. C'est alors que mes paroles lui revinrent: «La vie te demande: Veux-tu vivre?»

Il comprit soudainement que tout son épuisement, c'était la vie qui lui posait cette question. Il répondit alors comme s'il s'adressait à la vie elle-même: «Oui, oui, je veux vivre...» Alors il entendit sa voix intérieure lui dire: «Si tu veux vivre, eh bien, sors de ce lit!»

Le Christ a dit au paralytique: «Prends ton grabat et marche...» Il lui disait par ces mots: «Si tu veux vraiment guérir, eh bien, pose des gestes dans ce sens. Cesse de t'apitoyer sur ton sort, crois que c'est possible et ce sera possible.»

On croit que le Christ a guéri le paralytique. Ne serait-ce pas plutôt la foi en sa guérison que lui a insufflée le Christ qui a mobilisé son potentiel de guérison?

Mon participant en disant «Oui, oui, je veux vivre» a activé cette puissance de guérison en lui, ce qui lui a donné la force de se relever, de reprendre vie et de guérir.

La foi en sa guérison

Que l'on soit croyant ou athée, nous croyons tous en quelque chose, qu'il s'agisse d'une conception, d'une personne, d'une force ou d'un produit.

Ma grand-mère était très croyante. Je grandis auprès d'elle jusqu'à l'âge de six ans, puis j'habitai près de chez elle par la suite. Je l'aidais dans ses tâches ménagères. Un jour, je me rendis chez les sœurs cloîtrées et lui achetai un petit ruban rouge sur lequel était écrit: «Cœur sacré de Jésus».

Elle souffrait de la maladie de Parkinson et chaque fois qu'elle tenait ce ruban entre ses mains, elle ne tremblait pas mais dès qu'elle ne l'avait plus, ses mains se remettaient à trembler.

Ma mère, elle, avait placé sa foi en Saint-Joseph. Chaque fois qu'elle avait des problèmes, elle implorait Saint-Joseph et ses problèmes se réglaient à coup sûr, ce qui ne pouvait que renforcer sa foi en ce saint.

Personnellement, je crois en mes guides de lumières spirituels. Existent-ils vraiment? Sont-ils plutôt le fruit de mon imagination? Cela n'a pas d'importance. Ce qui importe, c'est que ma foi en eux m'est très favorable et m'aide à traverser les difficultés qui surgissent sur la voie de mon évolution.

Il est fréquent qu'une personne place sa confiance en un être cher qui est décédé.

Ma sœur me raconta que lorsque sa fille était en train d'accoucher, elle avait tellement mal qu'elle implora sa grand-mère Laura (notre mère) de l'aider. Une heure plus tard, son bébé naissait. Ma sœur me dit: «Maman l'a aidée...» La foi en cette grand-maman qu'elle aimait a mobilisé de merveilleuses énergies qui l'ont aidée.

D'autres placent leur foi en Dieu dans la prière.

Louise Ran Liang, auteure du livre *À mon corps défendant* [2], raconte le combat qu'elle a mené pour guérir d'un cancer du sein. Après avoir subi plusieurs traitements douloureux, on lui avait proposé une greffe de la moelle. Après cette greffe, son corps lui faisait si mal qu'elle croyait ne pas pouvoir passer au travers. C'est alors qu'elle se rappela ce passage de la Bible: «Dieu vous guidera à travers la vallée où plane la mort.»

Elle pria, lui demandant de l'aider à sortir vivante de cette épreuve. Elle craignait de faire de la fièvre, car, pour elle, la fièvre était un signe d'infection. Sans trop savoir comment, elle parvint à conserver une température

[2] *A Way of Hope* (version originale), sélection du Reader's Digest, mars 2002.

normale. Une nuit, une infirmière finit par lui demander: «Quel est votre secret?» Elle répondit en souriant faiblement: «La prière, uniquement la prière.»

Et toi, en qui ou en quoi crois-tu?

Cette question est très importante, car ce que tu crois sera ton support de guérison. À l'inverse, ce qui engendre des doutes ou des réticences chez toi ne mobilisera pas ton énergie de guérison.

On comprendra ici que ce n'est pas le médicament ou le traitement qui guérit, mais la foi qui l'accompagne.

C'est ce qui explique qu'un médicament ou un traitement peut être bienfaisant pour une personne et totalement inefficace pour une autre.

Que de fois nous rencontrons une personne totalement convaincue d'une approche ou d'un produit; elle nous vante alors les mérites et les bienfaits que ce produit ou ce traitement lui a apportés ou a apportés à d'autres personnes. Nous consentons à essayer ce produit ou ce traitement, mais il ne donne pas les résultats escomptés. Comment expliquer qu'un produit peut donner de si bons résultats chez une personne et pas chez une autre? Serait-ce une question de confiance au produit?

À l'âge de 11 ans, j'ai consulté une guérisseuse pour un problème d'orgelets. Je n'ai jamais douté une seconde de cette femme. Elle m'avait inspiré confiance par son accueil et la gratuité de son geste. Cette foi en ma guérison fut si grande que par la suite, dans ma vie, lorsqu'un petit bouton tentait d'émerger au bord de l'une de mes paupières, je repensais à cette personne et il ne se développait pas.

À l'âge de 51 ans, ayant tellement cherché par moi-même à me libérer d'un problème d'acouphène, je reçus par courrier électronique le message d'une guérisseuse. Elle replaçait les corps énergétiques. Elle vantait si bien les résultats de ses interventions que j'acceptai une séance avec elle. Elle travailla plus d'une heure sur moi. Elle était convaincue que ce problème disparaîtrait. J'avais une attitude ouverte, mais je n'avais pas la foi que j'avais enfant puisque j'étais persuadée que tant que je n'aurais pas identifié la cause et n'y aurait pas remédié, le problème reviendrait.

Elle pouvait réaligner mon corps d'énergie, mais je savais que dès que la cause de cet acouphène serait réactivée, mon corps d'énergie serait de nouveau décentré. Son traitement ne changea rien à mon problème.

La foi en notre guérison n'est pas nécessairement une foi aveugle, c'est plutôt une foi en accord avec notre ressenti ou notre vérité profonde.

Dans l'Évangile, on mentionne à plusieurs reprises que le Christ a dit: «Va, ta foi t'a guéri.»

Mais qu'est-ce au juste que cette foi?

La foi, c'est plus qu'une croyance, c'est une énergie qui mobilise des forces en nous capables d'accomplir des «miracles».

Tous les miracles qui se sont produits à la suite d'une rencontre avec un être de hautes vibrations ou dans un lieu visité ou habité par l'un de ces êtres, sont en réalité des actes de foi: une foi capable de déplacer des montagnes.

J'ai été moi-même témoin de plusieurs guérisons considérées comme miraculeuses, mais qui n'étaient que la preuve de l'existence de ce pouvoir de guérison illimité présent en chacun de nous.

J'eus un jour, en thérapie, une participante qui portait un corset dorsolombaire depuis des années. Elle avait subi sept interventions chirurgicales à la colonne vertébrale. Ses médecins lui avaient dit qu'elle devrait porter ce corset sa vie durant.

Découragée de tout ce que ce corset l'empêchait de faire, elle vint me rencontrer. Je lui expliquai que toute souffrance avait une cause et qu'en supprimant cette cause on pouvait recouvrer sa santé.

Je lui ai expliqué que le corps physique n'était que de l'énergie condensée, c'est-à-dire de l'énergie avec densité et qu'en agissant au niveau de l'énergie, cette énergie elle-même se transformait, permettant autant à une plaie de cicatriser qu'à des os de se recalcifier.

Nous avons cherché ensemble ce qui avait pu donner lieu à l'arthrose de ses vertèbres lombaires. Elle me raconta qu'elle avait été adoptée dans une famille où les parents avaient déjà des enfants. Elle se sentait à part et moins importante aux yeux de ses parents adoptifs que leurs enfants biologiques. Pour gagner leur amour, elle se chargeait de plein de tâches ménagères sans pour autant en récolter plus d'affection ou d'appréciation. Puis elle épousa un homme qui provenait d'une famille aisée alors que ses parents étaient issus d'un milieu modeste.

De nouveau, en présence de sa belle-famille, son sentiment d'infériorité refaisait surface. Elle prit conscience comment cette profonde dévalorisation d'elle-même lui avait causé ces problèmes d'arthrose.

Je l'aidai à retrouver sa valeur, à voir son importance, à comprendre pourquoi elle avait vécu cette situation. Elle se sentit revivre, remplie de confiance en elle et en la vie. Elle enleva ce fameux corset qui l'emprisonnait.

Au grand étonnement de ses proches, elle se mit à faire des choses comme si elle n'avait jamais eu de problème à la colonne vertébrale. Pour son mari, cela relevait du miracle.

Il n'y avait pas de miracle. Il n'y avait que cette prodigieuse énergie de guérison qui réside en chacun de nous.

Le véritable guérisseur est en nous

Toute guérison faisant appel à un intervenant quel qu'il soit (médecin, thérapeute, psychologue, naturopathe, homéopathe, etc.) repose sur la confiance: confiance en sa personne, confiance en sa pratique, confiance en son traitement, confiance en sa médication.

Sans cette confiance, le meilleur traitement ne peut être efficace. Tout comme le pire des traitements peut s'avérer efficace si cette confiance est présente.

Qu'est-ce que cette confiance?

Le mot «confiance» vient du latin qui signifie «cum = avec» et «fides = foi».

La confiance, c'est là où l'on place sa foi.

Sir William Osler, médecin canadien et historien de la médecine, considéré comme le plus grand clinicien du monde anglo-saxon au début du siècle dernier, enseignait à ses étudiants que la plupart des médicaments et autres méthodes de traitement dont disposait la médecine de son époque étaient pratiquement inutiles.

Selon lui, les guérisons de maladies organiques qu'il avait à son actif étaient dues essentiellement à la foi du malade dans l'efficacité de son traitement et au réconfort apporté par les bons soins du personnel infirmier.

Pour ce médecin réputé, la foi qui guérit traduit les «influences psychologiques» qui déclenchent les mécanismes de rétablissement de la *vis medicatrix naturæ*, en réalité, l'autoguérison.

Cette foi qui guérit nous apparaît encore plus évidente lorsque nous réalisons que des traitements dommageables pour la santé amènent tout de même la guérison. Que l'on songe aux saignées et à l'application des sangsues qui guérissaient bon nombre de malades au XIXe siècle.

L'histoire de la médecine abonde d'exemples de médicaments ou de traitements qui ont été utilisés pendant des décennies avant qu'on reconnaisse qu'ils faisaient plus de mal que de bien.

Suivant le temps et le lieu, on a prescrit de la «bouse de vache», de la poudre de momie, de la sciure de bois, du sang de lézard, des vipères séchées, du sperme de crapaud, des yeux de crabe, des racines de mauvaises herbes, des substances grumeleuses extraites des intestins de ruminants, etc.

Méditant sur ce sinistre inventaire de potions «curatives» et de pratiques qui avaient joui, à leur époque, d'autant de considérations que chacun des médicaments recommandés aujourd'hui, le Dr Shapiro, éminent chercheur sur l'effet placebo, remarqua: «On se demande comment les médecins ont pu conserver honneur et respect en dépit des médications inutiles et souvent dangereuses qu'ils ont prescrites des milliers d'années durant.»

Titres et diplômes favorisent la confiance, écrit le psychiatre Lemoine[3] et, par le fait même, l'efficacité thérapeutique. Il cite une étude ayant démontré qu'un

[3] Patrick Lemoine, *Le mystère du placebo*, Paris, Odile Jacob, 1996.

même médicament entraînait 70 % de guérison lorsqu'il était recommandé par un médecin contre 25 % lorsqu'il l'était par une infirmière.

Les résultats thérapeutiques sont proportionnels à l'aura de compétence et de chaleur humaine entourant un médecin. Certains médecins ou thérapeutes ont un tel charisme que leur seule présence apaise et réconforte.

Une confiance absolue en son médecin ou son thérapeute peut même permettre de surmonter la nocivité de certains traitements et de leurs effets secondaires. Cela s'explique par le fait que le patient se dit en lui-même: «Si le médecin en qui j'ai confiance croit que ce traitement ou ce médicament peut m'aider à guérir, alors je ne peux que croire que cela va me guérir...»

Lucie avait une profonde confiance au médecin qu'elle consultait depuis des années, que ce soit pour elle ou ses enfants. Il était très accueillant, il prenait toujours le temps de les écouter et de les encourager. Il avait autant d'humour que de sagesse.

Lucie développa une tumeur cancéreuse dans un sein. Son médecin ayant reçu les résultats de la biopsie lui dit: «Écoutez Mme X, ce que vous allez devoir entreprendre pour guérir de ce cancer sera difficile, même très difficile. Vous allez perdre tous vos cheveux, vous allez vous sentir très faible, vous allez vous sentir encore plus malade qu'avant les traitements, mais je serai là pour vous aider à traverser cette étape difficile; mais vous allez y arriver, vous allez guérir, n'en doutez jamais.»

Lucie entreprit 12 traitements de chimiothérapie qui la rendirent très malade mais chaque fois qu'elle souffrait de tous les effets secondaires de la chimiothérapie, elle repensait à ce que lui avait dit son médecin. Elle savait qu'elle pouvait compter sur lui.

Quand on lui enleva la moitié du sein, il était passé la voir avant son opération pour l'encourager et revint la voir. Elle suivit par la suite 25 séances de radiothérapie. Bien que très faible, à aucun moment, elle ne douta de ce que lui avait dit son médecin; elle guérit complètement.

La foi en son médecin et en sa guérison mobilisèrent une forte énergie de guérison qui lui permit de surmonter les effets nocifs de ces traitements. La guérison de Lucie ne pouvait que conforter ce médecin des bienfaits de ces traitements. Il ne pouvait qu'y croire davantage et ainsi continuer à les proposer. Jusqu'au jour où il se rendra compte que ce n'étaient pas ces traitements qui avaient guéri sa patiente, mais la foi en sa guérison qu'il avait su lui insuffler.

S'il est primordial que le malade croie en sa possibilité de guérir, il est important, voire nécessaire, que le médecin (ou tout autre thérapeute compétent) y croie lui aussi. Même si elles restent muettes, les attentes du thérapeute auront une influence sur le patient.

La majorité des médecins d'aujourd'hui croient davantage à des statistiques ou à des pronostics déjà établis plutôt qu'aux capacités de régénération de l'organisme de leur patient. C'est ainsi que, bien souvent, avec leurs pronostics, ils anéantissent l'espoir qui aurait pu stimuler l'énergie de guérison de ces personnes.

Croire en son approche ou à un traitement particulier est nécessaire, mais ce qui est encore plus important, c'est ce que la personne qui consulte est prête à croire.

J'ai fait une erreur par le passé qui m'a permis de prendre conscience de cette vérité.

Une personne m'appela pour une consultation. Elle avait un cancer du sein et devait être opérée dans la semaine qui venait. Elle me demanda ce que j'en pensais.

Je lui dis que je croyais que toute maladie a une cause et qu'en retrouvant cette cause et en l'éliminant, la guérison pouvait prendre place. Elle me dit que son médecin lui avait recommandé l'ablation de sa tumeur avec des traitements de chimiothérapie et de radiothérapie. Je fis l'erreur de lui dire que toutes les personnes que je connaissais qui s'en étaient uniquement remises à ces traitements étaient toutes décédées. Ma réflexion provoqua chez elle une véritable panique puisque cela la plaçait dans une situation presque sans issue. Son conjoint et sa famille la poussaient à s'en remettre à la médecine classique. Ses amies, à l'inverse, lui recommandaient plutôt de chercher la cause qui avait donné naissance à son cancer. En outre, il lui semblait impossible de se soustraire à cette opération et aux traitements proposés, toutes les démarches ayant déjà été faites dans ce sens.

Heureusement, elle vint me rencontrer et me fit part des sentiments que mes propos avaient suscités chez elle. Je lui ai expliqué que ma réflexion avait été basée sur le chagrin d'avoir perdu des êtres chers qui s'en étaient remis à ces traitements. Je l'ai rassurée en lui disant que j'en connaissais également d'autres qui s'en étaient sortis. Cela la rassura effectivement et nous avons pu faire un bon travail ensemble par la suite.

Cette expérience m'avait fait comprendre que ce n'est pas tout de croire en son approche, ce qui importe encore plus, c'est ce que la personne qui souffre est prête à croire. Car c'est ce en quoi elle va placer sa foi qui va mobiliser ses mécanismes de guérison.

Le perfectionnement de son art passe par
la reconnaissance de ses erreurs.

Si une situation semblable se présentait, je chercherais à connaître la pensée de la personne, ce en quoi elle a confiance, et je l'encouragerais à suivre cette voie. Je lui dirais que ce n'est pas ce que son conjoint, sa famille, ses amis ou son médecin croient qui vont l'aider à guérir, mais plutôt ce en quoi elle peut avoir confiance.

Si elle me répondait: «Je ne sais qui a raison et ce qui serait le mieux pour moi», je l'inviterais alors à prendre le temps d'y réfléchir, de se renseigner, de poser des questions, de rencontrer des personnes qui ont choisi une voie ou une autre et, surtout, à écouter ce qu'elle ressent comme étant juste.

Le problème avec la médecine classique, c'est l'urgence des traitements. On apprend aux médecins qu'un cancer a pu mettre dix à vingt ans avant d'apparaître, mais dès l'instant où on le découvre, tout est parfois une question de jours ou de semaines, il faut faire vite, très vite.

Je pense au contraire qu'un choix aussi important nécessite un temps de réflexion et un minimum d'informations ne provenant pas que d'une seule source.

L'un des oncles de mon époux a eu un cancer du côlon. On l'opéra et lui proposa des séances de chimiothérapie et de radiothérapie. Pour lui, l'opération avait été suffisante. Il se considérait guéri. Il refusa les traitements «préventifs». Son médecin accepta son choix. Cela remonte à quelques années et il se porte très bien.

S'il est important de croire en sa guérison pour mobiliser l'énergie de guérison en nous, il peut être très difficile d'être seul à y croire ou d'avoir à se battre pour faire respecter ses convictions.

Lorsqu'on a près de soi une personne en qui l'on a confiance, qui nous encourage et qui croit en notre guérison, cela nous aide à y croire davantage et à surmonter les doutes qui peuvent surgir. Car on peut penser: «Si cette personne en qui j'ai confiance croit que je vais guérir, alors je peux y croire également.»

Norman Cousins, cet Américain connu pour s'être guéri par le rire, témoigne de l'aide précieuse qu'il a reçue d'un ami médecin de longue date, le Dr William Hitzig:

> *J'ai eu la chance incroyable, écrivait-il, d'avoir comme médecin un homme qui savait que sa tâche principale consistait à encourager pleinement son patient dans sa volonté de vivre et de mobiliser toutes les ressources naturelles de son corps et de son esprit pour parvenir à sa guérison.*

Norman Cousins avait appris qu'il était atteint d'une grave maladie du collagène et que cette maladie était progressive et incurable. Il refusa ce diagnostic et ne se laissa pas aller à la peur et au découragement. Il avait néanmoins besoin d'une personne en qui il avait confiance qui puisse croire en sa guérison pour mieux y croire lui-même. C'est ce que lui a apporté cet ami médecin.

Le respect, l'encouragement et le soutien d'une personne malade valent plus qu'un bon traitement.

Mais si, au contraire, la personne ne se sent pas respectée dans ses choix ou encore qu'elle se sent contrainte de se soumettre à un traitement, cela peut lui faire bien plus de mal que de bien.

Certains médecins, confrontés au refus d'un traitement qu'ils considèrent essentiel à la thérapeutique amorcée, peuvent parfois tenter de faire peur à leur patient en leur disant que s'ils ne le font pas, il leur restera moins d'un an à vivre. D'autres tentent de convaincre leur patient par le biais de leurs proches. Ils ne se rendent pas compte dans quelle situation pénible ils placent leur patient.

L'une de mes participantes s'est retrouvée dans cette situation. Elle ne voulait plus recevoir de traitement de chimiothérapie, car elle savait que son corps ne pourrait plus le supporter. Le médecin avait convaincu son mari de la nécessité d'aller jusqu'au bout de ces traitements. Son époux, se rangeant du côté du médecin, la conjurait de continuer: «Tu sais, lui disait-il, que je ne veux pas te perdre, les enfants et moi avons besoin de toi, je t'en supplie, accepte pour nous.»

Quelle déchirure ce fut pour elle! Elle aimait son mari et ses enfants, mais elle était convaincue que si elle continuait, ces traitements allaient la tuer. Elle essayait de se faire entendre sans succès. Elle me confia: «Je comprends qu'il y ait autant de personnes qui baissent les bras. Quand on a à se battre avec sa souffrance, sa maladie et qu'en plus il faut se battre avec ceux qui devraient plutôt nous encourager et nous soutenir, alors là, c'est trop... Je ne sais pas où j'ai puisé la force de résister, mais je demeure convaincue que si je n'avais pas écouté ce que je savais sans l'ombre d'un doute, je ne serais plus de ce monde aujourd'hui... Et si j'ai tenu tête à mon médecin et à mon mari, c'était justement en pensant à mes enfants.»

Un objectif à atteindre

Si la volonté de vivre et la foi en sa guérison mobilisent notre énergie de guérison, il est aussi important d'avoir un projet bien arrêté.

Un but, un objectif ou un projet bien arrêté est une direction qu'on donne à son subconscient. Ce projet bien arrêté est une motivation qui permet de maintenir sa volonté de guérir et la foi en sa guérison.

Saku Koivu, un joueur de hockey bien connu, a fait un lymphome non hodgkinien. Il a pu profiter du soutien et de l'encouragement de sa femme, de ses proches et de ses admirateurs. Tout au long des traitements très souffrants qu'il a reçus, il avait comme projet bien arrêté de retourner jouer au hockey. Pour que cela se réalise, il lui fallait d'abord être guéri. Plus il nourrissait son subconscient de cet objectif, plus ce dernier mobilisait rapidement son énergie de guérison pour concrétiser ce projet. Après avoir appris qu'il avait surmonté ce cancer, il annonça: «Je vais jouer au hockey cette année.»

L'une de mes participantes qui souffrait de sclérose en plaques était dans un fauteuil roulant lorsqu'elle entreprit un séminaire de douze jours en Métamédecine avec moi. Elle suivit le séminaire d'abord couchée puis, graduellement, elle put demeurer un peu plus longtemps assise. À la fin du séminaire, après avoir libéré ce qui l'avait amenée à développer cette sclérose en plaques, elle put quitter définitivement son fauteuil roulant. Lorsque son conjoint vint la chercher après le séminaire, il n'en croyait pas ses yeux. Par la suite, cette participante s'aidait d'une canne pour se déplacer.

J'étais persuadée qu'elle aurait pu récupérer davantage, mais son objectif allait à l'encontre d'une guérison totale. Elle jouissait d'une assurance-salaire tant qu'elle demeurait malade. Si elle avait guéri complètement, il lui aurait fallu reprendre son travail, ce qu'elle ne voulait pour rien au monde.

Il est très important de connaître notre motivation ou celle de la personne qui nous consulte afin de vérifier si cette motivation va dans le sens de la guérison. De plus, un projet bien arrêté ne doit pas être trop éloigné ou trop difficile à croire. Par exemple, je suggérai à l'une de mes participantes qui ne pensait pas tenir encore très longtemps de se voir fêter l'anniversaire de sa fille qu'elle aimait tant. Cet anniversaire était dans quatre mois. En étant motivée à assister à cet anniversaire, cela ne pouvait qu'activer son énergie de guérison pour l'aider à croire davantage en sa possibilité de guérir.

Une fois l'objectif atteint, il faut en avoir un autre, et ce, jusqu'à la guérison complète.

Plusieurs personnes décèdent après avoir atteint leur objectif, soit avoir passé Noël avec leurs proches, avoir revu un enfant qu'elles n'avaient pas vu depuis des années, etc. D'où l'importance d'avoir un nouvel objectif dès que l'un est atteint.

L'ÉNERGIE DE GUÉRISON PEUT-ELLE ÊTRE ACTIVÉE PAR LE RIRE?

L'histoire de Norman Cousins[4] a amené des chercheurs tels que le Dr Rubinstein[5], le Dr Christian Tal Schaller[6] à se pencher sur la relation entre le rire et la guérison.

Il en est résulté que le rire est sans contredit un remède efficace contre le stress du quotidien, qu'il n'a que des effets favorables et qu'on peut l'obtenir sans prescription médicale.

Les bienfaits physiologiques du rire

Le rire se propage dans tous les muscles du visage, du larynx, du diaphragme, de la cage thoracique et de l'abdomen. Il crée par la suite une profonde détente qui libère les tensions. Les muscles se relâchent ainsi que les sphincters; le rythme cardiaque qui avait augmenté commence à diminuer et il en va de même de la tension artérielle.

Le rire améliore le tonus musculaire, l'oxygénation cérébrale, le système cardiovasculaire, le système digestif et le métabolisme général. De plus, il stimule la production des endorphines et des catécholamines qui agissent comme une morphine naturelle. Ces hormones diminuent alors la douleur et permettent d'avoir un meilleur sommeil.

Les bienfaits psychologiques du rire

Le rire est un antidote au stress; il améliore notre qualité de vie, nous rend plus heureux, plus réceptif aux autres;

---

[4] Normand Cousins, *La volonté de guérir*, Paris, Le Seuil, 1980.

[5] Dr Rubinstein, *Psychosomatique du rire*, Paris, Robert Laffont, 1983.

[6] Dr Christian Tal Schaller et Kinou, *Le rire, une merveilleuse thérapie*, Paris, Vivez Soleil, 2000.

il renforce l'harmonie dans les rapports affectifs et sociaux. Il nous permet de dédramatiser bien des situations et d'éviter des crises majeures. Il peut même être un exutoire aux pulsions agressives.

Le rire est quelque chose de spontané, de naturel. Le rire appartient à l'enfant. Il ne s'agit pas d'une question d'âge, mais de l'enfant qui vit en nous. Lorsque nous rions ou que nous éprouvons du plaisir, cela réveille l'enfant heureux en nous. Cet enfant heureux, c'est notre joie de vivre.

Lorsque nous sommes tristes, déprimés ou angoissés, pouvons-nous être étonnés de ne plus sentir cette joie de vivre? Que de patients luttent pour guérir et en même temps n'ont plus le goût de vivre, car ils ont perdu cette joie de vivre?

Pourquoi ne savons-nous plus rire?

Dans nos sociétés occidentales où l'accent est mis sur le travail, le sérieux, le côté rationnel, rire est considéré comme quelque chose de déplacé en dehors d'un lieu ou d'un temps réservé à ce relâchement.

Déjà à l'école, l'enfant qui rit est mal vu. À l'école, il faut être sérieux, il faut travailler fort pour obtenir de bonnes notes, pour se mériter la fierté et l'amour de nos parents. Ce sérieux nous conduit à faire de longues études puis à occuper par la suite un poste de responsabilité où nous sommes de plus en plus sérieux et stressé. Nous courons alors après le temps, l'argent, les biens matériels. Nous ne prenons plus de plaisir au parcours de notre vie; nous ne voyons et ne nous satisfaisons que des buts atteints.

Si nous voulons rire, il nous faut de bonnes raisons (rire sans raison peut paraître idiot) et il y a donc des moments, des lieux et des professionnels pour cela.

Pendant longtemps, j'étais étonnée de constater que des émissions de télévision ou certaines pièces de théâtre que je considérais «abrutissantes» puissent connaître un si grand succès. Je comprends beaucoup mieux aujourd'hui comment ces émissions ou pièces de théâtre permettent aux gens d'oublier leurs problèmes et de relâcher leur stress. Si la profession de comique est en plein essor en Occident, c'est que nous avons perdu notre capacité naturelle de rire. Il nous faut à présent des spécialistes pour nous faire rire.

Peut-être devrions-nous réapprendre à rire et à avoir du plaisir.

Au Québec, certaines activités sont considérées par les gens sérieux comme étant «quétaines», le *bowling* en fait partie. On interrogeait un homme à ce sujet et il répondit: «On est peut-être quétaines, mais Dieu sait qu'on a du plaisir.»

Pour retrouver notre capacité de rire spontanément, d'avoir du plaisir, il faut être capable de dépasser la peur du jugement des autres, la peur du ridicule, un côté trop perfectionniste ou le côté trop sérieux de la vie. Bref, il faut être capable de rire de soi et des petites situations amusantes qui se présentent. Sinon, nous risquons de ne plus être capable de rire sans stimulants.

Des études ont montré une augmentation des anticorps salivaires après la projection d'un film comique. Alors qu'un film de guerre ou la projection d'images de catastrophes que les médias tirent profit à passer et à repasser (on n'a qu'à se rappeler les images de l'attaque des tours du World Trade Center à New York le 11 septembre 2001) causent une diminution de ces anticorps, ce qui témoigne d'un affaiblissement du système immunitaire général.

Le rire participe donc à une bonne santé en plus de nous rendre heureux et de nous embellir.

Le rire peut-il nous guérir d'un cancer, du sida, de la sclérose en plaques, d'une arthrite rhumatoïde?

Si nous partons du principe que toute maladie a une cause, on comprendra que c'est la suppression de cette cause qui permettra à notre énergie de guérison de rétablir notre santé. Toutefois, le rire pourra aider cette énergie de guérison à mieux agir sur notre organisme par les bienfaits physiologiques et psychologiques qu'il procure. Sans compter que le fait d'oublier notre maladie pendant un moment ne peut que nous être profitable.

Le côté néfaste des traitements à prendre sur une longue période ou à vie est qu'à chaque fois qu'il est temps de prendre nos médicaments, cela nous rappelle que nous sommes malades et nous entretient par conséquent dans une énergie déprimante.

Je conseillais récemment à une personne atteinte de cancer qui passait ses journées à penser à sa maladie et à ses conséquences de se changer les idées en regardant des films comiques ou en jouant à des jeux avec ses enfants.

On fait grandir ce que l'on regarde.

Plus je donne de l'attention à un malaise ou à une maladie, plus elle s'intensifie. La sagesse veut qu'on recherche la cause de son malaise ou de sa maladie, qu'on libère cette cause et qu'on laisse notre corps s'occuper de notre guérison.

Y penser sans arrêt, c'est ne pas faire confiance à notre corps et particulièrement à l'énergie de guérison qui est en nous.

NOTRE CORPS PEUT AVOIR BESOIN DE TEMPS POUR GUÉRIR

Quand on subit un traumatisme violent qui engendre une fracture, notre corps met aussitôt en branle un processus de réparation qui va tendre vers la cicatrisation et la guérison de la lésion. Les tissus vont lentement se réparer, les vaisseaux vont se reconnecter les uns aux autres, les cellules vont se diviser pour reconstituer les parties lésées.

Tout cela demande du temps, un temps indispensable et nécessaire. On ne peut accélérer le processus naturel, on ne peut que le respecter et le soutenir en accordant à son corps le repos nécessaire et en lui fournissant une saine alimentation et des soins adéquats pour que la plaie se referme à son rythme.

Nous sommes prêts à accepter le fait qu'une fracture a besoin de temps pour guérir, mais lorsqu'il s'agit de toute autre affection, nous ne sommes pas aussi bien disposés à allouer ce temps à notre corps. On a mal à la tête, on s'empresse de prendre un cachet, un petit herpès à la lèvre et on court vite à la pharmacie se chercher un onguent pour en accélérer la guérison. Nous ne savons plus attendre. Nous n'avons plus assez de 24 heures pour arriver à faire tout ce qui nous incombe. Notre course contre le temps débute dès que le réveil se fait entendre. Nous avalons un café en vitesse sur le coin de la table et nous courons pour ne pas être en retard à son travail.

La technologie s'est mise de la partie pour nous aider dans notre course en mettant au point des appareils de plus en plus sophistiqués; les fours micro-ondes qui font vibrer les molécules d'eau des aliments à 2 450 000 fois par seconde, le repas est servi en quelques minutes et le biberon de lait «dévitalisé» de bébé se prépare plus rapidement; les téléphones cellulaires nous permettent de communiquer à tout instant avec le reste du monde; les ordinateurs toujours plus performants et, surtout, toujours plus rapides.

La société industrielle qui a si bien imprégné notre quotidien a également donné naissance à une philosophie de «gangster» qui consiste à vouloir amasser un maximum d'argent en un minimum de temps. Car pour s'offrir le nouvel ordinateur, la nouvelle voiture, les vacances de rêves, etc., il faut de l'argent et beaucoup d'argent. Cette recherche d'enrichissement est bien souvent ce qui prime dans bien des professions.

La médecine ne fait pas exception; les médecins (pas tous bien entendu) voient un maximum de patients en un minimum de temps. Les hôpitaux gardent les patients le moins longtemps possible, car le temps, c'est de l'argent. Il faut donc que les bénéficiaires ne coûtent pas trop cher, mais qu'ils soient rentables pour le praticien, les laboratoires qui fabriquent les médicaments ou les grandes entreprises qui vendent des appareils toujours plus sophistiqués.

Pendant ce temps, le corps et ses mécanismes de guérison ne sont plus sollicités que pour réparer les dégâts faits par une intervention trop hâtive dans son processus de récupération.

«Ce n'est pas un cancer sur 100 000 qui pourrait guérir de lui-même si on n'intervenait pas, mais au moins 70 %. C'est la médecine qui en aggrave bien souvent le déroulement.» Ryke Geerd Hamer

Dans son livre *Fondements d'une médecine nouvelle*, le Dr Hamer cite le cas d'une vieille dame atteinte d'un carcinome sigmoïdien consécutif au choc émotionnel provoqué par la mort du canari auquel elle tenait beaucoup.

Compte tenu de son âge, les médecins estimèrent que cela ne valait pas le coup de l'opérer. Si elle avait été plus jeune, nous dit-il, elle aurait eu droit à une sigmoïdostomie (anus artificiel) avec son corollaire de dévalorisation de soi, à la suite de quoi, on aurait constaté des prétendues «métastases osseuses», prélude à la «potion», euphémisme pour l'euthanasie à la morphine.

La vieille dame reçut en cadeau un autre canari et reporta l'amour de celui qu'elle affectionnait tant sur celui-ci. Elle guérit complètement sans avoir reçu aucun traitement. Son âge avait joué en sa faveur!

Cet enseignement du Dr Hamer au sujet des guérisons sans traitements m'encouragea lorsque je me découvris une masse dans le sein droit. Je consultai pour savoir de quel type de tumeur il s'agissait. Le médecin que je consultai était très inquiet, probablement plus que moi. Il appela lui-même pour que je puisse passer une mammographie dès le lendemain. Lorsqu'il reçut les résultats, pour lui, il n'y avait pas une minute à perdre, je devais m'en remettre à une intervention chirurgicale.

Je choisis de donner du temps à mon corps et de chercher la cause de cette masse. Quand enfin je l'eus trouvée et que j'eus travaillé sur la cause, j'observai que ma masse avait diminué. Je revis ce médecin et lui confiai que ma tumeur avait réduit de volume. Il me réexamina et me dit: «Pour moi, il n'y a aucun changement, votre masse n'a pas diminué.»

Lorsqu'on se fait donner une telle réponse, cela ne peut que semer un doute dans son esprit. On est porté à s'interroger. Me serais-je imaginée que cette tumeur avait diminué? Est-ce le médecin qui a raison?

J'ai été pendant une période dans ce doute; j'ai toutefois choisi de donner du temps à mon corps pour éliminer cette tumeur. Heureusement, car après environ 16 mois, la tumeur avait complètement disparu et mon sein avait retrouvé sa texture normale.

Si j'avais été trop pressée de me débarrasser de cette tumeur, dans quel état serait mon sein aujourd'hui? L'aurais-je encore seulement?

Rappelons-nous que la maladie est la tentative que fait notre corps pour s'adapter à une nouvelle situation, que les bactéries, les virus ou les tumeurs sont ses acolytes dans ce travail de réparation de notre organisme.

Le mieux que nous puissions faire pour aider notre corps dans ce processus de guérison ne serait-il pas d'éliminer ce qui le perturbe tout en lui donnant les moyens et le temps nécessaire pour qu'il puisse procéder à la réparation des circuits et tissus endommagés par la situation déstabilisante que nous avons vécue?

Le problème, c'est que la douleur inquiète et la maladie fait peur. C'est pourquoi mieux nous connaîtrons les mécanismes de la maladie, moins elle nous fera peur, ce qui nous aidera à mieux l'accepter et à la reconnaître comme étant le langage de notre inconscient ou de notre âme.

> *«L'âme sait exactement ce qui nous a conduit vers la maladie, elle en connaît par le fait même l'itinéraire de retour.» Lucie Douville*

GARDER ESPOIR

> *«Le moment le plus sombre de la nuit arrive juste avant le lever du soleil.» Richard Bach*

Tant qu'on n'a pas trouvé la cause à sa souffrance, il faut continuer à chercher. Que de fois ai-je entendu de la part de mes participants: «J'ai tellement cherché, j'ai essayé tant d'approches mais sans résultats...» Parfois on est découragé et pourtant on peut être tout près de trouver ce qu'on a tant cherché.

Pascale m'écrivit:

> *J'ai consulté plusieurs psychothérapeutes qui travaillent avec une approche semblable à celle de la Métamédecine. Pas seulement une ou deux rencontres mais plus de 70 étalées sur trois années. Je n'ai eu aucune amélioration en ce qui a trait aux douleurs physiques dont je souffre depuis six années. Y a-t-il des cas qui ne guérissent jamais et pourquoi?*

Je me demandai s'il ne s'agissait pas d'une personne qui allait se chercher l'attention d'un thérapeute avec ses douleurs; je ne m'engageai donc pas dans une thérapie par courrier, lui proposant plutôt de venir me rencontrer en consultation.

Lors de notre rencontre, elle me confia que ses douleurs physiques atteignaient son genou droit. Depuis six ans, elle vivait avec ces douleurs atroces qui gênaient et limitaient tous ses mouvements. Elle me disait que le matin, avant son lever, elle ne sentait pas vraiment de douleur, mais dès qu'elle se mettait en mouvement, la douleur se réveillait avec intensité.

Je lui demandai quand et comment cela avait débuté. Elle se rappelait que cela avait commencé le lendemain d'une visite qu'elle avait rendue à sa belle-mère qui était sur son lit de mort. Je l'interrogeai pour savoir ce qu'elle avait ressenti, quels sentiments l'avaient habitée lors de cette visite. Elle me dit que cela la ramenait au décès de son père pour lequel elle éprouvait encore beaucoup de chagrin. Je l'invitai à me parler de son père. Elle me raconta qu'il s'était occupé d'elle après sa naissance parce que sa mère avait fait une grave dépression nerveuse et fut, pendant des mois, incapable de s'occuper de sa maison et de ses enfants. Il s'était créé des liens très forts entre son père et elle.

Je me demandai si Pascale, n'ayant pas accepté le départ de son père, n'avait plus vraiment envie d'avancer dans la vie. Voulant le vérifier, je lui proposai un processus d'intériorisation dans le but de l'amener, par imagerie mentale, à retrouver son père pour enfin accepter de le laisser partir.

Je l'amenai à fermer les yeux et à se détendre. C'est alors que monta en elle une vive émotion. Je l'encourageai à laisser monter cette émotion. Lorsque le plus gros de l'émotion fut sorti, je lui demandai de me parler de l'émotion qui l'avait submergée.

Elle me dit en pleurant: «J'ai déjà fait ce travail à maintes reprises, si tu savais tout ce que j'ai fait pour me guérir de cette douleur aux genoux, toutes les médecines, les homéopathes, les naturopathes, les magnétiseurs, les psychothérapeutes…»

Pour aider Pascale, il me fallait tout d'abord l'aider à reprendre espoir, à y croire encore malgré tout ce qu'elle avait pu entreprendre jusqu'à maintenant. Je lui demandai si elle avait déjà entendu cette histoire où l'on raconte qu'un homme achetait de vieux puits de pétrole qu'on avait creusés depuis des années et qu'on avait délaissés. Cet homme les remettait en chantier et, bien souvent, de ces vieux puits abandonnés, jaillissaient des quantités impressionnantes de pétrole. J'ajoutai que le moment le plus sombre de la nuit se situe juste avant le lever du soleil et qu'elle était probablement tout près de trouver, que tous les pas qu'elle avait faits jusqu'à présent l'avaient peut-être préparée à cette rencontre avec moi.

Je lui confiai que même moi qui suis dans ce domaine depuis bientôt vingt ans, il m'est arrivé de m'interroger sur la cause d'une affection qui me faisait souffrir et qu'il m'a parfois fallu plus d'une année pour trouver une réponse satisfaisante.

Tant qu'un mal perdure, c'est que nous en avons besoin pour comprendre quelque chose d'essentiel dans notre évolution. Lorsqu'on l'a compris, le mal n'a plus sa raison d'être et s'en va.

Pascale se détendit et nous pûmes reprendre notre séance. Cette fois, elle put entreprendre le processus en profondeur que je lui proposais.

Je la ramenai donc, par visualisation en état de détente, à revoir la maison qu'elle habitait lorsqu'elle était enfant. Elle revit clairement, comme un film qui se déroulait dans sa tête, chacune des pièces de cette maison.

Puis je lui demandai de se revoir enfant sans préciser d'âge. Elle se revit à l'âge de trois ans.

Moi: «Où est cette petite Pascale, quels sont les sentiments qui l'habitent?»

Pascale: «Elle est dans la cour arrière de la maison, elle se sent tellement seule, elle a le sentiment que personne ne veut d'elle, qu'elle est de trop.»

Moi: «Cette petite fille aurait-elle pensé que sa mère ne voulait pas d'elle et que ce serait la raison pour laquelle sa maman aurait fait une dépression nerveuse à sa naissance?»

Pascale: «Oui, c'est ce qu'elle croit. Ma maman m'a eue à l'âge de 43 ans alors qu'elle considérait que sa famille était terminée.»

Moi: «Se pourrait-il que ta maman ne désirait pas une nouvelle grossesse parce qu'elle était fatiguée et qu'elle avait envie de faire des choses pour elle-même? Se pourrait-il que ce que ta maman ne voulait pas, c'était cette situation, le bébé, elle ne le connaissait pas encore?»

Pascale: «C'est vrai, c'était la situation.»

Moi: «Se pourrait-il que ta maman ait fait une dépression, non pas à cause du bébé lui-même, mais parce qu'elle aurait tellement eu besoin de se sentir aimée et épaulée pendant cette grossesse et qu'elle se sentait tellement seule avec ce qu'elle vivait?»

Pascale: «Oui, c'est vrai, elle m'a déjà parlé comment ce fut une période difficile pour elle.»

Moi: «Est-ce donc ce bébé qui lui a causé cette dépression ou plutôt le sentiment de se sentir délaissée dans une période où elle aurait tellement eu besoin de se sentir soutenue et encouragée par son époux?»

Pascale: «C'est juste, c'est ce sentiment qui l'a amenée à vivre cette dépression.»

Moi: «Maintenant, toi, la Pascale d'aujourd'hui qui est avec moi en ce moment, tu vas entrer dans cette image, tu vas aller près de cette petite fille de 3 ans et tu vas lui dire qu'elle n'est pas responsable de la dépression de sa maman mais qu'au contraire sa venue lui a donné le courage de sortir de cette dépression. Dis-lui qu'elle n'est plus seule, que tu es là toi, maintenant, qu'elle va pouvoir compter sur toi. Dis-lui comment elle est importante pour toi. Dis-lui cela avec tes mots à toi.»

Pascale: «Écoute, ma petite chérie, je veux que tu saches que je t'aime et que tu es très importante pour moi. Tu n'es plus seule à présent, je suis là et serai toujours là pour toi. Ta maman ne pensait pas avoir un autre enfant. Quand elle a appris qu'elle était enceinte, cela l'a déstabilisée un peu, elle avait peur de ce que les autres pourraient penser ou dire. Elle aurait tant voulu être rassurée et épaulée par son mari, mais, lui, était trop pris par ses affaires pour lui donner l'amour et le soutien dont elle avait tant besoin. Elle a senti que c'était trop pour elle et elle s'est laissée tomber, perdant le goût à tout. C'est ton papa qui s'est occupé de toi au début puis quand ta maman t'a regardée, t'a prise dans ses bras, cela lui a redonné graduellement goût à la vie. Tu as été un merveilleux cadeau qu'elle n'attendait pas.»

Moi: «Maintenant, prends-là dans tes bras, fais-lui sentir combien tu l'aimes et combien elle est importante pour toi.»

Pascale: «Viens ma petite chérie, viens dans mes bras.» (Pascale se vit la bercer tendrement.)

Moi: «Comment elle se sent à présent, cette petite Pascale?»

Pascale: «Elle sourit, elle est heureuse.»

Moi: «Est-ce qu'elle sent encore qu'on ne veut pas d'elle?»

Pascale: «Non, elle ne se sent plus aussi seule et ne ressent plus qu'on ne veut pas d'elle.»

Moi: «Très bien, alors à présent prends-lui la main et amène-la près de sa maman. Aide ta petite Pascale à demander à sa maman si elle veut bien la prendre dans ses bras.»

Pascale s'exécuta. Elle vit sa mère la serrer tendrement dans ses bras. Je lui demandai par la suite de garder cette image dans son cœur et l'invitai à revenir graduellement avec moi en ouvrant les yeux.

Ce que son genou douloureux exprimait était cette culpabilité de vivre qui l'empêchait d'aller de l'avant dans la vie.

Un événement particulier s'était produit avant notre entretien. Elle s'était présentée avec une demi-heure d'avance à notre rendez-vous. Sur le moment, j'étais un peu ennuyée, car je venais tout juste de finir de déjeuner et j'aurais voulu avoir un peu de temps avant d'entrer en thérapie. Je me servis de cet incident pour qu'elle comprenne bien la différence entre la situation et la personne. Elle, j'avais envie de la recevoir, je l'attendais, mais je ne voulais pas la situation qui fit qu'elle arriva une demi-heure plus tôt.

En d'autre temps, j'aurais pu être ravie qu'elle soit en avance, mais, cette fois, pour des raisons personnelles, cela m'indisposa.

Elle me dit que c'était l'histoire de sa vie; qu'elle se sentait toujours coupable de ce qui arrivait aux autres. Par exemple, elle aurait voulu être une mère qui fait beaucoup de choses avec ses enfants. Voilà que ses fils ne s'intéressaient qu'aux sports ou à des jeux extérieurs qu'elle ne pouvait pratiquer à cause de ses douleurs aux genoux.

Elle se dévalorisait et se culpabilisait de ne pouvoir leur donner ce qu'ils attendaient d'elle. Car il leur arrivait de lui dire que leurs copains faisaient des tas de choses avec leurs parents, ce qu'elle n'avait jamais pu faire avec eux. Elle ne se donnait pas le droit de ne pas avoir d'intérêt pour le sport ou d'avoir des problèmes de mouvement. C'est dans ce sens qu'elle n'était pas suffisamment indulgente envers elle-même.

Les genoux, qui concernent la flexibilité, et les os, la dévalorisation, étaient donc en partie la cause de ses douleurs, mais, à la base, il y avait également cette culpabilité de vivre.

Je la rappelai une semaine après notre rencontre pour prendre de ses nouvelles. Elle me dit qu'elle se sentait revivre et que ses douleurs aux genoux avaient nettement diminué. Pascale était maintenant entrée dans sa phase de récupération qui allait la conduire vers une véritable guérison. La libération de cette culpabilité de vivre et l'acceptation de ses limites avaient activé l'énergie de guérison en elle.

Retenons donc que ce ne sont pas les médicaments ou les traitements qui nous guérissent. Ils peuvent certes nous aider, nous soulager, mais la véritable guérison s'opère par le retour à la normotonie ou à l'harmonie de notre être.

CHAPITRE

7

Guérir par la conscience

« La vraie thérapie passe par la prise de conscience chez le patient. »

Pierre Daverat

Comment accompagner la personne qui consulte dans une démarche de guérison?

L'écoute non directive est le principal outil d'accompagnement d'une personne dans sa démarche de guérison.

Toute personne qui souffre a besoin d'exprimer ce qu'elle ressent, ce qui lui fait mal, ce dont elle a peur ou les doutes qui l'habitent.

Lorsqu'elle ne se sent pas entendue ou comprise, elle se referme sur elle-même, laissant son corps exprimer sa souffrance.

Le meilleur médecin ou le meilleur thérapeute est celui qui sait écouter avec son cœur.

Pour entendre, il faut prendre le temps d'écouter.

Plus évoluent les techniques médicales de pointe, plus les soins de santé se déshumanisent. Les radiographies, les scanners, les scintigraphies osseuses ont remplacé le dialogue entre le médecin et son patient. Les résultats des tests suffisent pour bien des médecins à déterminer la thérapie à laquelle ils soumettront leur patient.

Agir ainsi, c'est faire abstraction de l'individu au profit de son problème.

«La parole aussi guérit et il n'est pas de soin
digne de ce nom sans échange verbal.»
Professeur Édouard Zarifian

Le professeur Édouard Zarifian raconte dans son livre *La force de guérir*[1], que dans un service de chirurgie digestive œuvrait un virtuose de l'acte chirurgical, on ne s'expliquait toutefois pas pourquoi ses patients étaient souvent affectés de complications postopératoires. On fit appel à un psychologue qui se rendit compte que ce médecin ne parlait presque pas avec ses patients. Le psychologue lui conseilla de communiquer davantage avec ses opérés. Il mit en application cette suggestion et le nombre de complications a chuté.

Lorsqu'un médecin s'occupe de notre corps sans tenir compte de ce que l'on vit, de ce que l'on ressent, on a davantage l'impression d'être là pour lui et non l'inverse. On se sent comme un cas parmi tant d'autres. Alors que lorsqu'un médecin s'intéresse à nous plus qu'à la maladie, on est prêt à lui accorder toute notre confiance.

«Mettre du soin dans l'action est inutile si l'état
d'esprit qui en est la source n'est pas juste.»
Thierry Tournebise

Communiquer, c'est déjà aider. Mais dans une démarche de relation d'aide, ce qui prime, c'est d'être capable d'écouter avec son cœur.

---

[1] Édouard Zarifian, *La force de guérir*, Paris, Odile Jacob, 2001.

Écouter avec son cœur

c'est permettre à l'autre d'exprimer ce qu'il ressent;

c'est permettre à l'autre d'être conforté dans ce qu'il ressent;

c'est permettre à l'autre de s'entendre, de faire des liens, de voir plus clair en lui-même;

c'est permettre à l'autre d'exister dans ce qu'il est;

c'est être ouvert, accueillant pour l'autre;

c'est entendre l'autre dans ce qui est important pour lui;

c'est donner de l'importance à l'autre;

c'est faire abstraction de ses convictions pour permettre à l'autre d'exister dans les siennes;

c'est permettre à l'autre de nous atteindre, de nous apporter une part de lui-même;

c'est respecter l'autre dans son rythme et sa manière de communiquer.

Écouter avec son cœur est un acte d'amour inconditionnel.

DE L'ÉCOUTE À LA THÉRAPIE

Quand on ne sait pas comment aider une personne ou lorsque le temps ou l'endroit ne s'y prête pas, mieux vaut s'en tenir à l'écoute avec son cœur.

La relation d'aide

La relation d'aide est un art qui demande à être maîtrisé. Jacques Salomé disait: «Ce n'est pas parce qu'on peut parler qu'on sait comment communiquer.» Il en va de même pour la relation d'aide: «Ce n'est pas parce qu'on peut être utile qu'on sait pour autant comment aider.»

Pour être un bon aidant, il y a des règles de base à respecter. Ces règles auront leur importance dans toutes situations où l'on peut être amené à aider une personne. C'est d'ailleurs à ces seules conditions que notre intervention pourra être aidante.

Manquer à ces règles pourrait engendrer un directivisme paralysant où l'autre ne serait plus vu, écouté ni compris et où il ne pourrait pas déployer ses potentialités pour exister dans ce qu'il est.

Ces règles sont:

La bienveillance

La bienveillance, c'est approcher la personne qui a besoin d'aide avec gentillesse, c'est se montrer chaleureux à son égard ne serait-ce qu'en lui offrant un sourire. La chaleur humaine est la base incontournable d'une écoute de qualité. C'est grâce à elle que la personne se sentira en sécurité et osera se livrer.

Le non-jugement

Le non-jugement implique:

de ne pas juger la personne qui se confie à nous, quoi qu'elle nous dise;

de ne pas juger les personnes dont elle se plaint quoi qu'elles aient fait.

Lorsqu'une personne se sent comprise et non jugée dans ce qu'elle nous confie, cela l'aide à laisser vivre ses dynamismes de vie, elle peut ainsi exister en toute liberté sans crainte d'être condamnée ou désapprouvée.

L'authenticité

L'aidé a besoin d'être en relation avec une personne qui est elle-même, vraie et authentique.

L'aidant doit accepter de ne pas savoir. Accepter d'être aveugle et surtout de ne pas savoir à la place de l'autre.

Un thérapeute ne doit jamais interpréter ce que son participant lui confie. Il doit plutôt l'aider à définir le sens de ce qu'il vit, de ce qu'il ressent.

L'écoute en profondeur

Il s'agit d'une écoute qui prend racine à l'intérieur de soi, avec son cœur et non pas seulement avec sa tête; une écoute qui rejoint le vécu de l'aidé pour essayer de percevoir, de voir ce qu'il peut ressentir au-delà de ce qu'il exprime. Dans cette écoute, l'attention est portée autant au participant qu'au problème dont il nous entretient. Ainsi, il faut être attentif autant à son langage non verbal qu'aux mots qu'il utilise pour exprimer son ressenti.

L'écoute en profondeur se perfectionne en développant une oreille consciente. Pour la développer, il faut s'exercer à écouter ce que l'on dit, ce que l'on pense, ce que l'on ressent soi-même. En étant attentif aux mots dont on se sert, on devient également plus attentif aux mots que les autres emploient. En étant à l'écoute de ses propres sentiments, on peut mieux ressentir ce qu'éprouve l'aidé, au-delà de ce qu'il exprime.

La liberté

On devient soi en exerçant sa liberté de choix. Donner à l'autre le droit d'être ce qu'il est, de vivre ce qu'il vit et le temps qu'il lui faut pour comprendre et intégrer l'expérience qu'il vit, c'est lui donner la chance d'être lui-même.

Le respect

Pour mieux respecter l'aidé, le thérapeute prendra l'habitude de se demander: «**Quel est le besoin de cette personne?**», plutôt que de tenter de l'amener là où il n'est pas encore prêt à aller ou là où il ne veut pas aller. Il respectera ainsi ses doutes, ses appréhensions ou ses résistances tout en demeurant ouvert et bienveillant à son égard.

La foi en l'autre

L'aidé possède des potentialités en attente d'éclosion. Si nous savons voir ses richesses intérieures et si nous y croyons, il les découvrira à son tour: il croira en lui et en ses possibilités.

La foi en la vie

Tout problème, toute difficulté à sa raison d'être. Le thérapeute doit aider le participant à découvrir la raison de son problème, ce qu'il peut en retirer de positif et de constructif dans son évolution.

Ces règles de base seront applicables à toutes relations d'aide que nous pouvons rencontrer dans notre quotidien ou dans le cadre de notre activité professionnelle.

On peut les répartir en quatre types d'aide soit:

l'aide directive;

l'aide par le dialogue;

l'aide par la guidance;

l'aide par l'exemple.

L'aide directive

Dans l'aide directive, on prend en charge le besoin ou le problème de la personne qu'on aide.

Cette aide s'adresse à:

une personne qui n'a pas les moyens de s'aider. C'est l'aide qu'on apporte à un bébé, à un malade, à un accidenté ou à un handicapé;

un groupe de personnes dans une situation périlleuse, lors d'un incendie, un tremblement de terre, un ouragan, etc.

Utiliser ce type d'aide lorsque la personne a les moyens de s'aider s'apparente plus à une imposition ou à une domination.

L'aide directive ne doit jamais faire abstraction du respect de la personne qu'on aide.

Louise Ran Liang témoigne dans son livre *À mon corps défendant* des souffrances vécues dans son combat contre le cancer. Elle raconte à un moment ce qui suit: «Je suis complètement épuisée, je n'ai même pas la force de sortir du lit mais tous les jours à six heures du matin, une infirmière me force à me lever pour prendre une douche. Je ne tiens pas debout, je me lave en pleurant, assise sur le carrelage.»

Peut-on parler de respect lorsqu'on force un malade à se lever, à faire sa toilette quand il ne tient pas debout?

Peut-on parler de respect lorsqu'on impose un vaccin, un traitement ou une chirurgie?

Peut-on parler de respect lorsqu'une infirmière fait avaler de force un médicament à un patient?

Peut-on parler de respect lorsqu'un pompier ou un ambulancier imposent leurs directives à un blessé qui peut s'exprimer?

Peut-on parler de respect lorsqu'on donne des électrochocs à un patient déprimé?

L'aide par le dialogue

Dans l'aide par le dialogue, on se met à l'écoute du besoin ou du problème de l'autre pour lui offrir des suggestions ou nos compétences.

Tous les services auxquels on peut penser, ceux du mécanicien, du plombier, de l'électricien, de l'architecte, de l'avocat, du dentiste, du comptable, etc., relèvent de ce type d'aide.

Pour que cette aide soit appréciée, il faut que celui qui donne et celui qui reçoit soient bien dans cet échange.

Un conseil non demandé est rarement apprécié.

Apporter son aide nous place en position de supériorité. Lorsque cette aide est demandée, cette supériorité de l'aidant est bien acceptée. Mais, dans le cas contraire, la supériorité de l'aidant devient de l'ingérence et une forme subtile de domination.

Une intervenante en Métamédecine me fit part de l'incident suivant: son conjoint se leva un matin en lui disant qu'il avait mal aux dents.

Au retour du travail, il se plaignit de nouveau de son mal de dents. C'est alors qu'elle lui dit qu'en Métamédecine le mal de dents était relié à la peur d'un résultat qui peut nous amener à craindre de prendre une décision. Son conjoint lui répondit sur un ton irrité: «J'espère que tu ne dis pas cela à tes clients!»

Elle m'écrivit pour savoir ce qu'elle avait dit de mal, pourquoi les clés de la Métamédecine l'avaient mis dans une telle colère.

Dans l'aide par le dialogue, il est très important de garder à l'esprit le besoin de l'autre: «**De quoi l'autre a-t-il besoin?**»

L'autre a parfois seulement besoin d'exprimer ce qu'il ressent. Ce besoin ne requiert qu'une validation: «Tu as mal aux dents...», «Tu es fatigué...».

Avant d'offrir une solution, on peut vérifier quelle est la solution que l'autre envisage ou recherche.

Quelle était la solution que le mari de cette intervenante envisageait?

Elle me dit: «Notre société est tellement habituée à penser "mal de dents égale dentiste" et mon mari ne fait pas exception.»

L'autre a droit à ses convictions. La relation d'aide consiste à respecter la croyance et la liberté de l'autre.

Lorsqu'un de nos proches souffre, il est normal d'avoir envie de lui tendre la main même s'il ne nous le demande pas explicitement. Dans un tel cas, on peut s'interroger: «**Que puis-je lui apporter?**» On peut également lui demander: «**Est-ce que je peux faire quelque chose qui pourrait t'aider?**» Si l'on croit savoir ce qui perturbe l'autre, on peut le vérifier avec une question.

Dans le cas de cette intervenante, si au lieu de dire d'emblée à son conjoint la cause de son mal de dents elle lui avait simplement demandé: «Marc, serais-tu préoccupé par une décision à prendre ou le résultat d'une action?» Si son conjoint lui avait répondu: «Comment sais-tu cela?», c'est qu'elle aurait touché juste. Cela peut l'aider à faire le lien entre son mal de dents et ses préoccupations. S'il lui répond: «Pourquoi me poses-tu cette question?», elle peut lui dire que c'est une probabilité proposée par la Métamédecine.

Il y a toute une différence entre dire: «En Métamédecine le mal de dents signifie ceci...» et «Marc, serais-tu préoccupé par une décision à prendre ou le résultat d'une action?»

Dans la première formulation, cela équivaut à se servir d'une théorie toute faite que l'autre peut recevoir comme un jugement alors que, dans la seconde formulation, cela peut l'interpeller, l'amener à s'interroger tout en se sentant respecté.

Dans l'approche thérapeutique que j'enseigne, j'insiste beaucoup sur le questionnement. Mes participants apprennent à formuler avec une question ce qu'ils perçoivent ou ressentent de ce que vit la personne qui les consulte.

Si l'on ressent, par exemple, qu'une personne vit beaucoup de colère envers sa mère, au lieu de lui dire directement: «Vous semblez avoir beaucoup de colère vis-à-vis de votre mère...», je leur apprends à le formuler par une interrogation: «Se pourrait-il que vous nourrissiez de la colère envers votre mère?»

La question présente plusieurs avantages.

En effet, une question laisse toujours l'autre libre de répondre par l'affirmative ou la négative et, dans ce sens, elle le respecte. Une question laisse la possibilité à celui qui la pose, de se tromper; qui peut dire que sa perception est toujours juste? Une question ne peut nullement être perçue comme un jugement de valeur.

De plus, le fait de poser une question à une personne l'amène à se la poser à elle-même. C'est pourquoi lorsqu'une personne refuse de voir une évidence ou cherche à avoir raison sur nous, le mieux que nous puissions faire est de lui poser une question sans attendre de réponse. Cette question l'interpellera jusqu'à ce qu'elle ait trouvé la réponse. Elle pourra ainsi l'amener à faire des liens, à se rappeler d'un événement oublié, à reconnaître des aspects qu'elle se refusait à voir jusque-là, etc.

Le questionnement ne doit toutefois pas être un interrogatoire.

Une bonne question posée au bon moment en laissant à la personne le temps d'y réfléchir et d'y répondre vaut mieux qu'une série de questions qui ne pourraient que créer de la confusion.

L'aide par la guidance

L'aide par la guidance consiste à assister une personne dans la démarche qu'elle fait pour trouver des solutions à sa souffrance ou à ses difficultés.

C'est l'aide qu'offrent le médecin, le thérapeute et particulièrement les «psy» (psychiatres, psychologues, psychanalystes, psychothérapeutes).

Pour comprendre cette aide, il faut comprendre la différence entre un vrai «gourou» et un «faux gourou».

Le mot «guru» est un mot sanskrit dont la syllabe «gu» signifie «obscurité» «ignorance» et «ru»[2] signifie «qui enlève». Donc qui enlève l'ignorance en apportant la clarté, la vérité.

Le vrai gourou est l'équivalent d'un bon parent, d'un bon éducateur, d'un bon maître, d'un bon conseiller, d'un bon thérapeute. Son aide, son support, ses conseils, sa guidance conduisent toujours l'enfant, l'élève, le patient ou le disciple vers son autonomie.

Alors que le faux gourou est l'équivalent du parent possessif, d'un maître ayant besoin de pouvoir, d'un thérapeute voulant s'assurer la fidélité de son client. Ce faux gourou est celui qui tente de garder son enfant, son élève ou son patient sous sa dépendance. Pour y parvenir, il peut décourager de toute initiative personnelle, se montrer indispensable, faire croire à l'autre qu'il ne peut se passer de son aide. Il peut également lui faire peur, le menacer ou le culpabiliser afin de le garder dans son giron.

L'aide par la guidance implique le respect de la liberté de la personne qui consulte. L'aidant agit comme un accompagnateur. Il accompagne la personne dans la démarche qu'elle entreprend pour retrouver sa santé, son bien-être et son autonomie.

Accompagner, ce n'est ni «porter» ni «imposer» mais plutôt proposer.

Porter, c'est prendre sur soi la responsabilité de la réussite de la démarche de l'autre.

On porte l'autre quand:

on décide pour l'autre (p. ex., «Voilà ce que tu vas faire...»);

[2] Les syllabes se prononcent « gou» et « rou» et s'écrivent ainsi en français.

on cherche à la place de l'autre;

on veut à la place de l'autre;

on fait les choses à la place de l'autre;

on se fâche si l'autre n'obtient pas les résultats escomptés, on l'accuse, on le blâme ou, encore, on le rejette.

Alors qu'accompagner, c'est:

être là quand l'autre a besoin de nous;

offrir son aide sans pour autant devenir indispensable;

croire en l'autre, en son potentiel, en sa capacité d'autoguérison et d'autodétermination;

l'aider à trouver ses propres solutions. Plusieurs maladies sont liées à la peur qui empêche la personne de voir des solutions;

accepter que l'autre puisse avoir besoin d'aller encore plus loin dans sa souffrance ou de repasser à nouveau vers des expériences douloureuses pour intégrer une leçon essentielle à son évolution.

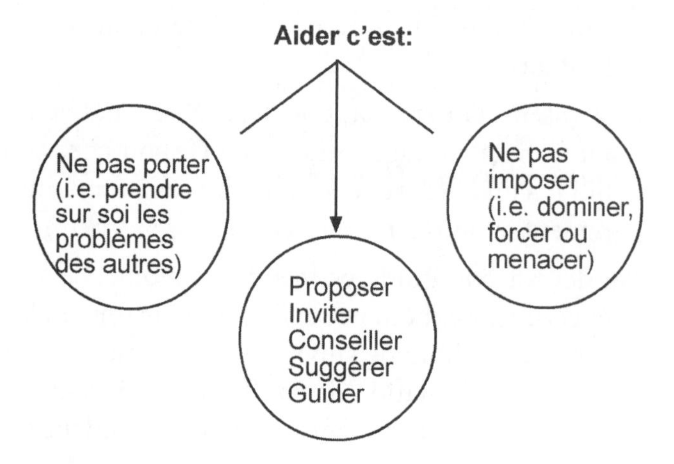

Pour ce faire, l'aidant peut assumer les rôles suivants:

Confident: l'intervenant doit gagner la confiance de celui qui le consulte et en être digne pour que ce dernier laisse émerger ce qu'il n'a bien souvent révélé à personne. Il peut s'agir de secrets honteux, douloureux ou encore très pénibles à confier. De plus, l'intervenant doit être capable d'indulgence pour aider celui qui le consulte à se pardonner. Beaucoup de souffrances sont reliées au sentiment de culpabilité.

Ami: un ami capable d'offrir ses bras et son épaule pour accueillir les larmes de l'autre, et ce, sans pour autant dépasser les limites de son statut d'intervenant. Une trop grande amitié ou des rapports sexuels dénaturent le lien thérapeutique. Il faut donc maintenir une relation qui soit ni trop distante ni trop proche.

Parent: l'intervenant peut, à certains moments, remplacer (jusque dans une certaine mesure) le parent qui a manqué. En psychologie, c'est ce qu'on appelle le «reparentage» ou «expérience parentale corrective». La thérapie peut ainsi agir comme un antidote aux traumatismes de l'enfance.

Motivateur: l'intervenant peut, si cela est nécessaire, motiver, encourager ou susciter l'espoir chez celui qui le consulte, et ce, tout en lui remettant entièrement le pouvoir de ses choix.

Guide: un bon guide est celui qui montre la voie, encourage l'expérience et l'autonomie tout en laissant l'autre libre de suivre cette voie ou de s'enliser dans la situation de souffrance qu'il refuse de quitter. Par conséquent, un bon intervenant doit avoir appris à s'interroger lui-même sur l'origine de ses difficultés, de ses malaises ou de ses maladies tout en assumant la responsabilité de sa vie, de sa santé et de son bonheur.

Nul ne peut amener les autres là où il n'est pas allé lui-même.

En relation d'aide, faire les choses à la place de l'autre, ce n'est pas lui donner notre confiance. C'est même une manière subtile de le dominer, de l'inférioriser pour se donner de l'importance.

Bien souvent, cette attitude cache un désir de contre-attaquer, un sentiment d'impuissance. Plus je suis utile, voire indispensable à l'autre, plus je peux me sentir important et compétent.

Il est bon de se rappeler que trop de puissance de l'un rend l'autre impuissant.

Si je porte constamment l'autre, comment l'autre pourra-t-il savoir qu'il peut marcher?

Si je suis continuellement là pour résoudre ses problèmes, comment pourra-t-il apprendre à se tirer d'affaire seul?

Si je pense continuellement à sa place, comment pourra-t-il croire en son jugement personnel?

L'aide par l'exemple

Comme bien des personnes, au début de ma prise en charge, je me suis inscrite à des cours de croissance personnelle. J'étais tellement fascinée par tout ce que je découvrais que j'aurais voulu en faire profiter mes proches. Je me heurtai très rapidement à leurs réticences et à leur fermeture d'esprit.

C'est ainsi que j'ai découvert que la meilleure aide que l'on puisse apporter à ceux qui ne nous demandent rien, c'est notre propre exemple.

Trop souvent, on cherche à convaincre les autres pour mieux se convaincre soi-même.

Être vaut plus que dire.

Ainsi, en ne parlant plus de mes cours de croissance mais en les appliquant dans ma propre vie, j'ai suscité l'intérêt de mon entourage. Par la suite, lorsque je me suis investie dans un travail de relation d'aide, j'ai observé qu'en parlant de mes expériences personnelles, cela avait comme conséquence de produire un effet miroir chez mes auditeurs.

Que de personnes ont pu me dire: «Si vous saviez comme je me suis reconnue dans ce que vous avez raconté, j'avais l'impression que vous racontiez mon histoire...» Certains hommes me disaient: «Je viens enfin de comprendre ma femme...», «Je me suis reconnu dans votre mari, j'agis exactement comme lui...»

J'encourage les parents à parler d'eux, de leur vécu à leurs enfants plutôt qu'à chercher à leur éviter les souffrances qu'ils ont connues.

Parler de soi n'est pas moralisateur. Se révéler à l'autre, c'est lui offrir notre confiance, ce qui ne peut que créer un climat d'ouverture. Ce qui nous empêche de le faire, c'est très souvent la peur du jugement des autres ou la crainte de diminuer dans leur estime. C'est plutôt l'inverse qui se produit.

Tout témoignage verbal ou non verbal est une aide par l'exemple. Bien des personnes apportent ce type d'aide à leur insu. Sa sainteté le Dalaï-Lama est un exemple d'acceptation et de compassion. Mère Térésa était un exemple de bonté et d'humilité. Le Dr Ryke Geerd Hamer est un exemple de ténacité et de courage.

Les parents apportent bien plus par leur exemple personnel que par ce qu'ils peuvent dire à leurs enfants.

Ma mère ne m'a jamais vraiment parlé d'honnêteté, mais dans sa façon d'être, elle me l'a enseignée.

Nous avons besoin de modèles pour nous édifier, pour déployer le meilleur de nous-mêmes, pour croire que nous pouvons dépasser nos limites.

Ces modèles nous apportent leur aide par leur exemple tout comme nous pouvons être un exemple pour d'autres.

Petit aide-mémoire de la relation d'aide:

j'attends que l'autre me demande de l'aide ou je lui tends la main si je crois pouvoir l'aider;

je le laisse toutefois libre d'accepter ou de refuser l'aide que je lui propose;

je permets à l'autre de s'investir dans sa guérison ou dans sa prise en charge;

je m'interroge sur ce dont l'autre peut avoir besoin. Suis-je en mesure de l'aider? Que puis-je faire pour l'aider?

j'accueille l'autre avec bienveillance et sans jugement;

je lui offre mon écoute, ma compréhension, mon soutien, mon savoir et mes encouragements;

si l'autre me demande de l'aide mais ne veut que l'attention que lui procure son problème, je lui en fais prendre conscience;

je respecte l'autre dans son rythme, dans sa manière de s'y prendre et les expériences qu'il choisit de vivre;

je choisis de croire en l'autre, en son potentiel, en sa divinité intérieure;

je me détache des résultats de l'aide que j'apporte à l'autre tout en lui offrant le meilleur de moi-même;

ma valeur réside dans ce que je suis et non dans ce que j'apporte à l'autre.

L'ACCOMPAGNEMENT THÉRAPEUTIQUE

L'accompagnement thérapeutique a comme objectif d'amener la personne qui consulte à travers un processus d'échange non directif à prendre conscience des causes de sa souffrance ou de ses difficultés afin de la conduire vers une solution ou une action transformatrice qui lui sera favorable.

Cet accompagnement thérapeutique comporte quatre étapes qui peuvent se dérouler dans une même séance ou s'échelonner sur plus d'une rencontre.

Ces quatre étapes sont:

l'échange;

l'intégration;

la prise de conscience;

l'action libératrice ou la solution.

L'échange

L'échange est la phase qui permet d'instaurer un climat de confiance entre le participant (patient) et l'intervenant. Cette étape permet également de recueillir des renseignements pertinents pour guider, par la suite, le participant dans un processus thérapeutique.

Cette étape débute dès les premiers instants de la rencontre.

L'accueil

Ce premier contact peut déjà établir une dimension de confiance si le participant est bien accueilli et s'il se sent à l'aise avec l'intervenant.

Il peut être astucieux de prendre l'habitude de saluer la personne que l'on doit rencontrer en lui donnant la main, tout en demeurant attentif au langage non verbal de sa main.

Sa main se dérobe-t-elle? La personne peut avoir une certaine appréhension à se révéler. Est-elle plutôt franche? Si oui, cette personne ne craindra pas de s'investir dans sa démarche. Sa main est-elle chaude? Si oui, nous savons que cette personne n'est pas en phase de stress. Si, au contraire elle est froide, cela peut signifier que la personne vit des tensions ou des émotions.

Sans s'engager d'une manière approfondie dans le langage non verbal de la poignée de main de notre participant, ces quelques indices nous aideront à connaître un tant soit peu l'état d'âme de la personne qui nous consulte.

Le cadre

Le cadre où se déroulera cet accompagnement thérapeutique aura également son importance. De préférence, il devra offrir la tranquillité et la discrétion. On optera pour des fauteuils qui se font face. Un bureau ou une table placé entre deux personnes met une barrière psychologique qui ne favorise pas un climat de confidence. Toutefois, un tel aménagement a très bien sa place dans la relation d'aide par le dialogue où les sentiments n'entrent pas en ligne de compte, ce qui n'est pas le cas dans l'accompagnement thérapeutique.

Après la séance thérapeutique, lorsque vient le temps de régler la consultation, le thérapeute peut, à ce moment-là, regagner sa place derrière son bureau. Cela a comme effet de remettre une petite distance entre le thérapeute et le participant qui favorise le respect de la règle «ni trop près, ni trop loin».

Tutoyer ou vouvoyer la personne

On s'adresse à la personne par son prénom ou son nom. Personnellement, je tutoie les personnes que je rencontre en thérapie, car je veux assumer le rôle d'amie, de confidente. Si, toutefois, tu es plus à l'aise de vouvoyer la personne qui te consulte, alors fais-le ainsi. Il est important d'être à l'aise avec les outils qu'on utilise.

L'échange verbal

Une fois confortablement assis en face de son participant, on va s'enquérir de la raison pour laquelle il a voulu nous rencontrer. Il est fréquent que la personne nous réponde: «Je ne sais pas par où commencer…» On peut alors lui dire que cela n'a pas d'importance, qu'elle peut commencer comme cela lui vient.

Si la personne nous dit qu'elle souffre de tel malaise, on pourra vérifier si c'est de manière occasionnelle ou continue. Si la réponse est «occasionnelle», ou même «continue», la question à lui poser sera: «**Depuis quand?**» Si la réponse est «depuis dix mois», la question suivante sera: «**Que s'est-il passé de particulier dans ta vie depuis dix ou douze mois?**»

> *On peut remonter avant l'apparition du symptôme ou de la maladie. Dans les cas de cancer, on peut remonter jusqu'à six mois avant sa découverte.*

En général, cette question amène la personne à nous relater des événements qui l'ont touchée ou bouleversée. Pendant que cette personne nous raconte ce qu'elle a vécu, on évitera de prendre des notes, lui donnant plutôt notre entière attention. Les personnes visuelles se sentent plus écoutées lorsqu'on les regarde. Les notes pourront être prises à la fin de l'entretien, ce qui est un excellent exercice pour la mémoire.

On sera donc très attentif à ses propos mais également à son langage non verbal. Qu'il s'agisse de la position de ses yeux, de ses jambes, de ses bras, de ses mains ou de ses doigts.

Des bras croisés avec les pouces à l'intérieur peuvent traduire une recherche de protection, la crainte de se laisser aller. Si la personne pointe l'index en parlant de l'un de ses proches, cela peut être l'indice d'un problème d'autorité. Si elle a la voix cassée, une boule dans la gorge ou des larmes qu'elle retient, on peut l'aider à les exprimer en mettant, avec sensibilité, des mots sur ce qui se passe en elle.

Par exemple: «Cette attitude te blessait...», «Ça t'a fait mal ce qu'il t'a dit...», «tu n'aurais pas voulu que cela arrive...» Très souvent, cette validation de ses sentiments a pour effet d'aider la personne à contacter l'émotion qu'elle retenait.

Si elle se met à pleurer, on va alors l'encourager à laisser sortir son chagrin en lui disant: «Oui, c'est ça, pleure-la ta peine» ou encore, «C'est bien, laisse-le aller ton chagrin», «Donne-toi le droit d'avoir mal, d'avoir de la peine.»

On choisira des mots avec lesquels on est à l'aise. Ce qui importe, c'est qu'ils puissent encourager la personne à exprimer son émotion.

Puis, on se tait pour laisser à la personne le temps de laisser sortir son émotion. On évitera de poser une question trop rapidement à la personne qui pleure, car cela aurait pour effet de bloquer l'émotion qu'elle vit pour la ramener au niveau de sa tête.

Une participante me racontait qu'elle avait été suivie pendant plusieurs mois par une intervenante qui lui répétait à chaque rencontre qu'il fallait qu'elle aille dans ses émotions. Un jour, elle contacta une forte émotion et se mit à pleurer à chaudes larmes. Certainement déconcertée, l'intervenante lui dit, au plus fort de son émotion: «Vous ai-je déjà dit que lorsque vous manquez un rendez-vous, vous devez quand même le payer...?» Cela eut comme effet de la sortir de son émotion. Ne s'étant pas sentie accueillie dans ce moment où elle aurait eu besoin d'un peu de compassion, elle régla sa consultation et ne revint jamais.

Lorsque le plus gros de son émotion a été exprimé, que la personne prend une grande inspiration, on peut lui demander: «Quelle était cette émotion?»

Si la personne répond: «Je ne sais pas», on peut l'aider à mettre un mot sur son émotion en lui demandant: «Était-ce un gros chagrin, un découragement, un épuisement, un ras-le-bol, etc.»

Cette façon d'accueillir la personne qui pleure pourra se faire dans les autres étapes du processus thérapeutique.

Au cours de l'échange, il arrive que certaines personnes préoccupées par le temps veulent nous raconter toute leur vie très rapidement, ce qui peut être difficile à suivre et à se rappeler. C'est très souvent le cas de personnes qui n'étaient pas autorisées à parler lorsqu'elles étaient enfant. À présent, lorsqu'elles y sont autorisées, elles ont tendance à le faire très rapidement. Elles font vite pour être certaines d'exprimer tout ce qui leur semble important de dire. Pour les aider à ralentir le rythme, il s'agit de leur en faire prendre conscience et de les rassurer, qu'elles pourront tout nous dire.

Au cours de l'échange, il peut être approprié de reformuler les propos de la personne qui nous confie ce qu'elle a vécu. Si le partage de la personne est long et riche en faits divers, on peut l'arrêter (sans toutefois lui couper la parole) pour marquer une pause en lui disant: «Tu (vous) permets que je t'arrête…», «Tu me dis que ces allergies se présentent le matin à ton réveil, qu'elles ont débuté il y a environ six mois…» Cela a comme avantage de nous aider à ne pas perdre le fil de la conversation, de démontrer à la personne qui nous consulte que nous l'écoutons bien, en plus de vérifier si nous avons bien compris. Il s'agit ici d'une technique de reformulation.

La reformulation reprend ce que l'écouté exprime verbalement ou non verbalement. De plus, elle appelle une confirmation ou une négation. Dans le cas de la négation, cela peut nous permettre de clarifier une situation qui n'était pas très claire pour nous. La personne peut alors préciser un fait: «Non, non, nous n'étions pas encore mariés à ce moment-là…»

La reformulation peut en outre être utilisée lorsque la personne nous donne une réponse implicite du genre: «Cette rencontre a réveillé plein de choses en moi…»

Reformulation: «Qu'est-ce que cette rencontre a réveillé en toi?»

La reformulation peut nous permettre d'approfondir les propos de la personne qui se confie à nous. Si la personne nous dit: «J'avais tellement mal, j'ai dû appeler mon frère en pleine nuit pour qu'il me conduise à l'hôpital…»

Reformulation: «Tu avais tellement mal que tu as dû appeler ton frère pour qu'il te conduise à l'hôpital, mais ne disais-tu pas que tu étais couchée à côté de ton mari?»

Réponse: «Oui, mais je ne pouvais pas compter sur lui…»

Reformulation: «Pourquoi ne pouvais-tu pas compter sur ton mari…?»

On peut également se servir de la reformulation lorsqu'un propos nous semble révélateur.

Une personne a des problèmes respiratoires et nous dit au fil de la conversation: «Cette rivalité m'étouffe.» On peut l'arrêter et lui demander de répéter ce qu'elle vient de dire. La plupart du temps, elle n'y a pas prêté attention et ne s'en rappelle pas.

La reformulation ici peut l'aider à faire le lien entre son affection et ce qu'elle vient d'exprimer. Tu as dit: «C'est cette rivalité qui m'étouffe...» «Vois-tu un lien entre le fait de te sentir étouffée et cette rivalité?»

Une personne qui souffrait de sclérose en plaques me dit un jour: «Je sais que mon attitude me sclérose...»

Une autre qui souffrait de vitiligo me dit: «Je me suis fait gruger dans ce divorce...» N'était-elle pas aussi dépouillée de ses pigments de mélanine?

Une autre dont la muqueuse intestinale saignait sans pathologie particulière me dit: «C'est ça qui me déchire...» et un peu plus tard dans la conversation: «Ce fut une grosse déchirure pour moi.» Être attentif à ces mots peut nous mettre sur la piste du sentiment qui a donné naissance à la souffrance qui affecte notre participant.

Lorsqu'une personne nous consulte pour plusieurs problèmes soit financiers, de couple, de santé ou encore pour différents maux (otites chroniques, maux de dos, anorexie, boulimie, etc.), ces problèmes peuvent avoir un dénominateur commun. Si c'est le cas, c'est sur ce dénominateur commun que nous orienterons notre questionnement.

Dans le cas contraire, mieux vaut clarifier un seul problème à la fois. Pour savoir par lequel commencer, on demandera à la personne de nous dire quel est celui qui l'a fait le plus souffrir.

Si elle répond: «Je ne peux le dire, ils me font tous autant souffrir», on peut alors lui demander de fermer les yeux et d'entrer en elle-même et d'écouter ce qu'elle ressent. On peut l'aider en la guidant avec une question du genre: «Ici et maintenant, où cela fait le plus mal?»

L'intégration

La seconde étape consiste à passer de sa tête à son ressenti. Pour ce faire, il sera capital de retrouver le sentiment qui a donné naissance à la perturbation qu'a vécue la personne.

La question clé sera: **«Comment t'es-tu sentie dans cette situation?»**

Si la personne répond: «Je me suis sentie mal, très mal...», cela n'est pas suffisamment explicite. Pour aider la personne à libérer le sentiment qui a engendré l'émotion déstabilisante, il faudra l'aider à mettre un ou des mots sur le sentiment ressenti. Pour ce faire, on pourra lui demander: «Quel serait le mot qui s'en rapprocherait le plus? Te serais-tu sentie manipulée, exploitée, rejetée, pas reconnue à ta juste valeur, etc.?»

Chaque suggestion doit laisser suffisamment de temps pour que le participant puisse l'identifier par lui-même.

Nous ne pouvons transformer qu'un sentiment qui a été reconnu.

Si à la question «Comment est-ce que tu t'es sentie?», la personne nous répond: «Je me suis sentie très en colère», sa réponse traduit l'émotion qui l'a submergée et non le sentiment qui a donné naissance à cette émotion. Si, à cette même question, elle nous répond: «J'étais prête à divorcer», ici encore cette personne ne nous parle pas de son sentiment mais de sa réaction. Enfin, si une autre personne nous répond: «Je me suis sentie comme un vieux déchet qu'on met à la poubelle», elle exprime dans ces mots des sentiments de rejet et de dévalorisation.

Pour l'aider à reconnaître ces sentiments de rejet et de dévalorisation, on peut reformuler ce que vient de nous dire cette personne avec un ou des mots plus précis: «Tu t'es sentie *rejetée*, comme un vieux déchet...», «Tu sentais que tu n'avais *aucune valeur* à ses yeux...»

Puis, on lui laisse le temps de confirmer si cela est juste ou de rectifier dans le cas contraire.

Il sera donc impératif pour l'intervenant de bien distinguer dans la réponse que lui donne la personne si elle exprime un sentiment, une émotion ou la réaction qui en a résulté.

Comment faire la distinction entre le sentiment, l'émotion et la réaction?

Sentiment

Un sentiment est ce qui nous touche, nous habite ou nous atteint au plus profond de notre être. Contrairement à l'émotion qui est une réponse immédiate, le sentiment, lui, s'installe. Il peut durer juste un moment ou être entretenu; il peut demeurer stable ou évoluer. Il est le plus souvent verbalisé par la phrase débutant par «Je me sens...» ou, s'il s'agit d'une situation passée, «Je me suis sentie...».

Un sentiment peut être agréable ou désagréable.

Lorsqu'on éprouve un sentiment agréable, on se sent rempli, le bonheur vient nous habiter. Quand ce sentiment est fort, il peut donner lieu à des émotions de joie, d'exubérance et même d'exaltation.

Voici des exemples de sentiments agréables

Je suis...	Je me sens...	Je sentais...	Je me suis senti...
heureux, fier, satisfait, ravi, enthousiaste, serein, reconnaissant, amoureux, j'aime.	libre, privilégié, comblé, choyé, inspiré, en paix, confiant, aimé.	que j'avais des ailes, revivre, que rien n'aurait pu m'arrêter, si bien, en pleine possession de mes moyens.	encouragé, valorisé, soutenu, reconnu, apprécié, estimé.

Un sentiment agréable nous remplit, nous donne de l'énergie puisqu'il stimule la production d'endorphine.

À l'inverse, un sentiment désagréable qui nous peine, nous accable ou nous déstabilise nous laisse plutôt une sensation de manque, de vide. Un sentiment désagréable entraînera presque toujours une émotion plus ou moins déstabilisante avec perte d'énergie.

Cela s'explique par le fait qu'une situation qui nous fait vivre du stress fait augmenter l'adrénaline en nous qui active notre système sympathique. Le retour de l'onde de choc amplifie la parasympathicotonie, c'est ce qui explique la baisse d'énergie que nous ressentons.

Sentiments désagréables et leurs manques

Sentiments	Manques
Je le hais, je le déteste, je lui en veux, je me sens exclu, délaissé, repoussé, malheureux, seul, je me suis senti rejeté, abandonné, pas désiré, pas aimé, pas important à ses yeux, pas accepté.	Manque d'amour
Je ne me sens pas ou ne me suis pas senti apprécié, considéré, reconnu.	Manque d'appréciation
Je ne me sens ou ne me suis pas senti épaulé, soutenu, encouragé.	Manque de soutien
Je me sens ou me suis senti abusé, manipulé, forcé, obligé, écrasé, opprimé, tyrannisé, persécuté.	Manque de respect
Je me sens ou me suis senti idiot, gêné, nul, incapable, impuissant, pas à la hauteur, pas assez bon, pas suffisamment performant.	Manque de confiance en soi
Je me sens ou me suis senti démoralisé, déprimé, désespéré, abattu, accablé, vide, anéanti, pessimiste.	Manque d'espoir, de confiance en la vie
Je me sens ou me suis senti démodé, rabaissé, dénigré, honteux, moins beau, moins intelligent, moins riche, moins bien vêtu, inférieur aux autres.	Manque d'estime de soi, de valeur
Je me sens ou me suis senti incompris, culpabilisé, accusé, mis en doute, pas entendu.	Manque de compréhension
Je me sens ou me suis senti anxieux, stressé, inquiet, angoissé, tendu.	Manque de sécurité

Voilà des mots qui peuvent traduire les sentiments qui habitent la personne qui consulte ou qu'elle a ressentis. Ces mots sont presque toujours en résonance avec une situation déjà vécue.

Comment peut-on amener une personne à contacter un sentiment qu'elle ne parvient pas à décrire?

On peut lui proposer de fermer les yeux et de se replacer dans la situation qui lui a fait mal.

Une personne me racontait que son mari l'avait trompée avec l'une de ses amies. Lorsque je lui ai demandé comment elle s'était sentie lorsqu'elle avait appris que son mari entretenait une relation avec son amie, elle me répondit: «Je me suis sentie trahie.» Je sentis que cela venait de sa tête et je me doutais qu'elle faisait une analyse de ce qu'elle avait pu éprouver. Je l'invitai à fermer les yeux et à se replacer dans la situation vécue. C'est alors qu'elle me dit: «Je me suis sentie de trop, j'avais le sentiment que j'avais perdu ma place.» Là, il s'agissait bien du sentiment qu'elle avait éprouvé.

Le fait de demander à un participant de fermer les yeux pour se replacer dans la situation l'oblige à s'intérioriser. Cet outil sera utilisé seulement si la personne n'arrive pas à bien identifier le sentiment éprouvé et si elle est suffisamment en confiance avec nous. Si cet outil n'est pas bien utilisé, il pourra mettre la personne mal à l'aise et nuire à la thérapie.

Une même situation peut faire naître plusieurs sentiments qui vont donner naissance à une ou plusieurs émotions qui, à leur tour, peuvent se manifester par une ou plusieurs affections.

Prenons le cas de Louisette.

Louisette a un amant qu'elle aime passionnément. Pour lui, elle serait prête à briser la relation platonique qu'elle vit depuis des années avec son mari.

Son amant, ne se sentant pas très bien dans cette situation, a pris du recul par rapport à leurs relations clandestines. Au moment où elle le relance pour lui avouer tout l'amour qu'elle a pour lui, il lui annonce qu'il a rencontré la femme de sa vie. C'est un choc pour Louisette.

Dans les mois qui suivent, elle fait des aphtes dans la bouche, elle a de fortes palpitations au cœur et des douleurs aux jambes.

En cherchant les sentiments qui l'ont habitée, on découvre qu'il y a celui de la privation des baisers de son amant qui se traduit par les aphtes dans sa bouche, il y a celui d'avoir perdu sa place (son territoire). Une femme plus jeune lui a ravi son amant, cela a affecté son cœur et, enfin, elle se sent dévalorisée par rapport à cette femme qui, elle, va concrétiser avec son amant les projets qu'elle n'a pu réaliser, ce qui se manifeste par des douleurs aux jambes.

Ses émotions furent de la peine, de la colère, de la révolte… et ses réactions furent de se refermer sur elle-même et de se jeter à corps perdu dans le travail.

Nous avons donc ici une situation qui a donné naissance à plus d'un sentiment et à un ensemble d'émotions et de réactions.

Chacun de ces sentiments devra être identifié si nous voulons aider la personne à guérir de ses affections.

Émotion

L'émotion se distingue du sentiment par son caractère brusque et intense. C'est un trouble, une agitation intérieure qui nous fait passer très rapidement d'un état à un autre et fait poser une action ou avoir une réaction.

Extérieurement, elle peut se manifester par des rougeurs au visage, blêmissements, respirations courtes et accélérées, cœur qui bat très fort, tremblements, sueurs froides, transpiration abondante, larmes, etc.

Intérieurement, selon son intensité, elle amorcera la phase de stress (sympathicotonie) et affectera une zone précise du cerveau en même temps que l'organe qui lui est relié.

L'émotion peut être énergisante ou déstabilisante.

Les émotions énergisantes concernent principalement la joie, l'allégresse et l'enthousiasme (être excitée, euphorique, s'éclater, etc.). Alors que les émotions déstabilisantes concernent principalement la peine, la peur, la colère, la culpabilité, la honte, etc.

Il est à noter que le chagrin, la honte et la culpabilité peuvent être tantôt un sentiment, tantôt une émotion.

La tristesse et la mélancolie sont des sentiments, mais la peine qui résulte de la perte d'un être cher ou de quelque chose qui nous tenait à cœur est une émotion.

Lorsqu'on se sent honteux de ce qu'on a fait ou de la condition dans laquelle on vit, il s'agit d'un sentiment. Si on éprouve de la honte à la suite d'une situation humiliante qui nous fait rougir, bafouiller, alors là, il s'agit d'une émotion.

Il en va de même pour la culpabilité.

Si l'on se sent coupable d'avoir plus que les autres, de n'avoir pas pu aider une personne que l'on aimait, d'avoir déçu un être cher ou de l'avoir fait souffrir, il s'agit d'un sentiment. Si l'on nous fait des reproches et qu'on culpabilise, il s'agit d'une émotion. Cette émotion de culpabilité peut nous conduire à nous justifier, à rejeter les torts sur une autre personne ou à nous refermer.

Émotions déstabilisantes présentes ou passées

Émotion	Présent	Passé
La peine	Je suis triste, j'ai du chagrin, je suis tout remué.	J'étais chamboulé, j'étais bouleversé, j'étais peiné.
La surprise	Je suis étonné, je suis renversé, je suis éberlué, je suis sidéré.	J'étais époustouflé, j'étais estomaqué, j'étais sous le choc, je suis demeuré cloué sur ma chaise, j'étais bouleversé.
La peur	J'ai peur, je suis effrayé, je suis angoissé, je suis terrifié.	J'étais oppressé, j'étais paralysé, j'étais paniqué, j'étais terrorisé, j'étais figé, je ne pouvais plus parler.
La colère	Je bous, j'enrage, je suis en colère, je suis fâché.	Je bouillais intérieurement, j'étais crispé, j'étais en colère, j'ai été vexé, je me suis révolté, je me suis fâché, j'étais en furie.
La contrariété	Je suis offusqué, je me suis énervé, je suis irrité, je me suis emporté.	J'étais exaspéré, j'étais agacé, j'étais horripilé, j'étais contrarié.
Le dégoût	Je suis écœuré, je suis dégoûté, je suis excédé.	J'ai été choqué, cela me répugnait, j'en avais la nausée.
La déception	Je suis déçu, je suis désenchanté, ce n'est pas ce à quoi je m'attendais.	J'étais désappointé, j'étais mécontent, j'ai été désillusionné, ce fut une grande déception.
La honte	Je rougis, je bafouille.	

On est en général beaucoup plus conscient de l'émotion qui nous trouble ou qui a créé en nous de l'agitation que du sentiment qui lui a donné naissance. Prenons la situation suivante: une personne étudie à l'étranger et projette de revenir chez elle pour Noël. Au moment où elle contacte l'agent de voyage pour s'informer des vols disponibles pour son retour, elle apprend que tous les billets ont déjà été vendus et qu'il ne reste plus une seule place. C'est la panique, elle s'énerve, insiste auprès de l'agent, cherche un coupable, puis une solution…

Nous avons ici une situation: la personne veut revenir chez elle pour Noël lorsqu'elle apprend qu'il n'y a plus de vol disponible pour sa destination. De cette situation naît une interprétation: «J'aurais dû mieux me renseigner avant le départ», «J'aurais dû appeler plus tôt», ce qui donne naissance au sentiment d'être fautif. Comme elle ne veut pas ressentir ce sentiment, elle insiste auprès de l'agent, cherche un coupable «On aurait dû me le dire lorsque j'ai acheté mon billet de départ qu'il serait difficile de me procurer un retour à cette période…»

L'émotion qu'elle éprouve, c'est la peur, la peur de ne pas pouvoir être avec les siens pour Noël. L'émotion enclenche une réaction, soit celle d'insister, de chercher une solution.

Si nous demandons à cette personne: «Qu'as-tu ressenti lorsque tu as appris qu'il n'y avait plus de billet disponible?», il y a de fortes chances qu'elle nous réponde: «J'étais paniquée, énervée.» Cette réponse exprime une émotion et une réaction, non un sentiment.

«Qu'y avait-il derrière cette peur, cette panique?», «Qu'est-ce qui t'a habitée pour un instant lorsque l'agent t'a informée qu'il n'y avait plus un seul billet de disponible?»

Cette question oblige la personne à s'intérioriser. Le sentiment est toujours intérieur alors que l'émotion, même si elle n'est pas exprimée, est extériorisée par la réaction qu'elle suscite. C'est ce qui explique que la majorité des personnes sont plus conscientes de leurs émotions et de leurs réactions que de leurs sentiments. De plus, certaines personnes ont davantage peur de contacter leurs sentiments que leurs émotions.

Par exemple, une personne confrontée à une douleur causée par l'indifférence peut passer directement à la colère plutôt que de toucher à ce sentiment qui l'a fait souffrir. La violence a presque toujours à la base un sentiment de rejet.

D'autres, confrontés à la peur de l'échec ou de la critique, vont se cantonner dans l'inaction plutôt que de contacter le sentiment de dévalorisation qui peut les habiter.

L'une de mes assistantes thérapeutes me dit un jour au sujet d'une participante qui était en séminaire avec nous: «Je crois qu'elle est masochiste», ajoutant «Cette participante a été battue par sa mère, jetée dans la cave où il y avait des rats...» Elle me racontait cela avec un demi-sourire... Je soupçonnai que cette personne avait eu tellement peur de sa mère et que cette dernière, quand elle la battait, devait lui dire: «Si tu pleures, tu vas avoir de bonnes raisons de pleurer, tu vas avoir encore plus de coups...»

Lors de ma rencontre avec cette participante, je l'amenai à me parler de ce qui se passait lorsque sa mère la frappait. C'était exactement ce que j'avais pressenti. Pour elle, pleurer égalait danger. Elle ne savait plus pleurer, elle en avait peur et c'est ce qu'exprimait son demi-sourire.

Au cours d'un processus thérapeutique, une personne qui contacte ses émotions ne l'exprime pas toujours par les pleurs. Certaines personnes vont transpirer davantage, avoir les mains moites, d'autres peuvent avoir des frissons et d'autres encore, n'en rien laisser paraître. C'est souvent le cas des hommes à qui l'on a fait croire qu'un homme, ça ne pleure pas. D'où l'importance d'être attentif au langage non verbal de la personne qui consulte.

Voici un petit résumé pour bien comprendre la différence entre un sentiment, une émotion et une réaction émotionnelle.

Sentiment: ce qui me touche ou m'atteint au plus profond de mon être.

Émotion: trouble ou agitation intérieure qui me perturbe.

Réaction: l'action que je pose à la suite d'une perturbation.

Sentiment	Émotion	Réaction
Je me sens abandonné.	J'ai de la peine.	Je supplie, je m'accroche, je m'abandonne.
Je me sens de trop.	J'ai de la peine.	Je me ferme, je me retire, j'accuse les autres, je me laisse mourir.
Je me sens incompris, pas entendu.	J'ai de la peine, je suis déçu, je suis en colère.	Je crie, je pleure, j'accuse, je culpabilise l'autre, j'insulte, je me ferme, je ne dis plus rien.
Je me sens humilié.	J'ai honte.	Je me retire, me cache, m'isole, je recherche de l'appréciation, je rabaisse celui qui m'a humilié.
Je me sens impuissant.	J'ai de la peine ou je suis de mauvaise humeur.	J'insiste, je veux trop, je rejette les torts sur l'autre, je cherche des explications ou des excuses à mon incapacité.
Je me sens accusé.	Je culpabilise ou je vis de la colère.	Je me justifie, j'accuse à mon tour, je dis des choses que je ne pense pas.
Je me sens découragé.	J'ai de la peine.	J'abdique, je n'attends plus rien des autres ou de la vie.
Je ne me sens pas respecté.	Je vis de la colère.	J'impose ma façon de penser, je ne collabore plus, je nourris des pensées de haine et de vengeance.
Je me sens dévalorisé.	J'ai de la peine, j'ai honte.	Je fuis ou j'essaie de prouver aux autres ce dont je suis capable (sans y croire moi-même).
Je me sens envahi.	Je peste.	Je provoque un conflit, je résiste, je m'impose.
Je me sens coincé.	J'angoisse.	Je m'énerve, je me referme sur moi-même ou je cherche fébrilement de l'aide ou des solutions.
Je me sens culpabilisé.	Je me culpabilise ou je me révolte.	Je fais porter la culpabilité à l'autre, je le force à reconnaître ses torts ou je le retourne contre moi en m'empêchant d'être heureux.

*Ce ne sont que des exemples. Pour un même sentiment, il peut y avoir d'autres émotions et d'autres réactions que celles proposées ici.

La prise de conscience

La prise de conscience vise à amener la personne au cœur de son problème pour qu'elle puisse voir ce qui émane d'elle, pour qu'elle vive cette affection, ce problème ou cette souffrance.

Martine m'écrit ceci:

Ma sœur et moi avons suivi un programme de «Conscience de l'être» qui fut un bon complément au séminaire de Métamédecine. Ce programme nous a permis de voir comment on fonctionne dans notre quotidien.

Quelques semaines après m'être inscrite à ce programme, j'ai eu un problème aux yeux. Ce malaise était très douloureux, incommodant, brûlant et aveuglant; il m'obligeait à fermer les yeux.

L'ophtalmologiste que j'ai consulté m'a dit qu'il s'agissait d'un herpès oculaire situé derrière la cornée. Aucun médicament n'arrive à résoudre ce problème. Le médecin n'y comprend rien. Pourriez-vous m'aider à identifier la cause? Je vous remercie à l'avance de votre aide.

Appliquons le processus thérapeutique

Première étape: «**Quand cela a-t-il débuté?**» Pendant la période où elle suivait le programme «Conscience de l'être».

Y aurait-il eu un événement particulier que Martine aurait vécu avant l'apparition de son problème aux yeux?

Dans sa lettre, elle dit que ce programme permet de voir comment on fonctionne dans son quotidien.

Martine verrait-elle quelque chose dans son quotidien qui la trouble (le malaise était incommodant), qui la contrarie (ce malaise la brûlait), qu'elle préférerait ne pas voir (son malaise l'obligeait à fermer les yeux)?

Deuxième étape: «**Quel est le ou les sentiments qui l'habitent ou l'ont habitée**[3]?»

Question: «Martine, dans ton quotidien, y aurait-il quelque chose qui te trouble, qui te contrarie et que tu préférerais ne pas voir?»

Martine: «Oui, je me sens prise dans ma vie affective. Je m'en veux d'être incapable de m'attirer un homme dans ma vie, c'est ma situation de solitude que je préférerais ne plus voir.»

La réponse de Martine: «Oui, je me sens prise dans ma vie affective. Je m'en veux d'être incapable de m'attirer un homme dans ma vie...» nous dit qu'elle est à sa seconde étape. Elle peut mettre des mots sur les sentiments qui l'habitent, ces mots sont: «*Je me sens prise..., je m'en veux.*»

On peut reformuler ce que vient de dire cette personne pour valider ce qu'elle vient de dire: «Tu te sens prise, tu as l'impression que tu dois subir cette situation et que c'est de ta faute...?»

Lorsque la personne a bien identifié le sentiment qui l'habite, on peut, par une question, la conduire vers la troisième étape, soit la prise de conscience.

Troisième étape: **Qu'est-ce qui émane de la personne pour qu'elle vive ce problème?**

Question: «Martine, pourquoi crois-tu que tu ne peux t'attirer un homme dans ta vie?»

[3] Les prochaines étapes ont été réalisées au téléphone.

Martine: «J'ai eu un mari alcoolique, ensuite un copain qui se droguait, puis un autre qui était porté sur l'alcool. J'ai tellement peur de rencontrer un autre alcoolique. Je sais que je suis trop méfiante pour m'ouvrir de nouveau à une relation affective.»

Moi: «Pourquoi Martine, crois-tu que tu as attiré ces hommes dans ta vie?»

Martine: «J'avais sans doute un pardon à faire aux hommes....»

Moi: «Ce pardon aux hommes est-il fait?»

Martine: «Oui, je l'ai fait en commençant avec mon père.»

Moi: «Y aurait-il une autre raison qui expliquerait pourquoi tu t'es attirée ces hommes?»

Martine: «Je ne le vois pas.»

Moi: «Se pourrait-il que ces hommes fussent le miroir de ta propre dépendance?»

Martine est étonnée.

Moi: «Je m'explique, se pourrait-il que ta dépendance à toi soit une dépendance affective et que dans cette dépendance affective, tu aurais, par le passé, accepté des situations inacceptables et supporté l'insupportable pour ne pas perdre ces hommes dont tu dépendais affectivement et c'est ce que tu crains le plus de revivre?»

Martine: «C'est exactement cela; mais comment dépasser cette peur?»

Cette réponse de Martine démontre qu'elle vient de faire une prise de conscience importante par rapport au problème de solitude qu'elle vit et qu'elle n'accepte pas.

La prochaine étape concerne la solution ou l'action libératrice.

Si Martine restait au stade de la prise de conscience, elle pourrait penser ou dire, comme bien des personnes que j'ai rencontrées, «Je connais la raison de mon problème, de ma difficulté, mais cela ne change pas pour autant.»

La prise de conscience peut-elle se faire en une seule séance thérapeutique?

Il y a plusieurs facteurs qui entrent en jeu dont la qualité d'écoute en profondeur du thérapeute qui l'amène à poser les bonnes questions à son participant. Il y a aussi le participant lui-même qui peut se refuser à regarder un aspect important de sa situation de souffrance parce qu'il ne veut pas lâcher prise par rapport à sa rancœur ou à une obsession. Il peut y avoir également la peur de retrouver un souvenir occulté, un abus sexuel par exemple, relever une situation s'étant produite dans la petite enfance, à l'état fœtal et parfois même avant cette vie. Dans de tels cas, il faut parfois plus d'une séance thérapeutique pour amener le participant à prendre conscience de la cause de son problème.

La prise de conscience seule est-elle suffisante pour transformer une situation de souffrance?

Parfois une prise de conscience peut être suffisante pour nous amener à prendre une décision qui nous sera favorable, mais elle peut aussi donner lieu à une compréhension avec l'intellect. Une fois oubliée, l'ancienne équation ou l'ancien mode de fonctionnement reprend le dessus.

Aller vers une compréhension intellectuelle, ce n'est pas retourner dans la circonstance perturbante, c'est s'en tenir à la personne qui l'a vécue. Or, pour libérer la souffrance, il faut parfois retourner dans ces épisodes de notre vie qui nous ont fait souffrir.

«Rien dans notre inconscient n'est à rejeter mais tout simplement à réaligner et à transmuter.» *Carl Jung*

C'est le travail de la quatrième étape qui nous permettra de transmuter et de réaligner ces conflits intérieurs, sources de tant d'affections et de difficultés.

Quatrième étape: Solution ou action libératrice

La solution ou l'action libératrice est ce qui va nous permettre de relâcher notre stress ou de nous émanciper de nos schémas de souffrance.

Quelle pourrait être **la solution** pour que Martine cesse de s'en vouloir d'être incapable de s'attirer un homme dans sa vie et qu'elle puisse accepter la solitude de son quotidien?

Moi: «Martine, qu'est-ce qui pourrait t'aider à faire confiance à nouveau à un homme pour ouvrir ton cœur à l'amour?»

Martine: «Il faudrait que je cesse d'avoir peur de me retrouver avec un alcoolique ou un drogué.»

Moi: «Qu'est-ce qui était le plus pénible dans la relation avec ces hommes?»

Martine: «C'était le manque de respect de ces hommes à mon égard.»

Moi: «Toi, est-ce que tu te respectais dans ces relations? Savais-tu poser tes limites?»

Martine: «Non.»

Moi: «Si tu te retrouvais dans une nouvelle relation de couple, que pourrais-tu faire, cette fois, pour te faire respecter?»

Martine: «Il faudrait que je sois d'abord ferme avec moi pour ne plus accepter l'inacceptable ou supporter l'insupportable.»

Moi: «Vas-tu le faire?»

Martine: «Oh oui!»

Moi: «Et maintenant, pourrais-tu accepter que ta situation présente est là pour t'apprendre à penser à toi et à apprendre à t'occuper de toi-même jusqu'à ce que tu sois prête à partager ta vie avec l'homme qui te conviendra?»

Martine: «Vue sous cet angle, ma situation devient beaucoup plus facile à accepter.»

Dans les jours qui suivirent l'acceptation de son quotidien et la libération de sa peur que sa situation ne change pas, les yeux de Martine se rétablirent.

Voici une autre situation: Jean-Marie a mal à l'épaule droite, il met cela sur le fait qu'il est droitier et qu'il utilise beaucoup ce bras pour son travail. Comme la douleur va en s'intensifiant, il a consulté plusieurs intervenants avant de se décider à me rencontrer.

Première étape:

Moi: «Jean-Marie, quand a débuté cette douleur?»

J.-M.: «Cela fait peut-être quatre ou cinq ans.»

Moi: «Quand as-tu ressenti la douleur le plus intensément depuis environ un mois?»

Quand un problème remonte à une bonne période de temps, il faut rechercher l'élément déclencheur le plus récent.

J.-M.: «Il y a à peu près deux semaines.»

Moi: «Y aurait-il eu un événement particulier, une rencontre, une discussion avant que tu ne ressentes avec intensité cette douleur dans ton épaule?»

J.-M.: «Oui, cette douleur s'est manifestée avec intensité le lendemain de ma rencontre avec mon ex-femme.»

Moi: «De quoi aviez-vous discuté?»

J.-M.: «Nous avions discuté de la pension alimentaire que je lui verse tous les mois depuis cinq ans. Elle me proposait de lui payer une certaine somme répartie sur les cinq prochaines années et, par la suite, elle me libérerait de cette obligation.»

Deuxième étape:

Moi: «Comment t'es-tu senti par rapport à la proposition qu'elle t'a faite?»

J.-M.: «Ça m'embête terriblement; je me sens obligé de travailler, j'aimerais parfois prendre de longues vacances avec mes enfants, avoir plus de temps pour aller jouer au golf, mais je dois continuellement travailler pour assumer toutes mes obligations. Et cette obligation de devoir payer une pension à mon ex-épouse me pèse plus que toutes les autres.»

Moi: «Es-tu en train de me dire que tu aimerais avoir une vie plus facile, une vie où tu pourrais te permettre tout ce que tu as envie?»

J.-M.: «Oh oui… si tu savais le nombre de fois où j'ai pu rêver de gagner le million ou que j'ai cherché des idées pour gagner beaucoup d'argent rapidement…»

Moi: «Jean-Marie, qu'est-ce que l'argent représente pour toi?»

J.-M.: «L'argent représente pour moi le moyen de m'offrir ce dont j'ai envie, de faire ce que je veux.»

Moi: «Est-ce que l'argent, pour toi, n'égalerait pas liberté?»

J.-M.: «Oui, quand on a beaucoup d'argent, on peut faire tout ce qu'on veut.»

Moi: «Est-ce de cette liberté dont tu te sens privé dans l'obligation de payer une pension alimentaire à ton ex-femme?»

J.-M.: «Oui, pour moi cette pension est une obligation qui me pèse sur les épaules, c'est sûr que ça me brime dans ce que j'aimerais faire.»

Moi: «Peux-tu me répéter ce que tu viens de me dire?»

J.-M.: «Cette obligation me pèse sur les épaules.»

Moi: «Vois-tu le lien entre ton mal d'épaule et cette obligation qui te prive de ta liberté?»

J.-M.: «Oui, mais je ne sais que faire, je sais que je pourrais ramener la cause devant un tribunal, mais je ne me sentirais pas OK d'agir ainsi.»

Troisième étape:

Moi: «Quand tu étais enfant, Jean-Marie, te serais-tu senti brimé dans ta liberté parce que tu n'avais pas d'argent?»

J.-M.: «Il y a quelque chose qui me revient. Pendant les vacances scolaires, je travaillais tout l'été chez des religieux et je gagnais très peu. J'avais un cousin qui, lui, passait l'été au chalet de ses parents à faire du canot, du ski nautique, du tennis, il était toujours tout bronzé à la rentrée des classes alors que, nous, on était blancs comme des draps.»

Moi: «Comment te sentais-tu par rapport à ce cousin?»

J.-M.: «Je sentais que j'avais moins de chance que lui. Moi, j'étais le cousin pauvre et lui, le cousin riche.»

Moi: «Est-ce qu'en tant que cousin pauvre tu sentais que tu avais moins de valeur que ton cousin qui était riche?»

J.-M.: «C'est certain.»

Moi: «Serait-ce pour cette raison qu'aujourd'hui tu voudrais tant gagner rapidement beaucoup d'argent?»

J.-M.: «Sûrement.»

Moi: «Est-ce que l'argent ne signifierait pas pour toi avoir de la valeur et être libre alors que ne pas avoir d'argent égale pas de valeur et pas de liberté?»

J.-M.: «Je crois que oui.»

Moi: «Serait-ce pour cette raison que cela t'horripile d'avoir à payer une pension à ton ex-épouse? As-tu l'impression que cette obligation te brime dans ta liberté et t'empêche d'avoir plus d'argent?»

J.-M.: «C'est exactement cela..., je me dis continuellement qu'à cause de cette pension, je suis obligé de travailler toujours plus et que le surplus que je pourrais avoir qui me permettrait d'être à l'aise, je suis obligé de le lui donner.»

Jean-Marie vient de prendre conscience que le vrai problème n'est pas tant relié à sa femme comme à l'argent. Ce qui le met en rogne, c'est qu'il voit sa femme comme un obstacle pour avoir la richesse qui lui permettrait de sentir qu'il a de la valeur et de faire tout ce dont il rêve.

Moi: «Jean-Marie, comment pourrais-tu transformer cette croyance que l'argent égale avoir de la valeur et être libre de faire ce qu'on veut?»

J.-M.: «J'aimerais tant le savoir.»

On peut voir les répercussions que cette équation a eues dans la vie de Jean-Marie et son lien avec son mal d'épaule. Tant que Jean-Marie ne transformera pas cette équation qui est devenue sa croyance, il se sentira toujours inférieur à ceux qui ont beaucoup d'argent et s'obligera à travailler beaucoup pour tenter d'être plus fortuné. Ce qui aura des répercussions défavorables sur sa santé. Car confronté à des obligations ou à des revers de fortune, il aura tendance à se dévaloriser.

Tant que Jean-Marie n'avait pas fait cette prise de conscience, il pouvait attribuer son mal d'épaule à de la colère vis-à-vis de son ex-femme ou au fait d'en prendre trop. Ce qui était juste mais qu'est-ce qui lui faisait vivre cette colère, pourquoi s'en mettait-il autant «sur les épaules»? Voilà ce dont il n'était pas conscient et pourquoi il n'arrivait pas à se départir de son mal d'épaule.

On ne peut rien changer de ce qui n'est pas conscient.

Comment Jean-Marie peut-il transformer cette équation?

Il lui fallait retourner dans la situation vécue qui lui avait donné naissance. Voici comment j'ai aidé Jean-Marie dans cette quatrième étape de son processus thérapeutique.

Je lui ai proposé de fermer les yeux, de prendre trois bonnes grandes respirations pour se détendre. Puis, graduellement, de revoir l'endroit où il travaillait alors qu'il avait 13 ou 14 ans. Il se revit en train de nettoyer, ranger des choses.

Je lui demandai à quoi pensait ce jeune Jean-Marie?

J.-M.: «Il pense à son cousin qui doit être en train de faire du ski nautique et qu'il aimerait tellement être à sa place plutôt que d'être enfermé dans ce couvent en train de travailler pour presque rien.»

J'invitai le «grand» Jean-Marie qui était avec moi à entrer dans cette image pour aller près de son «jeune» Jean-Marie.

Je le guidai pour qu'il puisse lui dire:

«Jean-Marie, je comprends ce que tu ressens, je sais à quel point tu préférerais profiter de tes vacances plutôt que de travailler, je sais que tu penses que tu n'as pas le choix parce que ta famille n'a pas beaucoup d'argent... Mais pourquoi crois-tu que nous venons sur la terre? Crois-tu que l'on vient sur terre pour faire du ski nautique?»

Le jeune J.-M.: «Je ne sais pas, mais c'est ce que j'aimerais pouvoir faire moi aussi...»

Le grand J.-M.: «Que dirais-tu si je te disais que ce que tu es en train de faire, que tu trouves dévalorisant et pas agréable, va te permettre de développer des qualités qui te seront utiles tout au long de ta vie? Nous avons tous des leçons à apprendre, mais ce ne sont pas les mêmes d'une personne à une autre. C'est ce qui explique que nous ne vivons pas tous les mêmes situations. Toi, peut-être devais-tu apprendre à ne pas te dévaloriser d'avoir moins que les autres, c'est pour cela que tu vis cette situation. Tu sais, cette richesse extérieure que tu aimerais tellement posséder, on peut toujours la perdre, mais la richesse intérieure qui est faite de bonté, de persévérance, de foi en la vie, celles-là on ne peut jamais la perdre et c'est ce que tu es en train de te constituer en ce moment.»

Le jeune J.-M.: «Je n'avais jamais vu les choses sous cet angle-là.»

Le jeune Jean-Marie se projetant plus tard dans sa vie: «C'est vrai ce que tu dis, car André (son cousin) a eu beaucoup de difficultés dans sa vie qu'il n'arrivait pas à surmonter, il a été de longues périodes dépressif alors que, moi, je ne me suis jamais découragé devant les difficultés que j'ai eu à surmonter.»

Le grand J.-M.: «Alors, crois-tu que tu es inférieur parce que tu possèdes moins qu'un autre? Crois-tu que la richesse extérieure peut faire grandir la richesse intérieure?»

Le jeune J.-M.: «Non, j'ai compris, la vraie richesse est à l'intérieur de nous, ce sont les expériences que l'on acquiert qui la fait grandir et c'est ce qu'il me fallait apprendre.»

Le grand J.-M.: «Un jour, tu pourras faire ce dont tu as envie, mais pas nécessairement parce que tu auras beaucoup d'argent, mais parce que tu en feras ta priorité.»

Le jeune Jean-Marie sourit, il est heureux, il ne se sentait plus dévalorisé, il savait qu'il avait des leçons différentes de son cousin à apprendre et c'est la raison pour laquelle l'un et l'autre vivaient des situations différentes. Il ne voyait plus son travail comme une obligation, mais comme une occasion d'apprendre.

Je ramenai Jean-Marie avec moi. Il pleurait de joie. Il avait compris. Il avait toujours cru que pour faire ce dont il avait envie, il lui fallait avoir beaucoup d'argent; c'est pourquoi il travaillait sans arrêt, se dévalorisant par rapport à ceux qui possédaient plus que lui.

Il comprit également que ce qui l'empêchait d'avoir plus de temps avec ses enfants ou de jouer au golf était davantage une question de priorité. Tant que sa priorité était de s'enrichir, il n'avait plus de temps pour lui ni pour sa famille.

En changeant ses priorités, il pouvait faire ce dont il avait envie sans être millionnaire. Soudain, ses obligations ne lui pesaient plus autant, il se sentait même plus léger.

Les équations: «argent = valeur et liberté» et «pas d'argent = moins de valeur et obligation de travailler» étaient devenues: «argent = richesse extérieure qu'on peut perdre», «valeur = richesse intérieure» et «liberté = priorité».

Résumé

Voici en terminant un questionnaire que pourra utiliser l'intervenant pour orienter la personne qui le consulte vers la conscientisation de son affection et la solution la plus appropriée à sa guérison.

Première étape:

Quels sont les symptômes éprouvés?
Que représente la partie du corps affectée[4]?
Quand furent ressentis les premiers symptômes?
Y a-t-il eu un événement particulier ou une situation déstabilisante vécue avant l'apparition des symptômes?

[4] Pour savoir ce que représente la partie du corps affectée, consulter la symbolique du corps dans le livre *Métamédecine, la guérison à votre portée* de la même auteure.

Deuxième étape:

Quel a été le ou les sentiments ressentis à la suite de cette situation déstabilisante?

Quelles furent les émotions éprouvées?

Quelle a été la réaction adoptée?

Troisième étape:

Le sentiment vécu pourrait-il être en résonance avec un événement s'étant produit dans le passé?

Quel est ce lien entre la situation émotionnelle vécue dans le passé et l'affection présente?

Y a-t-il une équation qui aurait pu naître de cette situation émotionnelle?

Quatrième étape:

Comment cette équation pourrait-elle être modifiée favorablement?

Quelle est la solution qui permettrait le relâchement du stress et le retour à la quiétude d'esprit de la personne qui consulte?

Quelle action précise pourrait être retenue pour favoriser le retour du bien-être?

Cinquième étape:

Quel est le message ou la leçon que cette affection pouvait contenir?

Note : Une fois le message compris, on peut suggérer à la personne qui nous consulte de remercier son organe ou la partie de son corps affecté, pour son message, en ajoutant qu'elle a compris et qu'elle va remédier à la situation.

Ensuite, elle pourra allouer le temps nécessaire à son corps, pour qu'il puisse réparer les tissus affectés ou retrouver son homéostasie.

Enfin, lui suggérer d'oublier son affection en gardant à l'esprit, que son corps procède à sa guérison.

CHAPITRE

8

Résoudre nos conflits pour guérir

«Le médecin actuel ne connaît bien que les maladies organiques. On les lui a apprises et il sait presque toujours bien les traiter. Mais il y en a très peu qui connaissent bien les maladies psychosomatiques; ils les ont découvertes au contact de leurs patients... Il faudrait qu'il y ait des médecins capables d'enseigner cette approche et ces médecins existent sûrement, mais pas dans les facultés.»

Professeur Milliez

QU'EST-CE QU'UN CONFLIT?

Un conflit est une perturbation dans le déroulement habituel de notre quotidien. Lorsqu'un conflit survient de façon inattendue, nous lui donnons le nom de **choc** et il arrive que nous l'exprimions ainsi: «Ce fut comme un coup de masse sur la tête», «Ce fut comme une douche froide», «J'ai été complètement pris de court...», «C'était comme si la terre s'ouvrait sous mes pieds...», «Je suis demeuré bouche bée, complètement sidéré...»

Dans le cas d'une difficulté à laquelle on doit faire face, on lui donne le nom de **stress**. Il peut s'agir de quelque chose qu'on appréhende comme, ne pas arriver à faire les payements de sa maison, perdre son emploi, se faire enlever la garde de ses enfants, perdre ce qui représente nos investissements de plusieurs années, etc.

Lorsque cela réveille un souvenir mémorisé dans la mémoire émotionnelle de notre cerveau limbique droit, nous lui donnons le nom d'**émotion**.

Une situation ne fait naître une émotion que si elle correspond à une expérience déjà vécue qui a été enregistrée dans notre mémoire émotionnelle.

Si une situation nous rappelle une expérience agréable ou qui s'est soldée par une réussite, elle suscite une émotion positive qui va nous encourager à répéter l'action qui l'a engendrée.

En revanche, si une situation nous rappelle une expérience déplaisante ou qui fut vécue comme un échec, il en résulte une émotion négative que nous pouvons craindre de revivre.

Devant une émotion négative, deux solutions s'offrent à nous: la fuite pour éviter de revivre cette situation désagréable ou l'affrontement si nous ne pouvons nous y soustraire.

Quand l'action devient impossible, que l'on ne peut ni s'y soustraire, ni l'affronter, il en résulte un stress qui va activer notre sympathicotonie et nous mettre en phase active de conflit qui donnera naissance à des symptômes puis à des maladies si nous ne trouvons pas une solution pour nous libérer de ce stress.

Que se passe-t-il lorsque nous sommes confrontés à un conflit?

Prenons l'exemple d'un piano. Lorsque le pianiste appuie sur une touche, le pilote de cette touche se lève pour actionner un chevalet qui, à son tour, propulse un marteau sur la corde correspondante qui émet un son spécifique à la note jouée.

Par analogie avec notre corps, la note du piano serait l'équivalent de notre ressenti à l'égard d'une situation vécue. Ce ressenti va alors frapper comme un marteau sur une zone bien précise de notre cerveau. À partir de cette aire spécifique du cerveau, une impulsion sera transmise par les neurotransmetteurs à une fibre nerveuse (une corde du piano) pour se répercuter dans l'organe correspondant.

Une note «fa» ne donnera jamais le son «do».

Bien qu'il existe plusieurs conflits, on pourrait les regrouper dans quatre principaux groupes selon la zone du cerveau qui sera sollicitée:

les conflits archaïques;

les conflits de menace pour nos organes vitaux et de souillure;

les conflits de dévalorisation;

les conflits de relation.

Les conflits archaïques

Les conflits archaïques sont des conflits liés principalement à notre survie. Ces conflits sont captés, au moment du ressenti, par le tronc cérébral de notre cerveau qui, à son tour, envoie une réponse dans l'organe correspondant pour tenter d'adapter l'organisme à ce danger réel ou imaginaire.

Voici quelques exemples de ces conflits:

- la peur de mourir par la maladie;
- la peur de mourir par manque de moyens de subsistance (nourriture, argent, logement);
- la peur de mourir en faisant face à une situation périlleuse ou à une agression.

Les conflits de menace pour nos organes vitaux et de souillure

Les conflits de menace pour nos organes vitaux et de souillure sont captés, au moment du ressenti, par le cervelet qui, à son tour, envoie une réponse vers un tissu ou organe mésodermique ancien (plèvre, péritoine, péricarde, chorion, derme, etc.).

En voici quelques exemples:

- avoir peur pour son cœur après avoir reçu des résultats d'examens;
- s'inquiéter de ne pas pouvoir répondre aux exigences de l'emploi qui nous permet d'assurer la subsistance de notre famille;
- travailler dans un endroit où l'on respire continuellement des fibres ou des impuretés peut nous faire craindre pour la santé de nos poumons;
- s'être senti abusé, non respecté ou entraîné dans des histoires nébuleuses peut donner lieu à des conflits de souillure.

Les conflits de dévalorisation

Ces conflits de dévalorisation sont captés par la moelle du cerveau qui, à son tour, envoie une réponse vers un tissu ou un organe mésodermique (os, muscles, tendons, moelle, ganglions, rate, artère, veine, sang, etc.).

Par exemple, on se dévalorise lorsque:

- on se compare aux autres et on se dénigre;
- on recherche la perfection et on n'accepte pas nos limites;
- on se culpabilise et on se fait des reproches;
- on utilise des propos défaitistes du genre: je n'y arriverai jamais, ça ne fonctionnera pas, ça ne marchera pas, etc.;
- on se critique et on se rejette en pensant ou en disant qu'on est nul, maladroit, incompétent, etc.;
- on n'atteint pas les objectifs que l'on s'était fixés ou lorsqu'on ne réalise pas les rêves que l'on caressait;
- on se laisse envahir par la peur ou lorsqu'on doute de soi ou de ses actions.

Les conflits de relation

Les conflits de relation concernent non seulement nos relations interpersonnelles mais également nos relations avec le milieu où on évolue. Ces conflits sont captés par le cortex qui, à son tour, envoie une réponse vers un tissu ou organe ectodermique.

Dans les conflits de relation, nous retrouvons:

- des conflits de communication;
- des conflits de séparation;

des conflits par identification;

des conflits de territoire;

des conflits de rancœur;

des conflits de résistance.

Les **conflits de communication** vont affecter les organes de la communication soit la gorge, le larynx, la bouche, la langue, les oreilles, ou s'il s'agit de communication sexuelle, cela pourra apporter des problèmes au niveau des organes sexuels (vagin, col de l'utérus, pénis, etc.).

Il faut toutefois tenir compte des nuances possibles de ces conflits. Par exemple, une discussion dans laquelle on a ressenti beaucoup de colère a pu se manifester par une laryngite. Mais si nous travaillons dans le public ou dans l'enseignement, une laryngite peut être reliée à une grande fatigue. Le cerveau nous prive momentanément de la parole pour nous forcer à nous reposer.

Dans ces deux exemples, le conflit concerne la communication, mais la cause sur laquelle nous devons intervenir n'est pas la même.

Les **conflits de séparation** peuvent se manifester par des problèmes de peau (eczéma, psoriasis, allergies, zona, urticaire, vitiligo, etc.), un carcinome (au sein pour les femmes, aux bronches pour les hommes), des affections aux yeux, au nez, aux oreilles ou encore par des paralysies sensorielles (perte d'odorat, de goût ou d'audition).

La séparation peut être physique par l'éloignement, le départ ou le décès d'un être cher.

La séparation peut être affective. Par exemple, une maman qui ne répond pas aux pleurs de son enfant par crainte de le gâter ou d'encourager ses caprices, une maman qui refuse à son enfant ce qui a beaucoup d'importance pour lui, un enfant ou un adulte qui ne se sent pas entendu ou compris, un enfant ou un adulte qui se sent rejeté ou culpabilisé.

On retrouve fréquemment des cas d'eczéma chez des enfants qui se sentent séparés de leur mère.

Les **conflits par identification** sont des conflits qui nous font ressentir la souffrance de l'un de nos proches comme si elle était la nôtre ou qui fait naître en nous la peur d'en être affecté. La souffrance de l'autre peut aussi réveiller une blessure en nous.

Une mère qui apprend que sa fille a été abusée peut en être affectée autant sinon plus que sa fille. Cet abus a pu réveiller un traumatisme que la mère a peut-être déjà elle-même vécu par le passé.

Les conflits de territoire. Tout être vivant a besoin d'avoir une place bien à lui pour se développer. Cela est aussi vrai pour les plantes, les animaux que les êtres humains. Le territoire est ce qui représente notre sécurité, c'est là où l'on peut exister sans crainte, c'est également ce qu'on considère comme étant à nous.

Pour une petit enfant, ce peut être sa doudou, sa peluche ou un objet auquel il tient particulièrement. Pour un enfant ou un adolescent, son territoire sera sa chambre. Pour un adulte, il pourra s'agir de son bureau, sa cuisine, sa salle de bain privée, son jardin, son atelier, son garage, sa maison, son entreprise.

Ce peut être nos outils, nos dossiers, notre journal intime, notre lit, etc. Ce peut être notre corps, notre intimité, notre liberté de penser, de choisir et de décider. Notre territoire peut également concerner nos proches: notre conjoint, nos enfants, nos parents, nos amis, etc.

Un conflit concernant l'envahissement de son territoire peut donner lieu à de l'énurésie, des infections urinaires, de l'incontinence ou des bronchites (surtout chez les hommes) et des vaginites chez les femmes.

Une petite fille traînait une vieille doudou en lambeaux. Sa mère la jeta, la petite fit une cystite. Sa mère lui mit des draps de flanelle dans son lit et la cystite guérit.

Un enfant qui partage sa chambre avec un frère ou une sœur souffre parfois d'énurésie.

La crainte ou la perte de son territoire peut créer des palpitations, de l'angine, un infarctus (en phase de récupération) ou des problèmes avec les bronches qui peuvent se transformer en cancer.

Les **conflits de rancœur** vont surtout affecter les voies digestives (l'œsophage, l'estomac et les voies biliaires). Il s'agit bien souvent de situations qu'on n'a pas «avalées» ou qu'on n'a pas «digérées» parce qu'on les considère injustes, inacceptables ou déloyales.

Enfin, les **conflits de résistance** vont surtout atteindre les cellules bêta du pancréas pour donner naissance au diabète sucré.

Ce conflit de résistance pourrait se résumer par ces mots: «Je ne te donnerai pas la satisfaction de me voir devenir ce que tu veux que je sois...»

Type de conflit	Localisation au cerveau	Origine embryonnaire	Principaux organes affectés
Archaïque	Tronc cérébral	Endoderme	Oreille moyenne, poumon, organes du système digestif, rein, utérus, ovaires, trompes utérines, testicules, prostate, urètre.
Menace et souillure	Cervelet	Mésoderme ancien	Plèvre, péritoine, péricarde, méninges, bourse, derme, chorion, sein.
Dévalorisation	Moelle du cerveau	Mésoderme nouveau	Dents, os, articulations, muscles, tendons, artères, veines, rate, ganglions, sang, lymphe, ovaires.
Relation (entourage et environnement	Cortex	Ectoderme	Peau (épiderme), muqueuses, nez, yeux, oreilles, bron ches, œsophage, seins, estomac, voies biliaires, pancréas, col de l'utérus.

Plusieurs organes énumérés ci-dessus ont été formés par la contribution de deux et parfois trois familles embryonnaires. Ces organes pourraient donc être affectés par un conflit ou un autre, ce qui suppose de ne pas s'en tenir qu'à l'organe mais au tissu spécifique de l'organe affecté. Cela peut nous faire comprendre la complexité de certains conflits.

Complexité des conflits

Mélissa m'a consultée pour un problème d'ulcères à la cornée. Myope depuis sa naissance, c'est à l'adolescence que se sont manifestés plus intensément ses problèmes aux yeux. Les médecins lui ont diagnostiqué une amblyopie (baisse de l'acuité visuelle faisant référence à une faiblesse de l'œil) résultant d'un strabisme. Selon eux, ses ulcères relèveraient de la faiblesse de son œil.

Pendant une bonne période, pour la soulager de ces douloureux ulcères, on lui prescrivit un lubrifiant *Lacrilube*, mais, avec le temps, cet onguent ne parvenait plus à la soulager de la douleur qu'elle éprouvait lorsque sa cornée se collait à sa paupière. Par la suite, elle fit des érosions récidivantes et une déchirure de la rétine. On lui proposa de nouveaux traitements d'abord par laser puis ensuite par chirurgie; on lui retira une fine couche de la cornée. Cela la soulagea pendant une certaine période au bout de laquelle les ulcères réapparurent. Un jour, lasse d'essayer d'intervenir au niveau des symptômes, elle voulut me rencontrer pour tenter de connaître l'origine de sa souffrance.

Puisque ses problèmes aux yeux remontaient à sa naissance, il fallait retracer ce qui aurait pu perturber Mélissa à sa naissance pour ensuite trouver ce qui réactivait ce conflit.

Pour ne pas alourdir ce chapitre, je vais décrire dans ses grandes lignes le travail thérapeutique fait avec Mélissa et mettre l'accent sur la libération du conflit responsable de l'affection des yeux de Mélissa.

Mélissa est née prématurément chez elle. Son père, paniqué, appela la gendarmerie. Les policiers arrivèrent rapidement au domicile de ses parents. L'un d'eux s'occupa d'elle pendant qu'un autre aidait sa mère. Ce policier l'emmaillota tellement serré que Mélissa ne pouvait pratiquement plus respirer. À son arrivée à l'hôpital, elle était déjà toute bleue. Mélissa eut très peur de mourir. L'équation qui en découla fut «vivre = danger» ou «la vie est menaçante = on peut me faire du mal».

Vers l'âge de 10 ans, ses parents rendirent visite à l'un de ses oncles qui était cardiaque; le moindre effort épuisait cet homme. Mélissa l'observait en pensant qu'il était bien démuni. S'adressant à elle, il lui dit: «Toi aussi, tu auras ça plus tard…» faisant référence à ses problèmes de cœur. Mélissa le crut. Par la suite, chaque fois qu'elle éprouvait un petit malaise, elle craignait pour son cœur.

L'avenir s'annonçait donc menaçant puisque cet oncle lui avait dit: «Plus tard, tu auras ça toi aussi…» Pour un enfant de 10 ans, plus tard ce peut être vers 18 ou 20 ans. L'équation la «vie est menaçante» s'en trouva amplifiée.

À l'âge de 17 ans, elle vécut un autre conflit important. Elle éprouvait des difficultés de compréhension dans une matière et ses compagnes semblaient mieux comprendre qu'elle. Le professeur relevait les réussites des autres élèves puis se tournant vers Mélissa, lui dit: «Toi, tu ne feras jamais rien de bon dans la vie…»

Mélissa me confia: «À ce moment-là, j'ai éprouvé un sentiment de désespoir. J'ai pensé, il a raison, je ne suis rien, je ne vaux rien et je ne ferai rien qui vaille dans la vie… en même temps, je le vivais comme un sentiment d'injustice, les autres avaient droit à de belles choses dans la vie, mais moi, non. Mon futur n'annonçait donc rien de bon…»

Les problèmes aux yeux de Mélissa pourraient se résumer ainsi: «J'ai peur de voir ce que la vie me réserve...»

Nous avons ici un conflit qui affecte un tissu épithélial dont le relais se trouve au cortex cérébral. Ce conflit qui concerne son milieu est en résonance avec l'équation initiale «les autres peuvent me faire du mal.» Il y en a toutefois un autre encore plus profond qui peut expliquer son strabisme et son amblyopie.

Je demandai à Mélissa: «Qu'est-ce qui pourrait t'arriver de pire dans la vie?»

Mélissa me répondit: «Je ne sais pas, il faudrait que j'y pense.»

Moi: «Ne réfléchis pas, dis-moi plutôt la première chose qui te vient à l'esprit.»

Mélissa: «Ce serait de mourir...»

Le conflit plus profond était une peur de mourir. Cette peur de mourir est un conflit archaïque. Mélissa a peur de ce que l'avenir lui réserve, elle a peur de souffrir et de mourir. Cette peur de ce qui peut survenir est ressentie par le tronc cérébral et, plus particulièrement, par le mésencéphale (l'une des parties du tronc cérébral) qui est responsable du mouvement des yeux.

La solution de survie pour Mélissa résidait dans la vigilance qui pouvait se résumer à cette phrase: «Je dois bien regarder, bien faire attention pour voir venir ce qui pourrait me faire du mal.» On comprendra ici la tension (sympathicotonie) permanente qui va affecter ses yeux par un strabisme d'abord, puis par les ulcères.

Ces ulcères qui pouvaient être attribués à une infection étaient en réalité des tumeurs ulcératives de la cornée. Les bactéries tenues responsables n'étaient en fait là que pour éliminer la tumeur formée lorsqu'elle surmontait cette peur de mourir. Mais, dès que cette peur était réactivée, cela donnait lieu à nouveau à une tumeur ulcérative.

Sur quel événement devrions-nous intervenir pour aider Mélissa à se libérer de son conflit? Sa naissance? Sur ce que lui a dit son oncle? Sur ce que lui a dit son professeur? Sur sa peur de mourir?

Parfois le fait d'intervenir sur l'événement de base et l'un des éléments déclencheurs peut être suffisant. Mais, ici, c'est plus complexe puisque la peur de ce que la vie lui réserve et la peur de mourir de Mélissa fait référence:

à ce qu'elle a vécu à sa naissance: on peut lui faire du mal (souvenir du policier qui l'enveloppe trop serré); (si quelqu'un me fait du mal, je peux mourir);

à sa rencontre avec son oncle malade: «Toi aussi, tu seras malade plus tard» (si je suis malade, je peux mourir);

à sa condamnation par son professeur: «Tu ne feras jamais rien de bon dans la vie» (si je ne réussis pas je ne pourrai pas subsister).

Pour aider Mélissa à guérir véritablement, il fallait l'aider à se libérer de la peur qu'on lui fasse du mal, de la peur de la maladie et de l'échec et, enfin, la peur de mourir.

Nous voyons ici qu'un problème de santé peut avoir plus d'une cause. Toutefois, ces causes se rattachent très souvent à un dénominateur commun; pour Mélissa, c'était la peur de mourir.

En approfondissant la Métamédecine ou la Nouvelle Médecine du Dr Hamer, on ne peut plus agir en réductionniste, c'est-à-dire faire des équations trop rapides ou trop simplistes de ce genre. La peur de mourir fait partie des conflits archaïques et va toucher le poumon. Une peur de mourir peut certes affecter le poumon, mais aussi d'autres organes ou d'autres parties d'organes. Lorsqu'il est question du cancer du poumon, il faut savoir qu'il n'existe pas un seul type de cancer aux poumons, mais plutôt six ou sept différents types suivant les cellules ou tissus affectés. C'est pourquoi en Métamédecine, on s'occupera de la personne et de son histoire plutôt que de tenter de la ranger sous une étiquette.

Comment maintenant allons-nous aider Mélissa?

Nous avons déjà vu que pour résoudre un conflit, il faut trouver une **solution** ou poser une **action transformatrice**. Cette solution ou action peut être réelle ou imaginaire.

Action réelle ou imaginaire?

Lorsque le conflit concerne ce que nous vivons dans notre quotidien, il est préférable de trouver une solution réelle au conflit.

Mais lorsque le conflit relève de situations qui se sont produites dans le passé, il est impossible d'intervenir avec une solution réelle. Il nous faut alors utiliser une action imaginaire, mais qui devra être ressentie comme étant réelle. Rappelons, en passant, que le cerveau ne fait pas la différence entre le réel et l'imaginaire.

Pour aider Mélissa, il fallait débuter avec le conflit qui était à la base, soit le bébé qui a peur de mourir puis, après, il fallait intervenir sur le conflit qu'elle avait vécu à l'âge de 10 ans puis à 17 ans. Ces trois conflits appartenant au passé, on se devait d'intervenir avec une action imaginaire ou par imagerie mentale.

En revanche, pour le conflit «peur de mourir» qui l'habite dans son quotidien, on pourra recourir à une solution ou à une action transformatrice réelles.

Toutes ces actions transformatrices peuvent-elles être réalisées en une seule séance?

Pour ma part, je crois qu'il est préférable de résoudre un conflit à la fois.

Libération du premier conflit, soit celui où le bébé a peur de mourir

J'invitai Mélissa à bien se détendre et à prendre trois bonnes respirations.

Le thérapeute qui veut guider son participant dans un processus thérapeutique doit être lui-même parfaitement bien détendu, calme et serein, sinon la personne n'atteindra pas cet état de détente en profondeur nécessaire à la libération de son conflit.

Une fois que Mélissa fut bien détendue, je l'invitai à visualiser un lieu et des événements comme si elle était au cinéma et qu'elle regardait un film projeté sur un écran. La seule différence, c'est que ce film allait se dérouler sur son écran mental.

Je l'invite donc à revoir l'endroit où ses parents habitaient lorsqu'elle était toute petite.

Si cette personne n'a pas de souvenir, elle peut penser à une photo qu'elle a déjà vue. Si elle n'obtient aucune image par ce moyen, on peut lui proposer d'imaginer tout simplement le lieu où se déroulait la scène.

Lorsque Mélissa peut se situer par imagerie dans un lieu, je l'invite à voir son père téléphoner à la gendarmerie, à voir sa mère couchée avec ce petit bébé dont le cordon ombilical n'a pas encore été coupé puis à voir les policiers entrer.

Ce processus de visualisation doit se faire très graduellement.

Je la guide pour qu'elle voie le policier qui se charge de l'emmailloter. Puis je l'invite à ressentir ce que ressent ce petit bébé.

Moi: «Comment elle se sent cette petite fille enveloppée aussi serré?»

Mélissa: «Elle a peur, elle ne sait pas ce qui se passe, ce qui lui arrive… elle étouffe, elle manque d'air, elle a peur qu'on lui fasse du mal…»

Moi: «C'est bien, c'est très bien… Maintenant, la Mélissa qui est avec moi en ce moment va entrer dans cette image, elle va aller près de cette petite fille pour la rassurer… dis-lui que tu es là, que tout va bien.»

Ce dialogue doit, de préférence, être prononcé de manière audible pour le thérapeute.

Mélissa: «Je suis là, ma petite Mélissa, n'aie pas peur, je suis avec toi, tout va bien aller…»

Moi: «Desserre-lui un peu ces langes qui l'étouffent… sens-la mieux respirer…»

Mélissa s'exécuta.

Moi: «Est-ce que ça va mieux à présent?»

Mélissa: «Oui…»

Moi: «Dis-lui qu'on va l'amener à l'hôpital avec sa maman pour s'assurer que tout va bien et pour lui donner les soins nécessaires… dis-lui que le policier l'a enveloppée très serré parce qu'il ne voulait pas qu'elle prenne froid…»

Mélissa: «On va maintenant t'amener à l'hôpital avec ta maman, on va prendre bien soin de toi... le policier t'a enveloppée très serré parce qu'il ne voulait pas que tu prennes froid, il voulait que tu sois bien emmaillotée, tu es si petite...»

Moi: «Cette petite fille a-t-elle toujours aussi peur?»

Mélissa: «Non, elle est rassurée à présent.»

Moi: «Dis-lui que tu l'aimes beaucoup et que tu seras toujours là pour la rassurer lorsqu'elle aura peur.»

Mélissa, prenant sa petite fille dans ses bras, lui dit: «Ma petite chérie, tu es si belle et si mignonne, je t'aime tellement. À partir d'aujourd'hui, chaque fois que tu auras peur, je serai là pour te rassurer, tu pourras toujours compter sur moi...»

Moi: «Comment elle se sent à présent cette petite fille?»

Mélissa: «Elle se sent bien.»

Moi: «La vie lui fait-elle encore aussi peur?»

Mélissa: «Non, elle n'a plus peur.»

Moi: «Très bien, alors garde dans ton cœur l'image de cette petite fille heureuse et prends bien ton temps, puis replace-toi dans la pièce où tu es.»

Libération du deuxième conflit, soit celui avec l'oncle cardiaque

De nouveau, j'invitai Mélissa à se détendre et à se revoir chez son oncle, à retrouver ce qu'elle ressentait pour son oncle et, enfin, à l'entendre lui dire qu'elle sera comme lui plus tard, ce qui supposait qu'elle aurait également des problèmes cardiaques.

Puis, je lui demandai comment elle se sent cette petite Mélissa de 10 ans à qui son oncle vient de dire qu'elle sera aussi malade plus tard.

Mélissa: «Elle a peur, elle a peur de vieillir et d'être malade.»

Moi: «Très bien. À présent, la Mélissa d'aujourd'hui, celle qui est avec moi en ce moment, va entrer dans cette image. Elle va aller près de sa petite Mélissa de 10 ans; elle va aller la rassurer.»

Mélissa, entrant dans cette image, alla retrouver sa petite fille pour la rassurer et lui dire qu'elle était là avec elle.

Moi: «Très bien. Maintenant, dis à ta petite fille que ce que son oncle vient de lui dire, ce n'est pas vrai. Ce n'est pas parce qu'il est malade que tout le monde doit être malade…»

Mélissa s'exécuta.

Moi: «À présent, toi la Mélissa adulte, tu vas amener ta petite fille près de son oncle et lui dire ce que cela t'a fait lorsqu'il t'a dit que, toi aussi, plus tard tu aurais ça…»

Mélissa se vit amener sa petite fille près de son oncle et lui dire: «Mon oncle, ce que tu m'as dit m'a fait très peur. J'ai eu peur de grandir parce que je ne veux pas être malade comme toi. Ce n'est pas parce que tu es malade qu'on est forcé de l'être aussi…»

Moi, **dans le rôle de son oncle**: «Ma petite Mélissa, je ne voulais pas te faire peur, je voulais seulement te dire que lorsque j'avais ton âge, je n'aurais jamais pensé qu'un jour je puisse être malade. Si j'avais su, j'aurais fait plus attention à ma santé. Mais, vois-tu, je n'ai jamais fait attention à mon corps avant d'être malade.»

Mélissa: «C'est parce que tu n'as pas fait attention à ton corps, mon oncle, que tu es malade. Donc, si on fait attention à sa santé, on ne devient pas forcément malade?»

Son oncle: «Oui, Mélissa, si tu prends soin de ta santé, tu n'auras pas ce que j'ai.»

Mélissa: «Alors je vais faire attention à ma santé.»

La petite Mélissa était rassurée. Son oncle lui fit un beau sourire et elle le lui rendit. Je la ramenai tout doucement avec moi.

Ce travail permis à Mélissa de se libérer de la peur que la maladie lui tombe dessus sans raison.

Libération du troisième conflit, soit celui avec son professeur

Nous reprîmes cette nouvelle séance de libération de la mémoire émotionnelle de Mélissa.

De nouveau, elle se détendit, prit de bonnes respirations puis se revit à l'école, assise à son pupitre.

Là, elle observa le professeur complimenter certaines de ses camarades. Au moment où elle ne s'y attendait pas, elle le vit se tourner vers elle et lui dire: «Toi, tu ne feras jamais rien de bon dans la vie…»

Moi: «Comment elle se sent la jeune Mélissa à qui le professeur vient de dire qu'elle ne fera jamais rien de bon…»

Mélissa: «Elle ne comprend pas, elle se demande ce qu'elle lui a fait pour qu'il soit aussi méchant avec elle. Elle se sent comme un déchet, sans aucune valeur. Elle est très triste et désespérée.»

Moi: «Très bien. Maintenant la Mélissa qui est avec moi en ce moment va entrer dans cette image; tu vas aller dans cette classe près de ta jeune Mélissa. Tu vas lui dire que ce n'est pas vrai ce que vient de lui dire son professeur. Dis-lui que, toi, tu vois sa valeur, que tu crois en elle.»

Mélissa se voyant aller près de sa jeune Mélissa, lui dit: «Tu as du chagrin, tu crois que tu ne vaux rien, que tu n'as pas de valeur, tu penses qu'il a raison? Laisse aller ton chagrin, je suis là moi, la grande.» (Mélissa se voyait consoler sa jeune Mélissa.)

Puis Mélissa, l'adulte, poursuivit: «Comment peut-il dire une chose pareille, il peut constater que tu as de la difficulté à comprendre ce qu'il enseigne, mais est-ce qu'il sait que, dans tes autres cours, tu réussis bien? Toi, tu le sais que tu réussis bien dans toutes les autres matières n'est-ce pas?»

La jeune Mélissa: «C'est vrai, c'est le seul cours où j'ai de la difficulté.»

Mélissa, l'adulte, **sous ma guidance**: «Crois-tu que les gens qui réussissent n'ont jamais éprouvé de difficultés dans certaines matières? Tout le monde, sans exception, a des forces, des faiblesses et des difficultés à surmonter. Peux-tu accepter que, toi aussi, tu aies des forces et des difficultés à surmonter?»

La jeune Mélissa: «Oui, je peux l'accepter.»

La grande Mélissa: «Crois-tu que tu puisses réussir avec tes forces même si tu éprouves comme tout de monde des difficultés?»

La jeune Mélissa: «Oui, je peux réussir.»

La Mélissa adulte: «Ton professeur a-t-il raison?»

La petite Mélissa: «Non.»

La Mélissa adulte: «Que dirais-tu si on allait le lui dire?»

Je guidai Mélissa pour qu'elle visualise que les élèves sortaient de la classe pendant que le professeur rangeait ses choses. Je l'invitai à aller vers ce professeur pour lui dire ce qu'elle avait ressenti lorsqu'il lui a dit, devant toute la classe, qu'elle ne ferait jamais rien de bon dans la vie.

Mélissa: «Monsieur, j'aurais besoin de vous parler.»

Le professeur: «Oui, Mélissa, que veux-tu me dire?»

Mélissa: «Monsieur, vous m'avez profondément blessée et humiliée devant toute la classe quand vous avez dit que je ne ferais jamais rien de bon dans la vie. Je me suis sentie comme un vieux déchet, sans valeur, vous m'avez atteinte au plus profond de mon être. De quel droit pouvez-vous spéculer sur mon avenir, qu'est-ce que vous connaissez de moi, est-ce que vous savez que je réussis bien dans tous mes autres cours?»

Moi, **dans le rôle du professeur**: «Mélissa, je ne pensais pas te blesser autant. J'ignorais que tu réussissais bien dans tes autres cours. J'avais l'impression que je n'arriverais à rien te rentrer dans la tête. Peut-être devrais-je revoir ma façon d'enseigner, peut-être que ma façon de m'y prendre ne convient pas à tous les élèves. Je te demande pardon. Voudrais-tu m'aider en me disant comment je pourrais t'aider pour que tu réussisses aussi bien dans ce cours?»

La jeune Mélissa: «Je veux bien, même si je ne sais pas comment...»

Le professeur: «Merci, Mélissa, d'être venue me dire que je t'avais blessée, je ferai plus attention à mes paroles avec mes élèves à l'avenir.»

La jeune Mélissa: «Merci, Monsieur de m'avoir écoutée…»

Je la guidai pour qu'elle voie le professeur quitter la classe avec elle.

Moi: «Comment elle se sent à présent la jeune Mélissa?»

Mélissa: «Elle se sent bien; elle se sent beaucoup plus en confiance.»

Moi: «Très bien, garde cette image dans ton cœur et replace-toi tout doucement dans la pièce où tu es.»

Si la personne pleure au cours du processus d'imagerie mentale, le thérapeute évitera de la toucher même pour la consoler. Si la personne a besoin d'un mouchoir, il le lui déposera très délicatement sur la main pour qu'elle sente sa présence et qu'elle l'utilise. Toucher une personne au cours de ce processus aurait comme effet de la sortir de cet état second nécessaire à ce travail de réhabilitation des sentiments ayant engendré les émotions qu'elle vit à répétition. À la fin de la séance, lorsque la personne ouvre les yeux, le thérapeute va lui laisser le temps de revenir, il peut, à ce moment-là, lui offrir ses bras.

Pour prendre le rôle d'un parent, d'un professeur ou de toute autre personne avec laquelle notre participant a vécu des émotions, il faut se centrer sur son cœur pour trouver les mots qui aideront la personne à se libérer du conflit qui l'habitait.

Ce processus thérapeutique consiste à aider la personne qui nous consulte à poser des gestes ou exprimer des paroles qui lui auraient permis de se libérer de son émotion. Comme ces gestes ou ces paroles n'ont pas été posés par le passé, la personne n'a pas pu se libérer de son émotion. Or, ces émotions la gardent dans un état d'inhibition où la personne croit qu'elle ne peut surmonter ses difficultés, ce qui laisse à la maladie tout le loisir de s'installer.

À travers ce processus thérapeutique, on lui fait affronter sa peur, exprimer sa souffrance sur un mode actif. Ainsi, lorsque la personne sera confrontée à une situation similaire, elle saura comment s'y prendre pour affronter ce qui par le passé l'aurait déstabilisée.

Il ne restait maintenant plus qu'à aider Mélissa à se libérer définitivement de la peur de mourir.

Lorsque je reçois en thérapie des personnes aux prises avec cette crainte, je leur demande si elles ont peur d'aller dormir; la majorité d'entre elles me répondent que non. Je leur dis alors que mourir ou aller dormir, c'est exactement la même chose, sauf pour un aspect. Au moment de nous endormir, nous demeurons rattaché à notre corps physique par ce que nous appelons le «cordon d'argent». Ce cordon joue le même rôle que le cordon ombilical qui unit la mère et l'enfant.

Si ce cordon d'argent se rompt partiellement cela provoque le coma. S'il se rompt totalement, le corps physique n'est plus alimenté d'énergie de vie et sa matière, qui était maintenue dans un plan organisationnel, se désorganise et c'est la mort.

Lorsque nous allons dormir, nous quittons notre corps physique ainsi que tous les êtres que nous aimons, les choses que nous possédons, nous voyageons alors avec un véhicule plus léger, soit le corps astral, dans le monde astral. C'est ce que nous appelons le monde des rêves qui est en bonne partie le miroir de nos désirs et de nos émotions.

Si, par exemple, nous avons peur de ne pas avoir suffisamment de temps pour terminer un travail important, nous pouvons rêver que nous ratons notre train ou notre avion. Si nous avons des doutes à l'égard de nos relations de couple, nous pouvons rêver que nous sommes avec une autre personne, etc.

Au cours de la nuit, lorsque nous accédons à un sommeil plus profond, nous pénétrons à l'état latent ou en attente dans les mondes mental et causal. C'est au niveau du corps causal qu'est enregistré tout ce que nous avons vécu. Puis, après un certain temps, nous repassons par les stades mental et astral pour nous éveiller dans le monde physique[1]. C'est le réveil ou une nouvelle naissance. Notre vie sur terre n'est qu'une suite de morts et de renaissances.

Cette compréhension de la mort est très souvent suffisante pour calmer le mental et apaiser cette peur de la mort. Cependant, dans le cas de Mélissa, mon intuition me disait que l'âme qui l'habitait était morte dans la panique dans une incarnation passée. Dans cette présente incarnation, elle était née dans un climat de panique. Il me fallait donc aider l'âme en lui faisant revivre une nouvelle mort. Ce travail sera traité dans le prochain chapitre.

Dans l'histoire de Mélissa, nous avons touché à différents conflits, soit à un conflit archaïque qui était la peur de mourir, à un conflit de relation avec son milieu qui était «la vie est menaçante» et, enfin, à un conflit de dévalorisation lorsqu'elle avait cru qu'elle ne valait pas plus qu'un «vieux déchet».

---

[1] Pour en savoir davantage, lire *Rendez-vous dans les Himalayas Tome II.*

Julie et ses maux de dents

Julie a ressenti de très fortes douleurs aux mâchoires après un incident qui s'est produit à la cour alors qu'elle était greffière. Un jeune garçon accusé d'inceste l'avait fixée pendant son procès, ce qui l'avait déstabilisée complètement[2].

Les dents sont issues du mésoderme (famille des Mésoblastes nouveaux), ce qui a priori nous laisserait penser à un sentiment de dévalorisation, mais ce mal de dents de Julie a débuté par des douleurs aux mâchoires. Or, le mouvement des mâchoires lui, relève de la protubérance du tronc cérébral qui est issu de l'endoderme (famille des Endoblastes).

Nous avons donc ici un double conflit, soit un conflit de dévalorisation (les dents) et un conflit archaïque (le mouvement de ses mâchoires).

Que s'est-il passé dans la vie de Julie qui lui aurait fait vivre un conflit de dévalorisation et une telle peur, causant ses douleurs aux mâchoires et aux dents?

Julie est benjamine de sa famille, elle a des frères plus âgés qu'elle. Sa mère travaille beaucoup à l'extérieur, son père dort le plus souvent devant son poste de télévision.

Un soir, l'un de ses frères se glisse dans sa chambre sous prétexte de vouloir lui lire une histoire. Il commence la lecture lorsque deux autres de ses frères pénètrent dans sa chambre. C'est alors que tous les trois vont se rallier pour l'abuser. Un lui tient les bras, l'autre les jambes, pendant que le troisième lui fait un cunnilingus en lui maintenant la main sur la bouche pour l'empêcher de crier.

---

[2] On peut prendre connaissance du début de la thérapie de Julie au chapitre 5.

Elle se débat tant qu'elle peut, mais ils sont trois grands contre une petite fille de 6 ans. Pour elle, c'est horrible. C'est l'équivalent d'un viol même s'il n'y a pas eu pénétration.

Par la suite, elle vit continuellement dans la hantise que ses frères recommencent. Aussi, lorsqu'elle craint que sa mère ne soit pas à la maison au retour de l'école, elle ressent de telles douleurs au ventre que les responsables de l'école appellent sa mère pour qu'elle vienne la chercher. Elle ne se sent en sécurité que lorsque sa mère est là.

Julie va donc vivre une partie de son enfance dans la peur d'être abusée par ses frères. La scène traumatisante sera graduellement occultée avec les années.

Toutefois, il lui reste des mécanismes de protection. Par exemple, elle ne peut dormir nue ou légèrement vêtue. Même mariée, elle dort toute habillée et le plus souvent avec ses jeans. Son conjoint n'en fait pas de cas, mettant cela sur le compte d'une habitude de jeune fille. Ses relations sexuelles se passent bien à l'exception du cunnilingus auquel elle ne peut absolument pas se prêter. Pour elle, c'est la chose la plus dégoûtante qui soit.

Autrement, sa vie se déroule sans trop de problèmes jusqu'au jour où un jeune homme accusé d'inceste va la fixer du regard. Ce regard la replonge dans cette peur viscérale qui l'a habitée pendant des années alors qu'elle était enfant.

Pour aider Julie à guérir de ses douleurs aux dents et aux mâchoires, il fallait la ramener dans cet événement dramatique.

Il me fallut trois séances avant de pouvoir l'amener à recontacter cet événement traumatisant pour elle. Je ne présenterai ici que celui qui concerne l'abus.

Moi: «Julie, si tu veux bien, tu vas te détendre complètement, tu vas prendre trois respirations profondes mais sans forcer. Maintenant, Julie, toi et moi, nous allons retourner en arrière, longtemps en arrière. Tu vas tout d'abord revoir l'endroit où tu habitais lorsque tu étais enfant. Revois tout d'abord la maison où tu as grandi et quand tu la verras, fais-moi signe ou dis-moi si tu la vois. (Julie me fit un petit signe de la main pour m'indiquer qu'elle la voyait.) Très bien, à présent, revois le salon, la cuisine, la chambre de tes parents puis ta chambre. Tu vas te revoir dans cette chambre alors que tu es enfant. Peux-tu voir la petite fille que tu étais?»

Julie: «Oui.»

Moi: «Quel âge as-tu?»

Julie: «Six ans.»

Moi: «Que fais-tu?»

Julie: «Je regarde mes livres d'histoire.»

Moi: «Est-ce le soir?»

Julie: «Oui.»

Moi: «Ta mère est-elle là?»

Julie: «Non, elle travaille.»

Moi: «Et ton père?»

Julie: «Il dort devant la télé.»

Moi: «Très bien, donc tu es seule dans ta chambre. Y a-t-il quelqu'un qui entre dans ta chambre?»

Julie: «Oui.»

Moi: «Qui est-ce?»

Julie: «C'est mon frère Jean-Louis.»

Moi: «Que veut-il?»

Julie: «Il veut me lire une histoire.»

Moi: «Est-ce qu'il te lit cette histoire?»

Julie: «Oui, il commence lorsque...»

À ce moment-là, elle se met à pleurer et à trembler d'effroi en me disant: «Il a fait entrer les deux autres...»

Moi: «Que font-ils?»

Julie: «L'un me tient les jambes, l'autre les bras pendant que le troisième me fait des choses horribles... il met sa main sur ma bouche pour m'empêcher de crier... Ah, c'est horrible...»

Moi: «Très bien, très bien, c'est fini maintenant, ils te laissent et ils s'en vont.»

> *Lorsqu'on fait revivre un événement traumatisant à une personne, il ne faut pas la laisser trop longtemps dans cette image. Juste le temps qu'elle revive cette scène pour qu'on puisse ensuite la dédramatiser.*

Moi: «Maintenant, la Julie qui est avec moi va entrer dans cette image, elle va aller près de cette petite fille de 6 ans. Va près d'elle, prends-là dans tes bras. Dis-lui que tu es là à présent et que tu ne permettras plus jamais à qui que ce soit de lui faire mal. Berce-la, console-la, rassure-la.»

Julie: «N'aie plus peur Julie, je suis là, je vais te protéger, je ne laisserai plus jamais personne te faire du mal. Pleure ma petite, pleure-le ton chagrin...»

Moi: «Dis-lui que si elle a vécu cette expérience, c'est parce qu'elle devait apprendre à se faire respecter mais que, désormais, tu vas l'aider à se faire respecter. Dis-le lui dans tes mots à toi.»

Julie: «Petite Julie, je sais que tu as eu très peur de ce qui s'est passé, que tu t'es sentie forcée de faire quelque chose que tu ne voulais pas mais, vois-tu, cette expérience que tu as vécue, elle était là pour t'apprendre à te faire respecter pour que, par la suite, tu ne permettes plus à personne de te manquer de respect.»

Moi: «Très bien. Maintenant prends-lui la main et amène-la près de ce frère qui l'a abusée et aide-la pour qu'elle puisse lui dire tout ce qu'elle a sur le cœur et le mal qu'il lui a fait.»

Julie prit sa petite fille par la main et alla trouver son frère qui était seul à la cuisine. Elle aida sa petite Julie à exprimer à son frère ce qu'elle avait sur le cœur. Pour ce faire, la grande Julie lui dit: «Je serai juste derrière toi, ton frère ne verra que la petite mais, moi, je serai là pour te protéger.»

La petite Julie se sentant protégée dit à son frère: «Jean-Louis, j'ai besoin de te parler.»

Jean-Louis: «Oui, que veux-tu me dire?»

La petite Julie: «Tu es un salaud, un dégueulasse; tu m'as laissée croire que tu voulais me lire une histoire, mais tu avais manigancé de me faire des choses dégoûtantes, je te déteste, je te hais, je crains tout le temps que tu ne recommences, je ne me sens jamais en sécurité dès que maman s'en va; tu ne peux imaginer l'angoisse dans laquelle tu m'as plongée...» puis elle se mit à pleurer.

Moi, **dans le rôle de son frère**: «Julie, on ne voulait pas te faire de mal, on voulait juste essayer quelque chose sur une fille, si je t'ai mis la main sur la bouche, c'était pour que tu ne réveilles pas papa. Je ne pensais pas te faire de mal, je voulais juste voir ta réaction. Si j'avais su la perturbation psychologique que cela allait te causer, je te jure que je ne l'aurais jamais fait. Sois rassurée, on ne recommencera plus jamais, tu peux dormir tranquille. J'espère que tu pourras te libérer de cela. Si on savait le mal qu'on peut faire, on ne le ferait jamais. Je te demande pardon Julie.»

La petite Julie: «Je veux bien te pardonner.»

La grande Julie ramena sa petite fille vers sa chambre, la borda et l'embrassa bien tendrement. La petite s'endormit bien paisiblement, elle n'avait plus peur.

Lorsqu'on doit aider un enfant à exprimer ce qu'il ressent ou a ressenti à l'égard d'une personne qui lui a fait très peur, il faut lui donner des moyens pour surmonter cette peur. Dans un premier temps, on peut lui demander de voir cette personne assise de sorte qu'elle lui paraisse moins grande par rapport à lui. On peut aussi lui demander de se voir aussi grand qu'elle ou, comme dans le cas présent, lui dire que la grande (ou le grand) est là pour la protéger mais que l'autre ne voit que le petit ou la petite. Si cela n'est pas suffisant, on peut même lui dire que nous, le thérapeute, on est aussi là pour la protéger, qu'on ne laissera pas l'autre lui faire du mal.

Après cette thérapie Julie s'est libérée de ses douleurs aux mâchoires et aux dents.

Voyons à présent comment un conflit de séparation amplifié par un conflit de dévalorisation va évoluer en conflit archaïque.

L'histoire d'Alison[3]

Alison a fait un cancer du sein droit puis un cancer du poumon. Ce cancer du sein a débuté quatre mois après la mort de son père. Pour comprendre la cause de ce cancer du sein, il ne faut pas se limiter à ce qu'elle a vécu au moment de la mort de son père mais bien avant.

Ce cancer qu'on peut attribuer à un conflit de séparation en masque un autre.

Alison avait vécu deux conflits majeurs, soit un conflit de séparation et un autre de dévalorisation. Son conflit de séparation avait pris naissance à l'âge de 4 ans alors qu'elle fut envoyée chez une de ses tantes à la naissance d'une petite sœur. Alison crut qu'elle ne reverrait plus sa mère et en vécut un véritable désespoir.

Ce conflit fut réactivé à l'âge de 26 ans lors du décès de sa mère. Ensuite, c'est sur son père qu'elle reporte cette affection.

Lorsque son père décède à son tour, cela équivaut pour elle à perdre à nouveau sa mère et c'est ce qui déclenchera son cancer du sein. Cela touche son sein droit parce qu'elle est droitière.

Rappelons que le sein droit pour une droitière concerne les êtres que l'on tient sur son cœur, contrairement au gauche qui, lui, concerne ceux que l'on materne. Chez la gauchère, c'est l'inverse.

Au cours de l'intervention visant à lui retirer sa tumeur mammaire (tu meurs ma mère...), le chirurgien va également lui retirer 17 ganglions dont 6, selon les termes de la médecine classique, sont métastasiques.

---

[3] L'histoire d'Alison a été partiellement abordée au chapitre 5.

Sa tumeur au sein qui est un carcinome s'est donc développée à partir de l'épithélium pavimenteux issu de la famille des Ectoblastes ou ectoderme.

Ce qu'on prend pour des métastases des ganglions est en réalité un second cancer caractérisé par de la nécrose des vaisseaux lymphatiques des ganglions. Les ganglions étant formés de tissu mésodermique proviennent de la famille des Mésoblastes nouveaux ou mésoderme.

Le cancer des ganglions ou nécrose des ganglions lymphatiques est associé à des conflits de dévalorisation.

Ce qui laisse croire à des métastases dans le cas du cancer du sein, c'est uniquement la proximité des ganglions axillaires et du sein.

Alison avait déjà vécu un important conflit de dévalorisation à la fin de ses études secondaires. Elle n'était alors plus motivée par ses études, cela lui demandait beaucoup d'efforts pour se maintenir dans la moyenne de classement de son groupe. Elle prit la décision de quitter ses études pour entreprendre une formation en coiffure. Lorsqu'elle informa une enseignante qu'elle allait mettre un terme à son année scolaire pour entreprendre une formation en coiffure, celle-ci lui lança: «Vous n'allez pas abandonner vos études pour devenir une petite coiffeuse...»

Alison se sentit dénigrée, humiliée dans le choix qu'elle avait fait. Cela lui fit très mal, c'est comme si cette enseignante lui laissait entendre que ce métier était sans valeur et qu'en le choisissant elle ne monterait pas très haut dans l'échelle sociale.

Elle entreprit donc ce cours sans grand enthousiasme et le quitta quelques années plus tard. Puis, elle trouva des emplois ici et là. Alison pensait: «Je ne suis pas utile à grand-chose...» Cela s'accentua après la naissance de son fils où elle fit le choix de demeurer chez elle pour l'élever. Elle se comparait à ses amies qui, selon elle, avaient mieux réussi.

Son père devint malade et elle prit soin de lui, trouvant une certaine valorisation dans l'aide qu'elle lui apportait. Après la mort de son père, ses sentiments de perte et d'inutilité refirent surface.

Quatre mois plus tard, elle était affectée d'un cancer du sein (carcinome) et d'un cancer des ganglions axillaires. Il y avait ici non pas un conflit mais deux, soit un conflit de séparation et un autre de dévalorisation.

Voyons à présent comment j'ai aidé Alison à se libérer de ses conflits.

Conflit de séparation

Dans le conflit qu'Alison a vécu à l'âge de 4 ans, je la ramenai auprès de sa petite fille pour qu'elle lui dise que sa maman ne l'avait pas abandonnée, que ce n'était que pour un court séjour et que, si elle le souhaitait, elle pouvait demander à sa tante de téléphoner à sa maman pour qu'elle puisse lui parler.

Voilà ce que cela a donné:

Alison: «Ma tante, je m'ennuie beaucoup de maman, est-ce que tu crois que je pourrais lui parler?»

Sa tante: «Bien sûr, Alison, viens on va appeler ta maman.»

Elle se vit aller près du téléphone avec sa tante qui composa le numéro puis entendit sa tante parler avec sa mère pour ensuite lui prêter le récepteur.

Alison: «Allô, maman...»

Sa mère: «Comment vas-tu ma petite chérie...»

Alison: «Je vais bien, mais je m'ennuie beaucoup de toi...»

Sa mère: «D'accord, je vais demander à papa d'aller te chercher après son travail...»

Alison: «Oh! Maman, j'ai hâte d'être avec toi...!»

Sa mère: «Moi aussi, chérie, on sera ensemble ce soir, dit à *tatie* que je veux lui parler...»

Alison est heureuse et saute de joie.

Dans ce travail avec Alison l'équation était «séparation = abandon». Avec les nouvelles images que l'on donne à sa mémoire émotionnelle, «abandon» devient «absence temporaire à laquelle je peux mettre fin si j'exprime ma souffrance».

Système activateur de l'action et système inhibiteur de l'action

Quelles que soient les situations agréables ou désagréables que nous ayons vécues, elles ont été enregistrées dans la mémoire émotionnelle de notre cerveau limbique comme étant à être renouvelées (si agréables) ou à être évitées (si désagréables).

Toute situation de réussite qui crée un sentiment agréable va mettre en route un système physiologique qui soutiendra par la suite toute action devant une situation similaire. Il s'agit du système activateur de l'action.

À l'inverse, une situation d'échec qui fait naître un conflit va activer, devant une situation similaire, le système inhibiteur de l'action.

Ainsi, tant qu'Alison se sentait abandonnée, elle n'avait pas envie de jouer, elle se refermait dans son chagrin et son désespoir.

En lui faisant poser une action gratifiante même imaginaire (que le cerveau accepte comme réelle), cela équivaut à une réussite, donc, à une action à être renouvelée.

Par la suite, lorsqu'elle se sentira seule, son cerveau limbique va motiver son hypothalamus pour qu'elle renouvelle l'action qui lui a été favorable. C'est ainsi qu'elle osera aller vers une personne pour lui confier ses sentiments et accepter son aide par ricochet.

On se souviendra, dans l'histoire d'Alison, qu'après sa première hospitalisation, au cours de laquelle elle ne s'était pas sentie comprise, elle se referme et ne demande plus d'aide à personne. Cette façon de se fermer nous montre comment son système inhibiteur de l'action s'était manifesté.

Retenons donc que tout ce qui a été vécu comme un échec, dans le sens de ne pas avoir obtenu ce qu'on souhaitait de la vie, ou comme situation désagréable enclenchera notre système inhibiteur d'action chaque fois que l'on se retrouvera confronté à un même sentiment.

C'est ce système inhibiteur d'action qui nous amène à développer des mécanismes de protection pour nous éviter de revivre ce qui nous a fait souffrir.

La fuite, la fermeture, le mensonge ou le contrôle de ses émotions en sont des exemples.

À l'inverse, une situation gratifiante vécue comme une réussite va stimuler notre système activateur de l'action chaque fois qu'on recherchera de nouveau à réussir dans une situation donnée et même si cette action peut être source de stress.

Si, par exemple, j'ai enregistré qu'à la dernière minute j'étais plus créative et que j'obtenais de meilleurs résultats, que se passera-t-il lorsque je voudrai à nouveau que mon travail soit une réussite? Eh bien, inconsciemment, je vais faire en sorte de me retrouver dans une situation qui m'obligera à déployer cette créativité accrue à la dernière minute.

Cela me fera vivre du stress, mais mon cerveau limbique a enregistré que c'est de cette façon que je peux le mieux réussir, car il a comme équation «dernière minute = créativité accrue».

Pour transformer ces équations, il nous faut en donner d'autres à notre mémoire émotionnelle, c'est ce que le travail d'imagerie mentale bien mené nous permet de faire.

Dans le travail fait avec Alison, les images qu'elle avait de cette expérience chez sa tante la maintenaient en inhibition d'action lorsqu'elle se sentait seule et incomprise alors qu'avec les nouvelles images que je l'ai aidée à donner à son cerveau limbique elle passe à présent en activation de l'action. Devant la solitude et l'incompréhension, elle va vers une personne capable de l'aider dans ce sens.

En ce qui concerne mon équation «dernière minute = créativité accrue», il me reste à fournir à mon cerveau des images qui vont l'amener à accepter que «avoir du temps devant soi = meilleurs résultats».

Conflit de séparation lié à un décès

Alison avait vécu, comme nous l'avons vu, un premier conflit de séparation à l'âge de 4 ans qui fut réactivé à l'âge de 26 ans lorsque sa mère est décédée. Pour ne pas trop souffrir, elle reporta l'affection qu'elle avait pour sa mère sur son père.

Au décès de ce dernier, elle vécut un double deuil: elle perdit à nouveau sa mère projetée dans son père. Le conflit de séparation s'en est trouvé amplifié et quatre mois plus tard on a découvert qu'elle avait un cancer du sein.

Lorsque je rencontrai Alison, elle en était à un cancer du poumon lié à une crainte obsessionnelle de mourir. Elle n'avait jamais accepté le décès de sa mère.

Pour la majorité des personnes, la perte d'un être cher leur fait vivre un conflit de séparation brutal. À l'image de la cicatrisation d'une blessure au corps, la perte d'un être cher est une blessure au cœur qui requiert du temps pour se cicatriser.

Ce qui est le plus difficile lorsqu'on perd un être cher, c'est de ne plus pouvoir communiquer avec ce dernier. J'ai eu plusieurs personnes en thérapie qui m'ont confié à travers leurs larmes: «Je ne lui ai jamais dit que je l'aimais...», «J'aurais voulu lui demander pardon...», «J'aurais tellement aimé me rapprocher de mon père ou de ma mère...», «J'aurais tellement voulu qu'il me dise une fois dans sa vie qu'il m'aimait.»

La difficulté à faire un deuil provient souvent de ces regrets qui nous habitent ou de cette histoire qui est restée inachevée.

Pour aider une personne à se libérer de ce conflit de séparation par la mort, il faut l'aider à retrouver cet être cher pour qu'ensemble ils puissent exprimer ces mots ou ces sentiments qui, bien souvent, ont été tus.

Voici comment j'ai aidé Alison dans ce processus de détachement avec sa mère qui est décédée alors qu'elle avait 26 ans.

J'invitai Alison à bien se détendre par ces mots:

Tu vas d'abord prendre trois bonnes respirations lentes et profondes, sans forcer. Puis tu vas détendre toutes les parties de ton corps. Porte tout d'abord ton attention à tes pieds... Laisse partir la tension dans tes orteils, la plante de tes pieds, tes talons, tes chevilles... Puis remonte le long de tes jambes et laisse partir les tensions dans tes mollets, dans tes genoux, dans tes cuisses et dans ton bassin... Porte maintenant ton attention au bas de ta colonne vertébrale et remonte le long de ta colonne en laissant partir toutes les tensions dans tes vertèbres... Remonte aussi jusqu'à ta nuque et laisse partir les dernières tensions dans ton dos et dans ta nuque. Porte maintenant ton attention à tes doigts, détends la paume de tes mains, tes poignets, tes avant-bras, tes coudes, le haut de tes bras, tes épaules... relâche toute tension et sens tes bras devenir lourds, très lourds, très détendus... Porte maintenant ton attention à ton ventre. Détends tes organes génitaux, laisse tes intestins se dénouer, détends ton pancréas, ton estomac, ton foie, ton cœur, tes poumons... Porte maintenant ton attention à ta gorge, les petits muscles de ton cou... Ta bouche se relâche, l'air s'infiltre par tes narines, t'apportant la vie, toute tension quitte tes yeux et ta tête... Sens ta tête devenir lourde, très lourde, très détendue. À présent que tu es parfaitement détendue, tu vas te voir marcher sur une belle route de campagne ensoleillée. Tu marches paisiblement, il n'y a aucune voiture sur cette route... Tu entends les oiseaux chanter, tu sens une grande paix t'habiter... Regarde les arbres le long de cette route... Est-ce le printemps, l'été, l'automne ou l'hiver?

Alison: «C'est l'automne.»

Le processus de relaxation se fait très lentement pour permettre à la personne de bien se détendre. Lorsqu'on lui demande de quelle saison il s'agit, cela nous permet de vérifier si notre personne est bien entrée dans la visualisation.

Moi: «Tu vois ces feuilles colorées des teintes chaudes de l'automne, tu peux sentir le soleil qui t'inonde? Tu marches paisiblement sur cette belle route de campagne. Tu entends les oiseaux chanter. Regarde autour de toi comme tout est paisible. Maintenant, Alison, regarde bien, regarde tout au bout de cette route, là où la route rencontre l'horizon, regarde bien dans cette direction, tu vas voir une personne apparaître... regarde tout d'abord ses pieds..., ses jambes..., ses vêtements..., son visage..., reconnais-tu cette personne?»

Alison: «Oui, c'est ma mère.»

Moi: «Très bien, Alison, continue de la regarder. Tu vas la voir venir vers toi, regarde son visage et son sourire plein d'amour pour toi. Elle s'avance vers toi, elle arrive à présent à ta hauteur..., c'est le moment de lui dire tout ce que tu aurais voulu lui dire...»

Alison: «Maman, tu m'as tellement manqué, je me suis sentie tellement seule après ton départ, tu étais toujours là avant quand j'avais besoin de toi, tu savais toujours trouver les mots pour m'encourager, j'aurais voulu toujours te garder près de moi, j'ai trouvé cela tellement difficile de ne plus t'entendre, de ne plus te voir. J'aurais voulu que tu sois présente à mon mariage, que tu connaisses mon mari, mon petit garçon…»

Moi, **dans le rôle de sa mère**: «Ali, ma chère Ali, je comprends ce que tu as pu vivre, comme cela a pu être difficile pour toi, mais j'ai toujours été près de toi, j'étais là quand tu t'es mariée, j'étais là quand tu as mis ton enfant au monde. J'étais là non pas avec le corps dans lequel tu m'as connue, mais avec tout l'amour qui nous unissait et je serai toujours là. Quand tu auras besoin de me parler, tu pourras toujours me rejoindre sur cette route…»

Alison: «Maman, ça me fait tant de bien de t'avoir retrouvée, de savoir que tu étais là dans les moments les plus importants de ma vie et que tu seras encore là. Je t'aime tellement.»

Moi, **dans le rôle de sa mère**: «Moi aussi, Ali. Tu sais, Alison, une vie ça passe si rapidement. On s'occupe à mille choses, on va d'un projet à l'autre et parfois on oublie l'essentiel. On oublie que le chemin peut être aussi important que là où il mène. Prends le temps de t'arrêter pour apprécier ces moments si précieux de l'existence. Prends le temps d'aimer, c'est ce que tu conserveras de plus précieux quand tu quitteras ce corps.»

Alison: «Maman chérie, je te retrouve dans ta sagesse. Je te remercie de me dire ces choses. Je me sens si heureuse, si libre à présent. Je me rappellerai de ce que tu viens de me dire.»

Moi: «Maintenant, Alison, tu peux serrer ta mère dans tes bras et sentir tout l'amour qu'elle a pour toi... Et, à présent, laisse-la partir... Tu vas la voir graduellement se fondre dans la lumière... Tu marches de nouveau sur cette belle route de campagne, tu sens une grande paix t'habiter, tu te sens heureuse, remplie de joie et confiante en l'avenir... Dans quelques instants, tu vas quitter cette route de campagne, tu vas ressentir une grande paix t'habiter. Quand tu te sentiras prête, tu pourras te replacer tout doucement dans la pièce où tu es. Prends bien ton temps, puis prends une grande respiration et ouvre les yeux.»

Il peut arriver que sur cette route la personne voie une autre personne à laquelle on pouvait s'attendre. Si cela se produit, on travaille alors avec la personne qui s'est présentée.

Au cours de cette rencontre avec la personne décédée, lorsqu'on lui dit «c'est le temps de lui dire tout ce que tu aurais voulu lui dire...», il faut aider notre participant à exprimer aussi bien sa peine, ses regrets que sa colère si c'est le cas. Exprimer ce qui n'a pas été dit a un effet libérateur qui permet à la personne de mieux accepter le départ de l'autre.

Conflits de dévalorisation

Voyons à présent comment j'ai aidé Alison à se libérer du conflit de dévalorisation qu'elle avait vécu lorsque, ayant choisi d'interrompre ses études, une enseignante lui avait dit: «Vous n'allez pas abandonner vos études pour devenir une petite coiffeuse...»

J'amenai donc Alison à se détendre. (Ici, je m'en suis tenue à trois bonnes grandes respirations.) Puis j'invitai Alison à revoir l'école qu'elle fréquentait, la classe, l'enseignante qu'elle s'apprête à informer de sa décision d'arrêter ses cours… Puis je l'invitai à se revoir annoncer son départ à cette enseignante et de l'entendre lui dire: «Vous n'allez pas abandonner vos études pour devenir une petite coiffeuse…»

Je lui demandai comment elle se sentait, cette jeune Alison dans ce que l'enseignante venait de lui dire.

Alison: «Elle se sent anéantie.»

Moi: «Très bien, maintenant la Alison qui est avec moi en ce moment va entrer dans cette image, elle va aller près de sa jeune Alison de 16 ans. Quand tu te verras près d'elle, dis-le moi.»

Alison: «J'y suis…»

Moi: «Maintenant, dis-lui que ce ne sont pas les diplômes qui confèrent la valeur à une personne mais plutôt ce qu'elle est et ce qu'elle peut apporter aux autres. Dis-le lui dans tes mots à toi…»

Alison vit la jeune fille qu'elle était près de son casier, le cœur brisé par les paroles de l'enseignante. J'encourageai Alison à la prendre dans ses bras pour la consoler.

Alison la prit dans ses bras, la serrant très fort contre son cœur et lui dit: «Tu te sens triste ma grande, alors laisse-la monter cette peine. Tu as le droit de pleurer, donne-toi ce droit. Tu n'es plus seule, je suis là avec toi, laisse-moi t'accompagner dans cette peine. Il faut que tu saches que tu as fait le bon choix puisque c'est "ton choix" et c'est ça qui est le plus important et qui a de la "valeur". Ne doute jamais de ta valeur et des choix que tu fais. Dans la vie, ce ne sont pas les diplômes qui comptent et ce ne sont pas eux qui donnent la vraie valeur d'une personne. Toi, tu as choisi d'aller à "l'université de la vie" où tu pourras aider les gens autour de toi. Suis le chemin que tu crois bon pour toi, écoute ton cœur et les portes s'ouvriront devant toi. Ce n'est pas "l'échelle sociale" qui est importante mais "l'échelle des valeurs" humaines et, ça, tu l'as déjà en toi ma grande, alors vas-y et fais-toi confiance maintenant.»

Par la suite, j'invitai Alison à ramener sa jeune Alison près de l'enseignante qui s'apprêtait à quitter sa classe pour lui dire ce que ces paroles lui avaient fait.

Alison: «Madame, j'aurais quelque chose d'important à vous dire avant que vous partiez.»

Moi, **dans le rôle du professeur**: «Oui, Alison, qu'avez-vous à me dire?»

Alison: «Madame, dans ce que vous m'avez dit, vous m'avez tellement blessée. Je me suis sentie dénigrée, moins que rien, sans aucune valeur. J'en ai assez de me pousser à étudier des matières qui ne m'intéressent pas. Moi, c'est l'école de la vie qui m'intéresse, je veux apprendre des gens, je veux apporter aux autres à ma mesure et si, pour cela, je dois passer par l'école de coiffure, eh bien pourquoi pas? Qu'est-ce qui vous permet de croire que les coiffeurs ont moins de valeur que les professeurs? Il y a des coiffeurs qui ont bien plus de psychologie que certains professeurs. De quel droit pouvez-vous dénigrer le choix que j'ai fait?»

Moi, **dans le rôle de l'enseignante**: «Alison, je suis vraiment désolée, je ne voulais pas vous blesser en disant ce que je vous ai dit. Je voulais simplement vous dire que je trouvais cela dommage qu'une personne telle que vous, qui a beaucoup de potentiel, ne poursuive pas ses études. Vous êtes une très bonne élève, vous êtes studieuse, attentive et intelligente. Vous auriez pu entreprendre de longues études, mais si c'est le choix de votre cœur, alors c'est sûrement un bon choix et je suis convaincue que vos clientes vont beaucoup vous apprécier. Pardonnez-moi, je n'avais pas l'intention de vous blesser.»

Alison: «Je vous pardonne, Madame, merci de m'avoir écoutée.»

L'enseignante: «Bonne chance, Alison.»

Moi: «Comment se sent à présent la jeune Alison? Est-ce qu'elle se sent encore sans valeur?»

Alison: «Non, elle sait qu'elle a fait le bon choix puisqu'elle a fait le choix de son cœur et c'est ce qui compte désormais pour elle.»

Moi: «Très bien, alors garde bien dans ton cœur l'image de cette jeune Alison confiante et en accord avec elle-même. Quand tu te sentiras prête, tu pourras revenir avec moi.»

Alison ouvrit les yeux, elle me sourit. Elle venait de tourner une page importante de sa vie.

Il est intéressant de noter que lorsque Alison a voulu interrompre ses traitements de chimiothérapie, elle s'est retrouvée de nouveau confrontée à une femme médecin, cette fois, qui lui avait dit: «Tu n'as pas le droit d'arrêter, tu dois te battre, tu es jeune, tu as un jeune fils qui a besoin de toi…»

Il me restait à aider Alison à se libérer de son conflit archaïque (la peur de mourir). Ce conflit qui avait été activé par l'annonce de la présence de cellules anormales décelées sur le frottis prélevé à partir des cellules de son col utérin.

Je ramenai donc Alison dans cette scène. Elle se vit répondre au téléphone et entendre: «Nous avons décelé des cellules anormales sur votre frottis, il faudrait que vous preniez rendez-vous pour une colposcopie.»

Elle se revit en état de choc, pensant: «Si j'ai des cellules anormales au col de l'utérus, c'est que le cancer s'est généralisé, je suis finie, je vais mourir.»

Moi: «Je demandai à l'Alison qui était avec moi d'entrer dans cette image, d'aller près de cette Alison qui vient d'être déstabilisée par cette nouvelle, pour lui dire que «cellules anormales» ne veut pas dire cellules cancéreuses, que c'est la raison pour laquelle on lui propose d'autres tests. «Encourage-la, dis-lui qu'elle va guérir.»

Alison: «Alison, calme-toi, elle t'a dit qu'on a trouvé des cellules anormales, pas des cellules cancéreuses. Avec les traitements que tu as reçus, cela a pu avoir un impact momentané sur tes cellules, c'est ce qui peut expliquer la présence de ces cellules. Fais confiance à ton corps, il est en train de te guérir.»

Je proposai à Alison de rappeler son médecin pour lui dire ce que cette annonce lui avait fait.

Alison: «Docteur X, je vous rappelle au sujet de ce que vous venez de me dire. Vous ne pouvez pas imaginer dans quel état l'annonce de ces cellules anormales m'a plongée. Je me suis retrouvée dans un état de panique, j'étais convaincue que j'avais un nouveau cancer au col de l'utérus et que mon cancer était en train de se répandre partout dans mon corps. Comment pouvez-vous nous balancer de tels diagnostics au visage sans le moindre ménagement, comme si nous n'étions rien d'autre qu'un dossier médical parmi tant d'autres pour vous.»

Moi, **dans le rôle du médecin**: «Alison, je ne pensais pas vous mettre dans un tel état, je voulais juste vous suggérer de prendre un rendez-vous en colposcopie pour vérifier qu'il n'y avait pas de traces de cancer. Bien sûr "cellules anormales" ne veut pas nécessairement dire "cellules cancéreuses", ce sont des cellules suspectes sans plus. Il n'est pas facile pour nous, médecins, de savoir comment dire les choses. Je ne peux pas vous dire que votre frottis est parfait. S'il l'était, la colposcopie ne serait pas nécessaire, alors comment vous dire de prendre rendez-vous en colposcopie?»

Alison: «Peut-être pourriez-vous rassurer vos patients en leur disant que des "cellules anormales" ne sont pas obligatoirement des "cellules cancéreuses".»

Moi, dans le rôle du médecin: «J'en tiendrai compte une prochaine fois, merci de m'en avoir fait part. Au revoir, Alison.»

Alison: «Au revoir, docteur.»

Moi: «Alison se sent-elle rassurée à présent?»

Alison: «Oui, elle a moins peur.»

Moi: «Très bien, alors tu peux revenir avec moi.»

Après avoir fait ce travail de libération de ses conflits, Alison fit deux séminaires avec moi. Elle avait des projets, elle était enthousiaste, elle allait merveilleusement bien et n'avait plus de douleurs. Malheureusement, elle revécut des chocs répétés qui la remirent sur les rails du conflit relié à la peur de mourir (conflit archaïque), ce qui donna lieu à l'augmentation de ses tumeurs pulmonaires et, par la suite, à une phase de réparation trop intense que son corps ne put supporter. Elle s'éteignit trois mois plus tard[4].

[4] On peut prendre connaissance de cette partie de l'histoire d'Alison au chapitre 5.

Étienne et un conflit de dévalorisation

Lorsque Étienne entreprend ses études de médecine, son père a toujours des remarques désobligeantes à son égard, du genre: «On sait bien, Monsieur fréquente la fac...»

Lorsqu'il passe ses examens de fin d'études, il se classe sixième sur plus de 200 participants. Il en est très heureux, il jubile mais toute sa joie s'éteint lorsqu'il rentre chez ses parents. Au cours du repas familial, ne s'attendant pas à des félicitations, il lance avec désinvolture qu'il a réussi ses examens de médecine et qu'il s'est classé sixième sur 200. Avant même que sa mère ait le temps de le féliciter, son père lui lance: «Monsieur va se croire important à présent!»

Ces paroles blessent Étienne au plus profond de son être, mais il n'en laisse rien voir. Étienne pense en son for intérieur: «Je m'en fous de ce que tu penses, je vais réussir quand même.»

Au moment de notre rencontre, il s'était rompu le tendon d'Achille dans un accident. Six mois auparavant, il s'était fracturé des côtes dans une chute à cheval. Ces accidents étaient inconsciemment une façon de se freiner dans sa réussite, car pour Étienne, réussir égalait «on te méprise». Donc, pour être aimé, il ne fallait pas trop réussir. De plus, Étienne n'accordait que peu d'importance à ses réalisations. Même si le monde entier lui avait dit qu'il était formidable, il ne l'aurait pas cru. Ne s'étant pas senti reconnu par son père, il n'arrivait pas à se reconnaître lui-même.

Je me doutais que si son père cherchait continuellement à le rabaisser, c'est qu'il portait probablement un sentiment d'infériorité. Ainsi, plus son fils progressait, plus lui se sentait inférieur. Étienne me confia que son père souffrait d'arthrose à la colonne vertébrale, ce qui pouvait laisser supposer qu'il avait lui-même vécu un conflit de dévalorisation qui s'était accentué avec les succès scolaires d'Étienne.

Pour aider Étienne à se libérer de ce conflit, il me fallait l'aider à prendre conscience du sentiment d'infériorité de son père dans ses propos pour qu'il puisse reconnaître sa valeur.

J'invitai donc Étienne à se détendre et à revoir la scène où son père lui dit: «Monsieur va se croire important à présent», puis à ressentir les sentiments que ces propos suscitent en lui.

Étienne a mal, très mal. Je l'invitai donc à retrouver son père seul pour lui décrire l'effet que ces mots ont eu sur lui.

Il le retrouve seul au jardin.

Étienne: «Papa, j'ai besoin de te parler, de te dire des choses qu'habituellement je garde pour moi. Lorsque tu m'as fait cette réflexion à la table, tu ne peux imaginer à quel point tu as pu me blesser. Toute ma vie j'ai voulu te plaire, j'ai voulu être un bon fils, j'ai voulu que tu sois fier de moi (Étienne pleurait). ... mais tout ce que tu sais faire, c'est de cracher ton venin de mépris sur moi. Tu ne m'as jamais félicité, jamais encouragé, à t'entendre parler, il n'y a que les pompiers qui ont de la valeur...»

Moi, **dans le rôle du père**: «(avec des sanglots dans la gorge...) Je ne suis qu'un vieil orgueilleux. Quand tu n'es pas là, c'est avec fierté que je parle de toi à tous mes collègues, mais quand tu es là, je me sens moins que rien par rapport à toi. Je suis si fier de toi et si honteux de ce que je suis. J'aurais tant aimé pouvoir fréquenter l'université... mais mes parents n'avaient pas d'argent et je n'avais pas ton talent... je suis juste un petit pompier.»

Étienne: «Papa, tu es peut-être pompier, mais tu as été un bon père. Quand nous étions enfants, tu voulais nous faire découvrir le monde, tu jouais avec nous, tu nous racontais des histoires de sauvetage, j'ai voulu d'une certaine manière marcher dans tes traces; moi aussi, je voulais sauver des vies. Tu as travaillé si fort pour nous. Si j'ai pu faire des études de médecine, c'est grâce à toi, grâce à ton travail. Tu as été un pompier exemplaire que je suis fier d'avoir pour père. Je t'aime papa...»

Moi, **syntonisé à la fréquence du père**: (Le père pleurant à chaudes larmes lui dit): «Cela me fait tant de bien ce que tu viens de me dire, je croyais que tu ne m'aimais pas. Le fait de penser que j'ai pu être un bon père et que j'ai pu contribuer à ce que tu deviennes médecin me remplit de bonheur. On ne nous a jamais appris à exprimer ce que l'on ressentait et c'est bien dommage. Merci, Étienne, d'avoir osé me parler avec ton cœur, tu seras, il n'y a pas de doute, un très bon médecin. Je t'aime beaucoup, moi aussi, et je suis très fier de toi.»

Étienne prit son père dans ses bras et put ressentir tellement d'amour pour lui.

J'invitai ensuite Étienne à revenir avec moi. Il pleurait de bonheur. Ces paroles de son père, il les avait attendues toute sa vie. Il savait à présent que son père les pensait, mais qu'il ne savait pas les exprimer. Il avait hâte de revoir son père pour lui exprimer son amour.

Conflit de dévalorisation et sclérose en plaques

À présent, nous allons aborder le cas de deux personnes aux prises avec un conflit de dévalorisation qui s'est manifesté par une sclérose en plaques.

La première, Nicole, a complètement guéri alors que Lyne, pour une histoire semblable, n'a pas guéri et nous verrons pourquoi.

La sclérose en plaques est presque toujours liée à un sentiment de dévalorisation où la maladie devient l'excuse ou le faux-fuyant au sentiment de dévalorisation.

Voyons la séance de thérapie que j'ai menée avec Nicole.

Nicole me raconta que cela s'était produit au début par des poussées qui se manifestaient par des difficultés à faire des mouvements qui atteignaient sa jambe et son bras gauche. Cela remontait vers son genou, lui donnant une impression de lourdeur. Cela atteignait également sa mâchoire, ce qui rendait son élocution plus difficile. Puis s'ajoutèrent à cela des picotements froids qui rendaient sa main insensible.

Lors de sa troisième poussée, elle fit une névrite optique où sa vue diminua de 30 %. Après la quatrième poussée, elle garda cette difficulté de mouvement, ces picotements froids et cette sensation de lourdeur.

Je lui demandai à quand remontait sa première poussée ainsi que sa dernière.

Nicole: «Ma première poussée remonte à environ sept ans et ma dernière, il y a à peu près un an.»

Moi: «Lors de cette première poussée, que vivais-tu?»

Nicole: «J'étais chargée de projet pour une grande entreprise en marketing. Je travaillais très fort pour mettre sur pied des projets d'envergure et je dois reconnaître que je réussissais bien.»

Moi: «Te serais-tu sentie très fatiguée à un moment sans que tu puisses te reposer, avant l'apparition de cette première poussée de sclérose en plaques?»

Nicole: «Oui, je m'en souviens très bien, j'étais en effet très fatiguée, je ne voyais pas comment arrêter.»

Moi: «Pourquoi travaillais-tu autant?»

Nicole: «J'avais de grandes responsabilités à assumer.»

Moi: «Est-ce important pour toi de te montrer à la hauteur de ce qu'on attend de toi?»

Nicole: «Oui, très important.»

Moi: «Pourquoi?»

Nicole: «Sans doute pour être appréciée, valorisée...»

Moi: «Par qui?»

Nicole: «Par mon patron.»

Moi: «Est-ce qu'il te donne cette appréciation et cette valorisation?»

Nicole: «Non.»

Moi: «Après avoir réalisé un projet formidable où tu as donné le meilleur de toi-même, comment te sens-tu lorsque ton patron n'en fait aucun cas?»

Nicole: «J'ai l'impression qu'il ne voit pas tout ce que je fais, quoi que je fasse, ce ne sera jamais assez. Pourtant, je sais qu'il m'apprécie, les autres me le disent, mais, lui, jamais il ne me fera le moindre compliment.»

Moi: «Qu'est-ce que cela te fait qu'il ne te complimente jamais?»

Nicole: «Je me sens complètement impuissante à lui plaire.»

Moi: «Aurais-tu déjà vécu un sentiment semblable par le passé avec l'un de tes parents?»

Nicole: «Oh oui, avec mon père.»

Moi: «Parle-moi de ton père.»

Nicole: «Mon père était un homme très sévère et très exigeant. Il m'a toujours dévalorisée. Il me disait que j'étais bête et stupide, que je ne comprenais rien, que je n'arriverais jamais à rien.»

Moi: «Qu'est-ce que cela te faisait quand ton père te disait ces choses?»

Nicole: «Ça me faisait mal, je pleurais et, lui, au lieu de me consoler, il se fâchait.»

Moi: «Chercherais-tu à plaire à ton patron comme tu aurais tant voulu plaire à ton père?»

Nicole: «Oh oui.»

Moi: «Pourquoi?»

Nicole: «Sans doute pour croire en ma valeur.»

Moi: «Ta valeur serait-elle basée sur la reconnaissance des autres et, en particulier, sur celle d'une personne représentant l'autorité?»

Nicole: «Je crois que oui.»

Moi: «Se pourrait-il, Nicole, que tu te donnes à fond dans tes projets pour être reconnue et lorsque tu es épuisée, tu te donnes l'excuse de ne pas avoir aussi bien réussi?»

Nicole: «Je ne comprends pas.»

Moi: «Cette recherche de performance te demandait-elle beaucoup d'énergie?»

Nicole: «Oui.»

Moi: «Se pourrait-il que tu ne pouvais plus maintenir ce rythme?»

Nicole: «C'est vrai, j'étais de plus en plus épuisée.»

Moi: «Se pourrait-il qu'en étant épuisée tu ne pouvais plus autant performer?»

Nicole: «C'est vrai.»

Moi: «En ne performant plus, qu'est-ce qui risquait d'arriver?»

Nicole: «Que je réussisse moins bien.»

Moi: «En réussissant moins bien, qu'est-ce que tu risquais de perdre?»

Nicole: «La reconnaissance des autres.»

Moi: «En étant malade, n'était-ce pas l'excuse idéale pour ne pas aussi bien réussir et ainsi maintenir l'estime des autres? Se pourrait-il que tu aies enregistré: "réussir = reconnaissance des autres, avoir de la valeur" et "ne pas réussir = perdre la reconnaissance des autres, ne pas avoir de valeur. Papa avait raison, je ne suis qu'une bonne à rien". Mais en étant malade, ce n'est pas que je suis bonne à rien, c'est parce que je suis malade que je ne peux pas aussi bien performer.»

Nicole: «Je n'avais jamais vu cela, mais cela fait beaucoup de sens; mais comment s'en sort-on?»

Moi: «Nicole, peux-tu te rappeler d'un événement particulier où ton père t'aurait dit que tu étais stupide, bonne à rien...?»

Nicole: «Oh oui, je devais avoir 12 ans. C'est mon père qui m'aidait à apprendre mes leçons. Nous étions dans ma chambre et, comme d'habitude, il m'interrogeait. Chaque fois, j'avais très peur de ne pas lui donner la bonne réponse. Il me posa une question, mais je ne lui donnai pas la bonne réponse. Il entra dans une grande colère et me dit que j'étais bête, que j'avais une cervelle d'oiseau, que je n'arriverais jamais à rien. Il lança le livre qu'il tenait et quitta ma chambre en claquant la porte.»

Moi: «Très bien, Nicole, si tu veux nous allons retourner dans cette scène.»

J'invitai donc Nicole à se détendre puis à se replacer dans la maison qu'elle habitait. Je la guidai pour qu'elle revoie chacune des pièces pour terminer avec sa chambre. Puis, à se voir à sa table de travail avec son père à côté d'elle qui tient un livre et qui lui pose des questions. Ensuite, à se voir lui donner une réponse et à le voir se mettre en colère et lui dire des choses blessantes, puis sortir en claquant la porte.

Moi: «Comment elle se sent cette petite Nicole à présent?»

Nicole: «Elle est triste, elle croit que c'est de sa faute si son père s'est mis en colère, elle croit qu'elle n'est pas douée, qu'elle est stupide... cela la rend très malheureuse, car elle fait de son mieux pour apprendre...»

Moi: «Très bien. Maintenant la Nicole qui est avec moi va entrer dans cette image. Va près de cette petite fille de 12 ans, console-là...»

Nicole: «Nicole, tu n'es plus seule, je suis là, viens près de moi, tu n'as pas besoin de performer pour que je t'aime moi...»

Moi: «Se pourrait-il que cette petite Nicole avait très peur de la réaction de son père?»

Nicole: «Oui, elle en avait très peur...»

Moi: «Explique-lui que lorsqu'on a très peur, notre capacité de réfléchir se trouve perturbée et c'est ce qui se passe, ce n'est pas parce qu'elle n'est pas douée mais parce qu'elle a peur.»

La grande Nicole: «N'avais-tu pas peur de papa? N'avais-tu pas peur de ne pas lui donner la bonne réponse? Quand on a peur, nos pensées s'entremêlent, on est tellement stressée qu'on ne sait plus quelle est la bonne réponse...»

La petite Nicole: «C'est vrai, j'avais tellement peur qu'il se fâche si je ne lui donnais pas la bonne réponse que je ne savais plus quoi répondre.»

La grande Nicole: «Est-ce que tu comprends maintenant pourquoi tu ne lui a pas donné la bonne réponse. C'est parce que tu avais peur. Quand on a peur, est-ce qu'on est stupide, incapable ou si l'on a plutôt besoin d'être rassurée?»

La petite Nicole: «On a besoin d'être rassurée!»

La grande Nicole: «Alors, viens avec moi, on va aller parler à papa.»

La petite Nicole: «Papa, je voudrais te parler.»

Moi, **dans le rôle du père**: «Oui, que veux-tu?»

La petite Nicole: «Papa, est-ce que tu sais que j'ai peur de toi, j'ai peur de tes réactions, j'ai peur de tes colères.

Quand tu m'interroges, j'ai tellement peur que tu te fâches que mon cerveau se brouille, je n'arrive plus à penser correctement...»

Moi, **dans le rôle du père**: «Nicole, je n'ai jamais pensé que je pouvais te faire peur. Si je me suis mis en colère tout à l'heure, si je me suis fâché, c'est que je sais que tu es intelligente, que tu es capable, mais lorsque tu me donnes une réponse qui n'a pas d'allure, j'ai l'impression que tu te moques de moi, que tu me fais perdre mon temps. Je n'avais pas réalisé que tu avais peur. Je vais en tenir compte désormais et je t'aiderai dans ce sens. Tu sais Nicole, si je prends du temps pour t'aider à faire tes leçons, c'est que je t'aime et que je veux que tu réussisses pour que tu puisses être heureuse dans ta vie. Tu n'as pas besoin d'avoir des 10 sur 10 pour que je t'aime, je veux simplement que tu t'appliques dans ce que tu fais.»

La petite Nicole: «Moi aussi je t'aime papa.»

Le père: «Si on allait terminer ces leçons ensemble maintenant...?»

La petite Nicole retourna à ses leçons avec son père en appréciant l'aide qu'il lui apportait tout en voyant son amour.

Après ce travail, Nicole apprit à reconnaître ses forces, à mieux accepter ses limites sans se dévaloriser. Elle apprit à s'estimer davantage au lieu d'attendre continuellement l'appréciation des autres. Elle guérit complètement.

Lyne et une sclérose en plaques

Dans la même période, j'eus Lyne en thérapie qui avait vécu une situation similaire dans son enfance avec sa mère et qui souffrait d'une sclérose en plaques affectant particulièrement ses hanches et ses jambes.

Nous avons donc procédé à la libération de ce conflit de dévalorisation lié à son passé.

Toutefois, dans son quotidien, Lyne vivait un conflit qui l'amenait de nouveau à se dévaloriser, mais pour lequel elle ne voyait aucune solution.

Lyne occupait un poste d'avocate au sein d'un organisme gouvernemental. Elle n'aimait plus son travail, mais le poste qu'elle occupait lui conférait un certain prestige et surtout la reconnaissance de sa famille. Lyne était consciente d'avoir choisi cette profession davantage pour plaire à sa mère. Elle ne se sentait pas suffisamment compétence pour occuper ce poste et plus le temps passait, moins ce travail l'intéressait.

On a ici affaire avec un conflit de dévalorisation combiné à un conflit de mouvement. Je veux avancer vers autre chose mais, en même temps, je ne le veux pas parce que j'ai peur. J'ai peur de perdre le prestige que me confère ma profession, j'ai peur de perdre ce que j'ai acquis, j'ai peur de me retrouver devant le néant.

Il lui fallait encore du temps pour surmonter ses peurs, c'est pourquoi sa maladie perdurait.

Libérer un conflit vécu dans le passé n'est pas suffisant si nous ne pouvons solutionner le conflit que l'on vit dans notre quotidien.

Patrick et un psoriasis récalcitrant

Lorsque j'ai rencontré Patrick la première fois, son corps était une plaie. Son psoriasis atteignait autant le derme que l'épiderme. Il avait fait le tour des meilleurs dermatologistes, avait essayé une multitude de traitements sans aucune amélioration.

Après avoir découvert mon livre, il avait choisi la Métamédecine comme ultime solution à son problème.

Patrick était aux prises avec deux conflits importants, soit un conflit de séparation et un conflit de souillure.

Patrick avait 4 ans lorsque ses parents se sont séparés. Sa mère était froide et dure. Elle le repoussait chaque fois qu'il aurait eu besoin d'être accueilli par elle. S'il pleurait, elle se moquait de lui.

L'un de ses voisins, qui deviendra plus tard son beau-frère, se montrait gentil avec lui. Il lui donnait des gâteaux, jouait avec lui. Il gagna graduellement sa confiance et l'abusa pendant un longue période.

Patrick aimait cet homme mais, en même temps, il ne se sentait pas bien dans les rapports qu'il entretenait avec lui. Puis cet homme épousa sa sœur, ce qui mit fin à ses pratiques pédophiles.

Patrick grandit et fréquenta un collège privé. Un jour, il eut une altercation avec l'un de ses professeurs qui réussit à le faire renvoyer du collège.

Craignant de rentrer chez lui et d'avoir à affronter la fureur de ses parents, il déambula pendant des heures, ne sachant où aller. Vers minuit, il découvrit un campement provisoire pour des travailleurs. Il s'y rendit et leur demanda s'ils voulaient bien l'héberger pour la nuit.

Il partagea le lit d'un homme. Dans son besoin de chaleur humaine, il demanda à cet homme s'il voulait l'abuser. Cet homme l'abusa, mais, par la suite, les autres hommes autour voulurent également l'abuser.

Il eut peur et s'enfuit en plein cœur de la nuit, rongé par la honte, la culpabilité et le dégoût de lui-même.

À l'âge de 27 ans, il n'en pouvait plus de garder ce secret et un jour, lors d'une réunion familiale, il révéla son secret concernant son beau-frère. Sa sœur fut si offusquée qu'elle ne voulut plus le revoir.

Patrick se sentit rejeté, coupable et honteux. C'est suite à cet événement qu'il fut affligé de ce psoriasis.

Dans cette histoire, on peut très bien reconnaître le conflit de séparation de Patrick vécu d'abord avec ses parents dans son enfance et réactivé à l'âge adulte avec sa sœur qui ne voulait plus le revoir. Ce conflit va affecter sa peau (contact avec les autres) au niveau de l'épiderme.

Il y a un second conflit qui, lui, est un conflit de souillure lié à la honte de ces abus qui va affecter la couche plus profonde de sa peau, le derme.

Pour aider Patrick à guérir de son psoriasis, il fallait l'aider à se libérer de ses conflits de séparation et de souillure. Pour ce faire, il fallait le ramener dans son enfance. J'invitai donc Patrick à se détendre, puis à visualiser la maison qu'il habitait alors qu'il était enfant, pour enfin se revoir alors qu'il était un petit garçon.

Nous sommes partis du moment où son père avait quitté la maison.

Moi: «Comment se sent ce petit Patrick après le départ de son papa?»

Petit Patrick: «Il se sent seul, très seul...»

Moi: «Est-ce pour cette raison qu'il se rend souvent chez ce voisin qui lui donne de l'attention?»

Petit Patrick: «Oui.»

Moi: «Comment se sent-il le petit Patrick dans ce que ce voisin lui demande de faire?»

Petit Patrick: «Il se sent mal, il se sent sale, il sait que ce n'est pas bien...»

Moi: «Pourquoi le petit Patrick accepte-t-il de se prêter à ces échanges?»

Petit Patrick: «Parce qu'il n'y a que lui qui s'occupe un peu de moi.»

Moi: «Maintenant le Patrick qui est avec moi en ce moment va entrer dans cette image, tu vas aller auprès de ce petit garçon de 4 ans, dis-lui qu'il n'est plus seul, que tu es là maintenant...»

Patrick: «Petit Patrick, viens près de moi, tu n'es plus seul à présent, je suis là, je vais m'occuper de toi, tu n'auras plus besoin d'accepter de faire des choses que tu n'aimes pas pour qu'on s'occupe de toi, je suis là maintenant et je serai toujours là.»

Moi: «Maintenant Patrick, tu vas amener ce petit garçon près de sa mère et tu vas l'aider à exprimer toute la souffrance qu'elle lui fait vivre.»

Patrick vit sa mère au salon. Le petit Patrick accompagné de son grand Patrick allèrent la retrouver. Le grand Patrick aida le petit à exprimer sa souffrance à sa mère.

Le petit Patrick: «Maman, pourquoi tu ne m'aimes pas, pourquoi est-ce que tu me repousses toujours, que tu te moques de moi quand je pleure...?»

Moi, **dans le rôle de la mère de Patrick**: «Patrick, ce n'est pas que je ne t'aime pas, mais ton père m'a fait tellement souffrir que parfois c'est sur toi et ton frère que je retourne la colère que j'ai envers lui. Ce n'est pas de ta faute, tu n'as rien fait pour cela, c'est ma souffrance à moi.»

Le petit Patrick: «Maman, je me sens si seul, papa ne vient presque jamais nous voir et, toi, on a l'impression qu'on te dérange chaque fois qu'on voudrait te parler.»

Moi, **dans le rôle de la mère**: «C'est vrai Patrick, je suis tellement absorbée par mes problèmes que j'oublie parfois que vous êtes là et que vous avez besoin de moi. Je vais essayer de vous consacrer un peu plus de temps.»

Le petit Patrick: «Maman, voudrais-tu me prendre dans tes bras?»

Moi, **dans le rôle de la mère**: «Bien sûr, Patrick, viens que je te fasse un gros câlin...»

Le petit Patrick se sentait heureux à présent.

Moi: «Maintenant, Patrick, nous allons aller un peu plus tard dans ton enfance, tu vas te revoir cette fois, à l'âge de 13 ans alors que le directeur t'a renvoyé du collège que tu fréquentais. Peux-tu retrouver ces images?»

Patrick: «Oui.»

Moi: «Comment il se sent ce jeune garçon?»

Patrick: «Il se sent perdu, il ne sait pas où aller, il sait que s'il rentre chez lui et qu'il dit qu'on l'a renvoyé du collège, sa mère va appeler son père qui sera très en colère...»

Moi: «Peux-tu maintenant le voir entrer dans ce campement où il y a plusieurs hommes qui sont couchés?»

Patrick: «Oui.»

Moi: «Que fait le jeune Patrick?»

Patrick: «Il leur demande s'il peut dormir avec eux.»

Moi: «Très bien Patrick, revois toute la scène jusqu'à ce que plusieurs hommes veuillent l'abuser... et qu'il s'enfuit...»

Patrick: «Oui, je le vois...»

Moi: «Maintenant, peux-tu revoir ce jeune garçon seul dans la nuit froide?»

Patrick: «Oui.»

Moi: «Comment se sent-il?»

Patrick: «Il voudrait mourir, il a honte, il se sent sali, dégradé, dégoûté...»

Moi: «Très bien, maintenant le Patrick qui est avec moi va entrer dans cette image, tu vas aller près de ce jeune garçon. Explique-lui que ce n'était qu'un besoin d'affection, qu'il avait besoin simplement que quelqu'un le prenne dans ses bras. Dis-lui qu'il n'a rien fait de mal, mais que la seule façon qu'on lui a donné de l'affection ce fut par le biais de la sexualité. Dis-lui de ne pas se juger, dis-lui que tous les enfants ont besoin d'affection et que lui, ce fut la seule façon qu'il l'a reçue par le passé. Dis-le lui dans tes mots à toi...»

Patrick: «Patrick, ce n'est pas de ta faute, tu te sentais tellement perdu, tu avais tellement besoin que quelqu'un te prenne dans ses bras, qu'il te console, qu'il te dise que tu n'étais pas seul. La seule façon à travers laquelle tu as appris à recevoir de l'affection fut par le biais de l'abus d'un homme. Ne t'en sens pas coupable;

maintenant, moi, je vais te donner cette affection et tu n'auras plus besoin de laisser des hommes abuser de ton corps. C'est fini tout cela à présent, ça n'arrivera plus.»

Moi: «Comment se sent-il à présent le jeune Patrick?»

Patrick: «Il a compris, il se pardonne; il ne se sent plus coupable.»

Moi: «Très bien, garde ce petit garçon dans ton cœur puis reviens avec moi.»

Lorsque Patrick a révélé ce secret à sa famille, c'était davantage pour se délester de sa propre honte et de son sentiment de culpabilité avec lesquels il ne pouvait plus vivre. En faisant porter son fardeau par son beau-frère, cela lui permettait d'en être quelque peu soulagé.

Mais en prenant conscience du chagrin causé à sa sœur, il se sentit très coupable de s'être ainsi laissé aller.

Je lui proposai donc d'écrire une première lettre à sa sœur dans laquelle il lui dirait tout ce qu'il aurait voulu lui dire puis de la brûler pour qu'elle agisse vibratoirement. Puis, quelque temps après, d'écrire à nouveau à sa sœur pour lui dire qu'il l'aime et qu'il souffre de cette séparation en lui demandant pardon d'avoir laissé échappé ce secret dans un moment inapproprié.

C'est ce qu'il fit et sa sœur lui répondit qu'elle lui pardonnait ainsi qu'à son mari. Le conflit se régla. Quelque temps après, le psoriasis de Patrick commença à guérir. Un an plus tard, j'eus de ses nouvelles: il était entièrement guéri.

> *Le psoriasis est très souvent lié à un double conflit, mais n'implique pas nécessairement un conflit de souillure. Lorsqu'il n'affecte que l'épiderme, il s'agit le plus souvent d'un conflit de séparation (rejet, incompréhension) lié à un sentiment de dévalorisation ou de culpabilité.*

Dépasser la technique

Il y a environ un an, je fus invitée à prononcer une conférence lors d'un congrès des massothérapeutes du Québec. Dès le départ, je leur ai dit: «Je n'ai pas de formation en massothérapie. Mais j'ai reçu suffisamment de massages avec différents massothérapeutes pour être en mesure de dire que tout l'art de la massothérapie réside dans la capacité à entendre dans ses mains les besoins du corps de la personne que l'on doit masser.»

Il en va de même avec la Métamédecine: tout l'art réside dans la capacité à entendre les besoins de la personne qui nous consulte pour la guider dans une démarche qui lui sera favorable.

Pour bien guider la personne qui nous consulte, il faut être prêt à dépasser ce que l'on sait ou ce que l'on a appris, être à son écoute et laisser monter en nous la manière de l'aider. Cela n'exclut pas de posséder des connaissances, bien au contraire, mais cela suppose d'être capable de les dépasser.

Une très belle histoire raconte qu'un roi avait acquis une flûte enchantée. Il fit convoquer les meilleurs musiciens de son royaume pour en jouer. Tous essayèrent de faire sortir une note de l'instrument magique, mais échouèrent les uns après les autres. Le roi en fut très déçu. Un étranger se présenta, c'était un sage qui savait jouer de tous les instruments à la perfection. Il demanda au roi la permission de jouer de cette flûte. Le roi accepta sans grand enthousiasme. Le sage prit la flûte avec respect et douceur. Il joua près d'une heure des mélodies inconnues et merveilleuses qui charma le roi et son auditoire.

À la fin de sa prestation, le roi lui demanda quel était son secret, comment il avait pu jouer de façon aussi sublime de cet instrument alors que les meilleurs musiciens de son royaume n'avaient pu en tirer une seule note.

Le sage regarda le roi et, sur un ton rempli d'humilité et de compassion, lui répondit: «Les autres musiciens se sont efforcés, sans succès, d'imposer le morceau qu'ils voulaient jouer. En ce qui me concerne, j'ai laissé la flûte jouer ce qu'elle voulait!»

Un bon intervenant est celui qui, en étant à l'écoute de la personne qui consulte, sait adapter les outils qu'il utilise pour mieux la rejoindre et mieux l'aider.

Une participante à qui je proposai d'aller en état de détente pour transformer une équation qui ne lui était pas favorable me dit dès le départ: «J'ai essayé tant de fois de visualiser et je n'y arrive pas, je dois avoir un blocage...»

Je lui proposai un simple essai qu'elle accepta volontiers. Je l'invitai donc à prendre trois bonnes respirations pour l'amener en état de détente. La sentant bien détendue, je lui dis: «Maintenant Jessie, toi et moi, nous allons retourner en arrière, longtemps en arrière... Tu vas revoir la maison que tu habitais lorsque tu avais 11 ou 12 ans. Quand tu verras cette maison, dis-le moi ou fais-moi un signe de la main pour m'indiquer que tu la vois.»

J'attendis et me rendis compte que Jessie n'arrivait pas à voir cette maison. Je lui dis alors: «Si tu veux Jessie, tu ne vas pas essayer de visualiser, mais tu vas simplement y penser, d'accord?»

Elle accepta.

Moi: «Maintenant, Jessie, pense à la maison que tu habitais à l'âge de 11 ou 12 ans... Peux-tu y penser?»

Jessie: «Oui.»

Moi: «Entres-tu par la porte d'en avant ou par celle située sur le côté?»

Jessie: «Sur le côté.»

Moi: «Par cette porte, pénètres-tu dans le salon ou dans la cuisine?»

Jessie: «Dans la cuisine.»

Moi: «Cette cuisine est-elle grande ou petite?»

Jessie: «Petite.»

Moi: «La table est-elle au centre?»

Jessie: «Oui.»

Moi: «Cette table est-elle faite en bois ou dans un autre matériau?»

Jessie: «Elle est en bois.»

Moi: «Y a-t-il d'autres meubles dans cette cuisine?»

Jessie: «Oui, il y a un poêle à bois.»

Moi: «D'autres meubles?»

Jessie: «Oui, des armoires.»

Moi: «Ces armoires sont-elles en bois naturel ou peintes?»

Jessie: «Elles sont blanches.»

Et je continuai ainsi jusqu'à la faire travailler dans l'événement qui l'avait marquée.

En modifiant mon approche, c'est-à-dire en lui proposant d'y penser plutôt que de chercher à visualiser, cela a permis à Jessie d'entreprendre une action libératrice d'un événement qui avait eu des répercussions défavorables sur sa vie. Cela lui a permis de se libérer d'émotions passées en plus de cesser de croire qu'elle avait un blocage par rapport à la visualisation.

Lorsqu'une personne dit qu'elle ne peut visualiser, il est possible qu'elle ait peur de revoir certaines scènes de son passé, ce qui peut lui créer un blocage. Dans ces cas-là, il s'agit de rassurer la personne en lui disant que si elle voit des images qui lui sont difficiles à supporter, elle pourra simplement ouvrir les yeux et qu'on n'insistera pas.

Il est possible que cette personne soit plus kinesthésique que visuelle, c'est-à-dire qu'elle ressent plus les choses qu'elle ne les voit en état de détente. Alors on procédera avec ce qu'elle ressent.

Il y a des personnes qui croient que visualiser, c'est voir à l'intérieur de la même façon qu'à l'extérieur. C'était le cas de Jessie; elle avait une idée erronée de ce qu'était la visualisation.

Le travail que nous avons fait ensemble lui a montré la manière dont elle visualisait et a transformé l'idée qu'elle se faisait de la visualisation.

Il est important dans ce travail de visualisation de toujours composer avec ce que la personne visualise dans ses images intérieures. Si, par exemple, on lui propose de se voir sur un belle route de campagne et qu'elle se voit plutôt sur une plage au bord de la mer, on travaillera avec les images qu'elle visualise. Même chose si on lui dit: «Tu vas te revoir à l'âge de 12 ans» et qu'elle se revoit à l'âge de 3 ans.

L'une de mes thérapeutes me confiait récemment: «En faisant faire ce processus à l'une de mes participantes, je lui ai demandé d'aller accueillir la petite fille qu'elle était. Cette petite fille refusa son accueil, disant qu'elle était trop froide, trop dure, trop méchante... Je ne savais plus ce que je devais faire...» Ces images étaient un bon indice que cette participante avait une vision très négative d'elle-même; elle devait sans doute penser qu'elle était dure, froide et méchante.

Ici, avant d'entreprendre le travail de l'enfant intérieur, il lui fallait aider cette participante à se libérer de cette image négative pour retrouver une image saine d'elle-même. Ce qui supposait de ne pas continuer dans cette quatrième étape, mais de revenir à la première pour découvrir d'où venait cette image négative. Après avoir aidé sa participante à se libérer de cette image défavorable, elle pouvait la ramener près de la petite fille qui vivait en elle pour vérifier si, cette fois, la petite allait accueillir la grande.

Parfois, dans ce processus thérapeutique intérieur, l'enfant battu peut refuser qu'on lui tende les bras et préférer se replier sur lui-même. C'est très souvent le cas d'enfants qui ont pensé qu'ils n'étaient pas dignes d'être aimés, qu'ils ne méritaient pas de recevoir de l'amour. Cela est très souvent relié à une culpabilité de vivre. Il s'agit alors de remonter jusqu'à cette culpabilité de vivre (qui le plus souvent est liée à la naissance) et aider l'enfant à s'en libérer. Par la suite, on peut revenir dans la scène où l'enfant a été frappé ou jeté en bas d'un escalier pour aller l'accueillir. Si l'enfant accepte, on sait qu'il s'est libéré de la croyance qu'il n'était pas digne d'être aimé[5].

---

[5] Pour savoir comment se libérer de la culpabilité de vivre ou aider un participant à s'en libérer, voir *Métamédecine, la guérison à votre portée* (nouvelle version), page 191.

Une autre thérapeute m'écrivit ceci:

Bonjour Claudia. Après avoir suivi le séminaire Métamédecine, j'ai pratiqué occasionnellement le processus thérapeutique visant à ramener la personne dans la situation de souffrance qu'elle a vécue en vue de l'aider à se libérer des émotions qui en ont découlé.

En général, cela se passe assez bien. Toutefois, il y a quelques jours, j'ai eu un participant plutôt résistant. Quand je lui ai proposé que l'on retourne ensemble dans ce qu'il m'avait partagé et qui l'avait fait beaucoup souffrir, il était d'accord. Mais, dès le début, il s'est maintenu dans sa tête, de crainte de perdre le contrôle. La tâche n'a pas été aisée. Il a refusé de fermer les yeux, préférant baisser la tête et regarder ailleurs. Il a également refusé de prononcer à voix haute les paroles qui s'adressaient à son enfant intérieur. J'ai tout de même poursuivi le processus jusqu'au bout en lui proposant d'écouter ce que son père aurait pu penser. Son père était un homme violent à qui il ne pouvait s'adresser sans recevoir de coups.

Il a trouvé plausible et pertinent les pensées qui lui sont venues et m'a dit se sentir bien et soulagé. Il était en outre surpris que ce processus lui eût appris des choses auxquelles il n'avait jamais pensé.

Je suis certaine qu'il n'a pas touché à la souffrance profonde qui l'habite au cours de ce processus, ce qu'il a d'ailleurs reconnu. Je lui ai dit qu'il allait probablement vivre encore des situations qui lui feront éprouver les mêmes sentiments accompagnés des mêmes émotions et d'y être attentif. Il était d'accord.

J'ai l'impression d'avoir fait un demi-travail avec l'énergie d'un double travail étant donné qu'à maintes reprises je devais le ramener dans la situation douloureuse d'où il s'échappait pour se réfugier dans son mental.

Devrais-je être plus ferme avec une telle personne et lui faire comprendre que si elle n'écoute pas ce que je lui propose, il vaut mieux tout arrêter là?

On se rappellera que la peur de revivre une situation d'échec ou de souffrance met en jeu le système inhibiteur de l'action qui, à son tour, active les mécanismes de défense développés au fil des ans pour s'en protéger. Cet homme avait appris à se protéger de ce qui pouvait le faire souffrir en se maintenant au niveau de son mental. Pour lui, fermer les yeux équivalait à lâcher le contrôle.

Une attitude plus ferme ne serait nullement aidante, car ce dont la personne a le plus besoin, c'est d'être rassurée. Et là où elle se sent en sécurité pour le moment, c'est dans son mental. Alors c'est là qu'il faut la rejoindre en lui expliquant les bienfaits que ce travail peut lui apporter et en l'aidant à entrer dans ce processus à son rythme et à sa manière.

Que cet homme ait dit à la thérapeute que cela lui avait appris des choses auxquelles il n'avait pas pensé est un excellent début de mise en confiance.

Certaines personnes croient que si elles retournent dans ce qui les a tant fait souffrir, elles risquent de sombrer dans la folie ou d'en mourir. C'est ce qui les incite à demeurer dans leur tête.

L'intervenant doit respecter le besoin de ces personnes de ne pas toucher à leurs émotions et s'en tenir à un échange qui peut être limité au mental.

Ce n'est que lorsqu'elles se sentiront complètement en confiance qu'elles prendront le risque de soulever le couvercle de leurs émotions.

L'une de mes participantes atteinte de cancer voyait très bien les scénarios dans lesquelles son conjoint et elle se retrouvaient. Ayant fait son bout de chemin, elle était persuadée que si son mari faisait une démarche thérapeutique de son côté, cela les aiderait tous les deux. Son conjoint ne voulait absolument pas s'engager dans une thérapie, convaincu qu'il n'en avait aucun besoin. Sur l'insistance de sa femme, il accepta de venir me rencontrer. Il me parla de ses convictions, de la façon dont il vivait la maladie de sa femme. Je l'accueillis, l'écoutai sans chercher à toucher à son ressenti. Il fut très heureux de notre rencontre et lorsqu'il revint me voir, il n'hésita pas à me confier ses sentiments les plus douloureux.

Les techniques quelles qu'elles soient ne sont que des outils; ce qui importe, c'est de les adapter pour le plus grand profit de son patient ou de son participant.

CHAPITRE

9

Guérir l'âme

«Soyons libres, soyons sans limite, soyons un tout, guéris et unis. Parce que nous attendons de quelqu'un et uniquement pour cela, nous souffrirons car le désir apporte la souffrance et l'amour apporte la joie.»

Joan Walsh Anglund

On m'a souvent demandé ce qu'était la Métamédecine. Que de fois ai-je eu envie de répondre que c'était la «médecine de l'âme», mais je m'abstenais de le faire, car le mot «âme» fait très souvent penser à «religion» et parfois à «secte».

La Métamédecine n'est ni une religion ni une secte puisqu'elle encourage la prise en charge par chaque individu de sa santé et de son bonheur.

Qu'est-ce que l'âme?

L'âme est ce qui anime la matière. Elle est aussi ce qu'on appelle le souffle de vie ou l'énergie vitale. Ne dit-on pas d'une personne décédée qu'elle a rendu l'âme?

Ce que nous appelons la vie par rapport à ce que nous vivons est en fait une succession de scénarios dans lesquels nous jouons des rôles tantôt agréables, tantôt tristes, tantôt angoissants, tantôt désagréables.

L'âme est l'acteur, elle donne vie au personnage (la personnalité, l'ego); son costume est le corps physique.

Tant que l'acteur n'est pas éveillé, il croit être le personnage de ses scénarios. Parfois, il se compare aux autres et se dévalorise; à d'autres moments, il se croit meilleur et se permet de juger ou de critiquer les autres.

Lorsqu'un acteur lui donne une réplique agréable, il est heureux. Si, à l'inverse, un acteur qu'il estime le dénigre, le rejette ou le critique, cela lui fait de la peine.

Parfois, il ressent de la colère à l'égard d'un autre acteur; il se ferme, nourrit des pensées de vengeance ou de rancœur. À d'autres moments, il rencontre un acteur qu'il admire, il en fait alors son modèle et aspire à lui ressembler.

Toute la vie de l'acteur est conditionnée par le monde qui l'entoure, et ce, dès le moment où il croit être le personnage et qu'il se fait prendre au jeu de la vie.

Un médecin de l'âme est un acteur comme les autres, mais il a des qualités de metteur en scène. Ainsi, lorsqu'il voit un acteur souffrir dans le rôle qu'il interprète, il lui propose un nouveau rôle qui lui sera plus agréable.

Ce médecin de l'âme sait que ce ne sont que des rôles, mais parfois, pour aider les acteurs endormis, il entre lui-même dans son personnage, oubliant pour un moment qu'il ne s'agit que d'un rôle.

Le médecin de l'âme sait qu'à travers tous ces rôles l'acteur a des choses importantes à apprendre avant de comprendre qu'il n'est pas le personnage, mais simplement l'acteur qui a endossé un rôle.

L'être humain n'est pas l'âme, l'âme est ce qui l'anime, c'est l'acteur. L'être humain est en fait un mélange d'animalité, de personnalité et de divinité. L'animal en lui obéit à des programmes de survie. Les peurs archaïques que nous avons étudiées au chapitre précédent relèvent de l'animal en lui.

Lorsque nous obéissons à nos instincts primaires, c'est l'animalité en nous qui domine.

La personnalité de l'être humain c'est son ego; c'est celui qui pense, analyse, réfléchit, juge, critique, qui croit savoir, qui croit être et qui souffre.

Lorsque nous cherchons à avoir raison sur les autres ou que nous nous croyons supérieurs, c'est notre personnalité qui domine.

La divinité est la partie libre et souveraine en l'être humain. Elle cherche à l'éveiller, mais parfois le mental, se croyant le maître, n'accorde aucune attention à la divinité. Les personnes dont la divinité prédomine sont des Sages ou des Maîtres.

Lorsque nous sommes centrés sur notre divinité, notre corps est en harmonie, notre mental est paisible, notre esprit est clair.

Lorsque nous ignorons cette divinité en nous, il arrive que notre animalité ou notre personnalité aille dans une direction opposée à notre divinité, c'est alors que nous sommes décentrés et que nous souffrons. Notre corps est indisposé, notre mental est préoccupé, notre esprit est voilé.

La divinité laisse la personnalité vivre une multitude d'expériences, n'intervenant que lorsque la personnalité souffre trop et réclame son aide. À ce moment-là, elle peut le diriger vers un livre, un film, une conférence ou un médecin de l'âme pour l'aider à guérir.

Notre plus grand défi consiste à réaliser que le «je» ou le personnage n'a pas d'importance, mais à agir comme s'il en avait, car la pièce de théâtre participe à l'évolution des acteurs.

Il arrive parfois que certains acteurs (âmes) n'aient pas envie d'endosser le rôle du personnage qu'ils doivent incarner. Ils ont alors beaucoup de difficulté à accepter leur rôle; ils se demandent ce qu'ils font sur cette grande scène de la vie et, parfois, il leur vient l'idée de quitter cette scène.

Ce sont des êtres qui n'ont pas accepté leur incarnation. Certains se réfugient dans un monde imaginaire ou tentent continuellement de fuir leur réalité. Parfois, ils sont considérés et traités comme des psychopathes.

Douleur d'incarnation

Andréanne a 38 ans; elle se définit comme sans domicile fixe puisqu'elle se laisse porter par la vie. Elle s'installe quelque temps dans un endroit puis, un bon matin, elle plie bagage pour repartir vers une nouvelle destination. Elle se cherche une raison d'être, un but à atteindre. Après avoir habité en Nouvelle Calédonie, en Inde, en Thaïlande et en Australie, elle fait la connaissance d'un autre voyageur comme elle, avec lequel elle va unir sa destinée.

Quelque temps avant de prendre connaissance de mes livres, elle a fait une crise existentielle qui, sans raison particulière, lui a fait perdre tout intérêt à la vie, et ce, malgré l'amour de son merveilleux compagnon qui la soutenait dans sa recherche d'elle-même.

Elle n'arrivait pas à s'expliquer cette envie de mourir qui l'habitait. C'est alors qu'elle s'est procuré *Métamédecine des relations affectives, guérir de son passé* et qu'elle a entrepris de travailler avec la petite fille blessée en elle.

Après ce travail, elle a mis le cap sur le Canada. Au moment de notre rencontre, elle était persuadée qu'elle avait bien intégré le travail de l'enfant intérieur. Elle s'inscrivit néanmoins à un séminaire de formation. Au cours de ce séminaire, l'un de mes participants me questionna sur la cause possible d'un enfant qui naît avec le cordon noué autour du cou.

Je lui répondis qu'il est possible que cet enfant, voyant arriver le moment de s'incarner, ait pu avoir peur de ce qui l'attendait et être tenté de s'enrouler dans son cordon pour retourner d'où il vient.

En entendant cela, Andréanne fut submergée par une très forte émotion. Sa mère lui avait raconté qu'elle était née avec le cordon noué autour du cou. Elle n'avait toutefois aucun souvenir précis de sa volonté de vivre ou de mourir.

Je lui proposai de la voir en thérapie individuelle. Elle me dit qu'elle avait guéri toutes ses blessures d'enfant et qu'à présent elle en était libre.

Je lui demandai de me parler d'elle et de la manière dont s'était déroulée son enfance.

Fille unique, ses parents étaient très durs envers elle; ils la battaient régulièrement. À l'âge de 2 ans, elle fut confiée à sa grand-mère qui se montra très gentille avec elle. À 4 ans, elle revint chez ses parents avec lesquels elle vécut jusqu'à son départ pour la Nouvelle Calédonie.

Après quelques années, elle fit la connaissance de Thomas. Ils vécurent une véritable passion avec promesse de mariage au retour de Thomas qui devait repartir pour la France, son pays d'origine.

L'absence de Thomas se prolongea. Avec le temps, Andréanne oublia les belles promesses qu'il lui avait faites. Or, voilà qu'après cinq ans d'absence, Thomas revint. La passion laissée en suspens reprit de plus belle. Andréanne, qui nourrissait le désir de fonder un foyer, devint enceinte. Ce fut pour elle une très grande joie: enfin, elle se sentait une femme comme les autres.

Lorsqu'elle annonça la nouvelle à Thomas, il lui dit: «C'est inconcevable, c'est trop tôt, je dois repartir dans quelque temps pour conclure des affaires importantes en France, je ne veux pas être privé d'être près de toi pendant que tu porteras notre enfant.» Andréanne décida que, malgré les inconvénients, elle allait tout de même garder l'enfant. Thomas devança son retour en France, tout à fait en désaccord avec elle. Ne se sentant pas épaulée et mesurant les conséquences, Andréanne opta pour l'avortement.

Le médecin lui donna des médicaments qui provoquèrent un avortement spontané. Lorsqu'elle vit dans ses pertes sanguines ce petit avorton, cela lui brisa le cœur. Elle voulut le montrer à Thomas qui refusa de le voir; il fit ses bagages et s'en alla.

Elle resta là, seule dans sa douleur. Autour d'elle, les gens se préparaient à fêter Noël. Pour Andréanne, plus rien n'avait d'intérêt, ni la maison qu'elle s'était offerte, ni son travail. Elle quitta tout dans un état lamentable. Elle partit en direction de l'Inde sans trop savoir où son périple la conduirait. Elle se retrouva dans un monastère du Nord de l'Inde. Tel un oiseau blessé et mourant, elle accepta qu'on la soigne pour reprendre son envol. C'est au cours d'un de ces voyages qu'elle fit la connaissance de Hugo, qu'elle épousa. Au moment de notre rencontre, cela faisait déjà sept ans qu'elle se laissait porter par la vie.

Sur quoi fallait-il travailler avec Andréanne?

Sur son enfance de petite fille battue, sur la douleur de séparation vécue avec sa grand-mère, sur cet avortement? Comme Andréanne avait déjà fait un bon travail avec sa petite fille intérieure, je choisis de travailler sur cet événement où Andréanne se fit avorter, car je soupçonnais un lien avec sa propre naissance.

Je la ramenai donc au moment où elle apprit qu'elle était enceinte. Je l'invitai à revoir ce moment, à ressentir la joie qui l'habitait, puis la réaction de Thomas, son ambivalence, son choix d'avorter. Je l'amenai à revoir ce petit avorton et puis cette femme de 31 ans qu'elle était et qui s'était retrouvée complètement seule avec sa douleur. Je l'invitai à entrer dans cette image pour qu'elle aille retrouver cette jeune femme anéantie par ce qu'elle vivait.

En choisissant l'avortement, c'était à la vie elle-même qu'elle renonçait, non seulement à celle de son enfant mais aussi à celle qu'elle avait rêvée, qu'elle espérait.

Andréanne entra dans cette image; elle alla près de son Andréanne de 31 ans et lui dit: «Andréanne, tu n'es plus seule, je suis là, je comprends ce que tu vis, je sais à quel point tu peux avoir mal, à quel point tu peux te sentir abandonnée, mais je suis là à présent. Tu peux me confier ta peine, ta souffrance... Ce petit être, tu le voulais, c'était la situation que tu ne voulais pas, tu ne voulais pas avoir de conflit avec Thomas en poursuivant cette grossesse, c'est pourquoi tu as fait ce choix.»

Moi: «Tu peux t'adresser à cette petite âme, dis-lui que ce n'est pas d'elle que tu ne voulais pas, que tu aurais été si heureuse de l'accueillir si Thomas t'avait épaulée.»

C'est ce que fit Andréanne; elle s'adressa à cette petite âme. Elle comprit à ce moment-là ce que sa mère avait elle-même vécu. Pourquoi sa présence avait toujours été l'objet de conflits entre ses parents, pourquoi son père disait parfois à sa mère: «Tu l'as voulue ta fille, eh bien, casse-moi pas les pieds avec elle...»

Cela lui fit comprendre qu'elle ne voulait pas s'incarner, ne se sentant pas désirée par son père.

Je guidai Andréanne pour qu'elle voie sa mère avant qu'elle ne lui donne naissance. Elle se vit tout près de sa mère; elle posa délicatement ses mains sur son ventre pour parler à cette petite fille qui ne voulait pas naître.

Elle lui dit: «Tu sais, ta maman vit des sentiments bien partagés, elle est heureuse et triste à la fois. Elle est heureuse, car elle te désire de tout son cœur, mais elle est triste que son mari lui reproche cette maternité. Ta maman a besoin de toi, elle a besoin de ton amour et moi aussi, je te veux, tu verras, ensemble, on va se faire une vie formidable, je te ferai découvrir le monde, tu rencontreras des êtres merveilleux et la vie sera belle. J'ai très hâte que tu arrives. J'ai déjà tellement d'amour pour toi. Viens, tu verras on aura plein de choses à apporter à ce monde.»

Puis, elle sentit le désir de vivre dans ce petit être. Elle le vit pousser pour sortir du ventre de sa mère et émerger de son corps avec un grand désir de vivre. Elle se vit ensuite prendre cette petite fille dans ses bras et lui faire sentir tout l'amour qu'elle avait pour elle.

Après ce travail intérieur, Andréanne avait complètement accepté son incarnation. Nous fîmes par la suite un travail avec Thomas pour qu'elle comprenne à quel point il avait eu peur des responsabilités que représentait la venue d'un enfant. Cela lui fit comprendre son propre père et elle leur pardonna à tous les deux.

À la fin du séminaire, Andréanne n'avait plus envie de cette vie errante, elle était prête à poser ses valises. Elle n'avait plus besoin de se chercher, elle s'était trouvée en acceptant son incarnation.

David et une douleur d'incarnation

David a 34 ans. Tout comme Andréanne, il se cherche une raison d'être. Il ressent un profond vide intérieur qu'il essaie de combler. Il suit un cours après l'autre et voyage d'un pays à l'autre. Il semble chercher un idéal inaccessible; il n'a pas de maladie particulière, mais il est mal dans sa peau.

Lorsque je le rencontre, il me dit que la Métamédecine l'intéresse beaucoup et qu'il souhaite s'inscrire à la formation pour les intervenants en Métamédecine. Pendant ce séminaire, il se montre résistant et même, parfois, rebelle; la plupart des participants se méfient de lui. Il cache l'enfant malheureux derrière la façade d'un gros ego.

Lorsque je parle de la douleur d'incarnation, il se sent particulièrement interpellé. Pour lui, c'est une véritable révélation. Cela l'aide à mettre des mots sur ce qu'il ressent. Pendant des années, il a eu peur d'être psychopathe; sa mère est internée depuis des années en hôpital psychiatrique.

David avait 5 ans lorsque ses parents se séparèrent. C'est son père qui en eut la garde. Un jour, alors que sa mère leur rendait visite à sa sœur et lui, elle apporta des sacs pleins de provisions. Son père, furieux, frappa sa mère si violemment que le sang gicla. David qui était un enfant hypersensible assista à cette scène. Ces émotions, trop fortes pour lui, le firent sortir de son corps physique. Par la suite, chaque fois qu'il vivait de fortes émotions, il fuyait de nouveau sa réalité trop difficile à gérer.

David n'avait pas accepté son incarnation. À sa naissance, les médecins avaient dû utiliser les forceps pour le mettre au monde. Cet événement à l'âge de 5 ans avait amplifié sa douleur d'incarnation.

Je le ramenai donc au moment de sa naissance pour qu'il puisse s'adresser à ce petit être qui n'avait pas envie de naître et qui aurait préféré demeurer blotti dans le sein de sa mère.

Il alla le retrouver puis il lui dit: «Je sais que cette vie te fait peur, je sais que tu préférerais retourner dans ce plan de lumière d'où tu viens mais, vois-tu, ce monde a besoin de la lumière que tu peux lui apporter. Ce n'est pas en rejetant ce monde que tu pourras l'aider, mais en l'acceptant avec ses côtés sombres. Tu as un rôle important à jouer et, ce rôle, tu ne pourras l'assumer qu'en acceptant cette vie avec ses hauts et ses bas et tu verras qu'au bout du compte, tu seras très heureux d'y avoir participé. Alors, fais-moi confiance, je vais t'accompagner dans ce périple, nous le ferons ensemble. Je serai là quand tu auras peur, je serai là pour t'encourager, pour te soutenir. Ta maman a besoin de toi ainsi que bien d'autres personnes comme elle qui ne comprennent pas le sens de leur vie. Alors viens, on a beaucoup à faire ensemble, je t'aime déjà tellement.»

Tout comme Andréanne, David vit naître ce petit enfant qui, cette fois, avait accepté son incarnation. Il l'accueillit avec beaucoup d'amour et de tendresse.

Par la suite, nous avons travaillé ensemble dans cet événement dans lequel il avait fui en quittant son corps. David, l'adulte, est allé rassurer son petit David pour qu'il agisse plutôt que de fuir devant ce qui lui faisait peur.

C'est ainsi qu'au lieu de sortir de son corps, cette fois, il a pu dire à son père: «Papa arrête… tu peux être fâché… mais ne frappe pas maman parce que c'est comme si tu nous frappais aussi…» Son père arrêta à ce moment-là, il se mit à pleurer et leur demanda pardon…

Ainsi, devant une situation difficile, David savait à présent qu'il pouvait intervenir.

Sa mère avait sans doute vécu des situations de violence par le passé qui, renouvelées, l'amenèrent, comme son fils, à vouloir fuir sa réalité. N'ayant pas été comprise, elle fut internée où elle reçut des électrochocs qui accentuèrent sa fuite de la réalité.

Naissance difficile d'une petite âme!

Mon cœur bat la chamade et je sens que j'ai mal à l'âme. Elle me crie de rester et de ne pas retourner. Dieu que la tentation est forte de rebrousser chemin. Serais-je capable de résister? Et si la vie me faisait un cadeau? De me prendre par la main pour m'aider à parcourir ce chemin?

Peut-être me sentirais-je moins seule dans mon monde en deuil? Deuil de quitter cette source éternelle d'amour et de bonté. Serais-je seulement capable de la recréer?

Là, mon cœur s'apaise des grands tourments qui viennent de passer; et la réponse me vient tout bonnement comme l'enfant pour me l'apporter.

«Il n'en tient qu'à toi d'aimer me dit-il, la source est là, prête à être utilisée. Ouvre ton cœur et laisse-la pénétrer. Fais-la circuler à l'intérieur de ce petit corps afin qu'elle puisse l'irradier.»

C'est alors que j'ai compris. C'est là qu'elle m'apparaît la source, chaque fois que j'impose les mains. Elle me nourrit davantage pour chacun de mes lendemains. Elle le sait bien que je ne peux me passer d'elle, car elle m'est essentielle.

Et c'est grâce à vous qui recherchez cette source que j'exprime par les mains la douceur éternelle de l'amour et de la bonté.

Micheline Larouche

La peur de vivre ou de grandir

Parfois l'acteur a amorcé le jeu de la vie lorsque survient un événement qui le fait souhaiter s'en tenir à la scène où il se sent bien et en sécurité. Ce sont des enfants qui refusent de grandir, de s'assumer. Ils vivent au dépens de leurs parents jusqu'à un âge avancé ou se cherchent une personne qui va jouer ce rôle ou une institution qui les prendra en charge.

Luc et la peur de grandir

Luc était très attaché à son père. Il aimait l'accompagner au marché, le regarder inspecter sa voiture, le voir bricoler... Un jour, son père partit au marché sans l'amener. Sa mère lui dit que son père était allé faire des courses, mais que cela prendrait beaucoup de temps avant qu'il revienne. Luc sentit que sa mère ne lui disait pas la vérité. Il se sentit abandonné par son père et pensa: «Je n'ai plus personne à présent pour m'aider à grandir, pour m'enseigner ce que je dois savoir pour devenir adulte.»

Luc voulut demeurer un petit garçon pour qu'on s'occupe de lui. Il développa un problème de santé après l'autre pour obtenir l'attention de sa mère.

À 22 ans, Luc n'avait pas terminé ses études secondaires. Il était de plus en plus déprimé, n'ayant aucune aspiration. Son père revint vers lui pour l'aider. Il lui proposa de suivre une journée de séminaire avec moi.

Au cours de ce séminaire, je demandais aux participantes de réfléchir à ce qu'ils feraient s'il ne leur restait qu'une année à vivre. J'interrogeai Luc. Il me répondit:

«Je me réfugierais dans un chalet de montagne pour attendre la mort.»

Bien qu'il eût retrouvé son père, Luc n'avait aucun désir de vivre, aucune aspiration, aucun but. Sa vie s'était arrêtée au départ de son père.

C'était donc là qu'il fallait le ramener pour qu'il puisse accueillir ce petit garçon qu'il était, qui avait cru qu'il ne pourrait plus avancer dans la vie sans la présence de son père.

Je lui proposai donc d'aller retrouver ce petit garçon de 6 ans qui vivait en lui. Je le ramenai à cette journée où son père partit. Il se vit aller retrouver ce petit garçon et lui dire que son papa était parti parce qu'il vivait des choses difficiles et qu'il avait besoin de se retrouver. Il lui dit que lui, son grand, était là maintenant et qu'il allait prendre la place de son papa, qu'il lui apprendrait tout plein de choses et qu'il l'aiderait à grandir et à devenir adulte. Son petit garçon reprit confiance et goût en la vie; il lui donna la main et se vit faire, pour ce petit garçon, ce que son père faisait avant son départ.

Quand il lui arrivait de vivre ces périodes de déprime, il savait que c'était le petit garçon qui se sentait abandonné, qui vivait ces moments de dégoût de la vie. Alors il se voyait aller le retrouver et lui répéter qu'il n'était pas seul; il lui proposait de faire quelque chose d'agréable ensemble. Par exemple, il pouvait aller faire une longue randonnée à vélo en imaginant son petit garçon avec lui transporté de joie.

Ce travail avec l'enfant intérieur lui permit de se libérer de ses déprimes et l'aida à vouloir avancer dans la vie.

Les mécanismes de survie adoptés dans l'enfance

Une petit enfant est complètement dépendant de ceux qui en prennent soin. Il croit qu'il ne peut pas vivre s'il n'est pas aimé. C'est ainsi que lorsqu'il se sent délaissé ou abandonné, il va tenter de récupérer l'attention de ses proches par différentes stratégies qui, une fois adulte, pourront être perçues comme de la manipulation ou encore un positionnement de victime.

En relation d'aide, on rencontre assez fréquemment de ces personnes qui recherchent davantage l'attention du thérapeute que des moyens de surmonter leurs difficultés.

Léna souffrait de fibromyalgie

Elle avait consulté plusieurs médecins et thérapeutes au sujet des douleurs qui l'affectaient. Le dernier qui l'avait suivie lui avait dit, dans le but de la réveiller: «Victime, tu joues à la victime, est-ce assez clair?»

Léna l'entendait comme si l'on ne croyait pas qu'elle souffrait vraiment. Pourtant, elle savait que ces douleurs étaient bien réelles. Cela la blessait, elle ne se sentait pas entendue, pas comprise. Elle pensait que ces thérapeutes lui disaient qu'elle inventait ses douleurs ou les amplifiait pour avoir de l'attention.

Au cours d'un séminaire qu'elle suivit avec moi, je l'observai dans ses relations avec les autres et me rendis compte comment elle allait chercher de l'attention. Ces douleurs étaient bien réelles, mais c'est lorsqu'elle parlait de ses souffrances qu'elle recevait de l'attention.

Je lui demandai: «Léna, se pourrait-il que lorsque tu parles de tes souffrances et que l'on t'écoute, tu as le sentiment d'exister?»

Ma question l'étonna. Je la lui répétai. Je ne lui disais pas qu'elle jouait à la victime, je lui demandais plutôt si elle avait le sentiment d'exister lorsque les autres l'écoutaient.

Elle me répondit par l'affirmative.

Les parents de Léna étaient très durs envers elle et son frère. Ils les battaient ou les forçaient à exécuter des travaux très pénibles pour leur âge. Parfois, ils les laissaient seuls sans nourriture pendant quelques jours. Elle et son frère ramassaient alors des bouteilles vides qu'ils vendaient pour se procurer un peu de nourriture.

Lorsqu'elle racontait les sévices qu'elle avait subis dans son enfance, cela ne pouvait qu'attirer l'attention et lui donner le sentiment d'exister, ne serait-ce que par l'écoute qu'on lui offrait; écoute qu'elle n'avait jamais reçue de ses parents.

Parler de ses souffrances était le mécanisme de survie qu'elle avait adopté pour survivre dans le monde d'indifférence dans lequel elle avait évolué. Cependant, tant qu'elle recevait cette attention, elle ne cherchait pas la cause de sa fibromyalgie et ses thérapeutes avaient le sentiment de perdre leur temps et leur énergie avec elle.

Je lui fis comprendre que ce mécanisme l'avait aidée à survivre, mais, à présent, il l'empêchait de vivre vraiment et d'être heureuse, car tous ces «sauveteurs» finissaient par s'éloigner, ce qui ne pouvait que raviver en elle le sentiment de rejet et d'abandon.

Je lui appris à travailler avec son enfant intérieur plutôt que d'aller se chercher de l'attention de cette façon, ce qu'elle fit.

Lorsque je la revis, elle était prête à découvrir la cause de sa fibromyalgie. C'est ainsi qu'elle découvrit que lorsque sa mère la battait, elle pensait que c'était de sa faute, elle ne se croyait pas digne d'être aimée. Aussi, chaque fois qu'elle éprouvait de la colère ou de la violence envers une personne, elle la retournait contre elle-même, persuadée qu'elle était mauvaise, méchante et indigne de recevoir l'amour de qui que ce soit.

Je l'ai aidée à aller retrouver la petite fille battue pour qu'elle lui dise que ce n'était pas de sa faute, qu'elle n'avait rien fait qui méritait un tel excès de violence, que cette violence était l'expression de la souffrance de ses parents.

Elle se pardonna d'avoir cru qu'elle était méchante, elle comprit que lorsqu'elle était envahie par des pensées de colère ou de violence, c'était toute sa souffrance qui resurgissait. C'est ainsi qu'elle put comprendre la grande souffrance que portaient ses parents et leur pardonna. Elle apprit à s'aimer et à se donner le droit de ne pas être parfaite. Léna guérit dans son cœur et dans son corps.

Audrey et de sérieux problèmes d'apprentissage

Audrey est le premier enfant de ses parents. Après sa naissance, sa mère éprouva de graves problèmes psychologiques qui l'amenèrent à être internée à plusieurs reprises. Audrey fut fréquemment séparée de sa mère. Son père, las de ces problèmes qui ne semblaient pas vouloir se régler, mit fin à sa relation de couple et obtint facilement la garde de ses deux enfants.

Lorsque Audrey commença l'école, elle découvrit que lorsqu'elle ne comprenait pas, le professeur lui donnait une attention particulière. Avec le temps, elle utilisa ce stratagème pour capter l'attention de son professeur et le retenir un peu plus longtemps auprès d'elle.

Ce professeur essayait tant qu'il pouvait de lui expliquer de la manière la plus simple et la plus facile qui fut, mais Audrey ne semblait pas comprendre. Son professeur crut que Audrey avait de graves problèmes d'apprentissage. Il encouragea donc son père à la placer dans une école pour enfants en difficulté.

Audrey avait compris: «Lorsque je ne comprends pas, on s'occupe de moi, donc on m'aime, donc je peux vivre...»

C'est ainsi que lorsque ses professeurs tentaient de l'aider, tout s'embrouillait dans son cerveau afin de les retenir plus longtemps près d'elle.

Lorsqu'elle eut 7 ans, son père se remaria avec une femme prête non seulement à s'occuper de ses enfants, mais à s'y investir de tout son cœur pour les rendre heureux.

Son grand désir d'aider Audrey ne fit que renforcer ce mécanisme de survie puisqu'elle lui prodiguait plus d'attention chaque fois qu'elle avait des problèmes. À 18 ans, Audrey était encore une petite fille qui n'avait pas grandi et qui passait d'une crise existentielle à une autre. Voulant l'aider à acquérir une certaine autonomie, elle et son mari incitèrent Audrey à apprendre un métier puis lui payèrent des thérapies individuelles et de groupe. C'est ainsi qu'elle s'inscrivit à l'une de mes thérapies de groupe. Au cours de cette thérapie, j'avais proposé aux participants de faire un exercice par écrit. La plupart ayant terminé, c'était le moment de la pause.

Audrey me retint, me disant qu'elle n'avait pas bien compris ce qu'elle devait faire. Je lui expliquai de nouveau ce que je savais être simple à comprendre. C'est alors que je réalisai qu'en ne comprenant pas elle me gardait plus longtemps près d'elle.

Je lui demandai si c'est ainsi qu'elle agissait quand elle était enfant avec ses professeurs et ses parents? Elle sembla ne pas comprendre.

Je repris ma question de cette façon: «Audrey, dis-moi quel est l'avantage que tu retires à ne pas comprendre?»

Audrey: «Aucun.»

Moi: «Audrey, ne retirerais-tu pas une certaine attention?»

Audrey: «Non.»

Moi: «Audrey, regarde-moi bien dans les yeux et dis-moi que ce n'est pas cela...»

Audrey le reconnut. Elle avait toujours utilisé ce moyen pour retenir les personnes qu'elle aimait.

Je savais que, sans la reconnaissance de ce stratagème, Audrey aurait passé une bonne partie de sa vie en thérapie, renonçant au développement de son potentiel, de son autonomie et de son bonheur. Sans compter qu'elle risquait de se retrouver, comme sa mère, en institution psychiatrique.

Je lui fis bien comprendre que c'était la petite fille en elle qui avait tant besoin qu'on s'occupe d'elle qui avait adopté ce mécanisme de survie. Je lui fit voir ce que cela lui avait déjà coûté et ce que cela risquait de lui coûter si elle persistait à l'utiliser.

Elle reconnut que toutes les personnes qui s'occupaient d'elle finissaient toujours par trouver le moyen de s'en éloigner, ce qui lui faisait vivre un plus grand sentiment de rejet et d'abandon et c'est ce qui déclenchait chez elle ses crises existentielles.

Je l'aidai à accueillir cette petite fille et l'encourageai à aller retrouver cette petite fille, lorsqu'elle serait de nouveau tentée d'utiliser ce mécanisme, pour lui dire: «Je suis là, je vais m'occuper de toi, je vais te donner tout l'amour et l'attention dont tu as besoin... N'essaie plus de retenir cette personne, laisse-la libre et c'est ainsi qu'elle aura davantage envie d'être avec toi.»

Quand elle rentra chez elle, elle fit une crise existentielle plus forte qu'elle n'en avait jamais faite. Sa belle-mère, inquiète, me téléphona pour s'enquérir de ce qui s'était passé.

Audrey n'avait existé qu'à travers ce mécanisme de survie. Que je l'aie découvert et lui aie révélé pour l'aider à le dépasser, elle l'interprétait comme si, moi aussi, je lui refusais mon amour. Je lui ai parlé, lui disant que c'était l'inverse, que c'était justement parce que je l'aimais que je lui avais fait découvrir ce mécanisme qui risquait de la rendre de plus en plus malheureuse. Elle sentit ma sincérité et l'accepta.

Je parlai également à sa belle-mère pour qu'elle comprenne qu'en ayant tellement voulu aider Audrey, elle avait encouragé cette équation: «quand j'ai des difficultés, on s'occupe de moi.»

Elle le comprit et prit la décision, dans ces moments-là, de lui dire: «Audrey, je t'aime, je choisis de te faire confiance. Je suis convaincue que tu sauras trouver la solution à ton problème. Prends le temps d'y réfléchir.»

Elle comprit qu'elle aiderait davantage Audrey en lui faisant confiance et en l'encourageant pour chacune de ses réussites.

Chez les enfants, on parle bien souvent «d'ignorance intentionnelle», c'est-à-dire qu'on ne répond pas au besoin de l'enfant dans ses tentatives de manipulation. Toutefois, cette ignorance intentionnelle doit bien faire comprendre à l'enfant que l'on ne lui donne pas cette forme d'attention non par indifférence mais par amour pour lui. Cela suppose également de donner de l'attention à l'enfant lorsqu'il pose des gestes qui lui sont favorables.

Au cours d'une conférence, une personne m'interrogea au sujet de son fils de 7 ans qui, selon elle, cherchait délibérément son attention avec ses problèmes d'apprentissage.

Pour le motiver, elle lui parlait de l'importance de ses études pour son avenir. Pour un enfant de sept ans, l'avenir est très loin et très vague. Il est important de se mettre toujours à la portée de ceux qu'on aide. Je lui suggérai plutôt de lui dire que plus vite il terminerait ses devoirs, plus de temps vous auriez pour jouer ensemble.

Ainsi, l'équation «quand j'ai des difficultés à comprendre, maman reste plus longtemps à côté de moi» devient «plus rapidement je peux comprendre, plus j'ai de temps pour avoir du plaisir avec maman.»

En présentant à l'enfant quelque chose de plus agréable, il délaisse facilement le mécanisme qui ne lui était pas favorable.

Plusieurs personnes rendues à l'âge adulte continuent d'utiliser ces mécanismes adoptés dans l'enfance qui se résument à ceci: «On s'occupe de moi: quand je suis malade, quand je suis triste, quand je suis déprimé, quand j'ai des problèmes, quand je fais la gueule.»

Ou bien: «On m'écoute seulement quand j'insiste, je fais des crises, je commets des méfaits, je fais la tête ou je ne dis plus rien.»

Ou bien: «Mes parents cessent de se quereller lorsque: je me fais du mal ou me blesse, que j'ai des crises d'asthme, des crises d'épilepsie, etc.»

Ces mécanismes de survie, c'est le besoin d'exister. L'une de mes participantes ménopausée avait le ventre d'une femme enceinte de sept mois. Elle me révéla à un certain moment que ce n'était que lorsqu'elle était enceinte qu'elle avait le sentiment d'exister. Elle n'avait jamais fait le lien entre son ventre et ce besoin d'exister. Certaines personnes ont compris: «J'existe lorsque les autres ont besoin de moi.» Ces personnes passent leur vie à aider les autres à leur propre détriment.

Voici ce que d'autres m'ont confié:

> Je n'existais pour mon père qui était médecin que lorsque j'étais malade. (Ces personnes sont continuellement malades.)
>
> Mon père me témoignait de l'affection seulement lorsqu'il m'abusait. (Ces personnes recherchent l'affectif dans le sexuel et sont très malheureuses ou font des histoires lorsqu'on leur refuse.)
>
> Les seuls moments où ma mère m'exprimait son amour, c'était après qu'elle m'eût donné une raclée. (Ces personnes peuvent avoir l'art de provoquer des conflits pour que l'autre, dans ses regrets, lui demande pardon et lui exprime son amour.)

J'avais le sentiment d'exister pour les autres lorsque je faisais le pitre et que je les faisais rire. (Ces personnes cachent bien souvent leur souffrance sous un masque de clown.)

Comment aider une personne à prendre conscience d'un mécanisme de survie qu'elle a adopté, mais qui ne lui est pas favorable?

Il faut l'observer pour être certain qu'il s'agit bien d'une manipulation. S'il y a un doute, mieux vaut s'abstenir et attendre d'avoir une certitude avant de lui en faire prendre conscience.

Bien identifier le moyens qu'utilise cette personne pour manipuler son entourage:

par les larmes;

par les difficultés à comprendre;

par la maladie;

par le fait de parler de ce qui la fait souffrir;

par les problèmes qu'elle éprouve;

par la tristesse;

par la déprime;

par une attitude renfrognée.

Procéder avec des questions: par exemple, lorsqu'elle était enfant, lui donnait-on une attention plus particulière lorsqu'elle pleurait, était malade, avait des difficultés d'apprentissage, etc.?

On peut lui donner un exemple pertinent que l'on a observé lorsque c'est possible.

Bien lui faire comprendre que cette manipulation était un mécanisme de survie parce que, enfant, elle ne voyait **pas d'autres moyens** d'obtenir l'attention et l'affection dont elle avait tant besoin.

Faire en sorte que cette personne ne se **sente pas coupable ni jugée**, mais qu'elle comprenne le prix qu'elle paie pour obtenir cette forme d'attention. Il s'agit du prix de sa santé, de sa réussite, de son bien-être et de son bonheur...!

L'aider à comprendre qu'en utilisant ce mécanisme de survie, elle s'attirera toujours, à court terme, des «sauveteurs» qui lui donneront cette attention, mais qui, à long terme, vont s'en éloigner. C'est ainsi qu'elle se retrouvera à revivre continuellement des sentiments de rejet, d'abandon et de solitude qui la feront souffrir.

Lui faire prendre conscience qu'à présent elle peut obtenir une meilleure qualité d'attention et d'affection si elle apprend à s'apporter à elle-même (l'enfant en elle) l'amour qu'elle attend des autres ou si elle apprend à le demander honnêtement plutôt qu'à tenter de l'obtenir par la manipulation.

On peut lui proposer cette phrase de Osho Rajnesh: «*L'amour se donne à ceux qui sont heureux, la pitié va aux malheureux!*» Pourquoi se contenter de pitié quand on pourrait recevoir l'amour?

Ces souffrances qui proviennent d'une autre vie

Nous avons déjà vu que l'âme est ce qui anime la matière, donc notre corps physique. Que cette âme est comparable à l'acteur qui joue un rôle dans la peau d'un personnage et que, tant que l'acteur n'est pas éveillé, il s'identifie à son personnage.

Cet acteur s'étant identifié à son personnage peut quitter la scène pour y revenir ultérieurement. Il peut, à ce moment-là, avoir des souvenirs de rôles joués avant ce retour à la scène. C'est ce qu'on appelle des mémoires karmiques. Ces mémoires peuvent expliquer nos facilités, nos aptitudes, nos tendances, certains goûts qui vont à l'opposé de notre nouveau personnage ou encore certaines appréhensions, peurs, allergies ou douleurs.

On n'interviendra dans ces mémoires seulement lorsque cela nous semble une évidence pour aider une personne à se libérer de sa souffrance.

J'ai eu plusieurs personnes avec lesquelles j'ai dû utiliser ce moyen pour les libérer d'une souffrance issue d'un rôle antérieur à cette vie.

Marjolaine et une phlébite inexplicable

Marjolaine est dans la cinquantaine. Elle s'est inscrite à mon séminaire davantage par intérêt personnel que pour des raisons de santé ou dans le but de faire une formation.

Ce séminaire se donne sur une période de douze jours. Dans le but de détendre un peu les participants, je leur propose qu'on organise une fête pour le samedi suivant. À l'annonce de cette nouvelle, Marjolaine a la jambe gauche qui se met à lui brûler, à rougir, à enfler.

Elle me dit que cela fait des années qu'elle se fait traiter pour ce problème, mais qu'on n'a jamais trouvé ni la cause ni le remède. Je lui demande quand s'est manifestée cette phlébite avant celle qui l'affecte. C'était à Noël dernier. Elle avait été invitée chez sa cousine pour le réveillon. Alors qu'ils étaient en route, son mari et elle eurent des ennuis mécaniques avec leur voiture, ce qui les obligea à rebrousser chemin. Cela se termina dans un conflit entre elle et son conjoint. Elle me dit que, de toute façon, elle n'avait jamais eu un seul beau Noël.

Pour elle, «fête» égalait déception. C'est ce qui expliquait en partie pourquoi lorsque j'avais parlé de fête, sa peur d'être déçue refit surface, entraînant les symptômes de la phlébite.

Je l'aidai à libérer les émotions de déception qu'elle avait vécues enfant quand, devant le sapin, elle attendit avec tant de fébrilité le cadeau qu'elle croyait être pour elle mais qui était destiné à sa sœur.

À la suite de ce travail, il y eut une certaine amélioration, mais sa jambe continua d'être enflée et rouge, tant elle avait encore peur de cette fête sans trop savoir pourquoi. Il y avait quelque chose de particulier dans l'œdème de sa jambe: près de sa cheville se dessinait comme le tracé d'une chaîne. Je me doutais que ce qu'elle avait vécu enfant était en résonance avec une émotion plus ancienne. Je me demandai si elle n'aurait pas été enchaînée dans une vie précédente.

Je lui proposai de la ramener en régression d'âge, la prévenant de n'avoir aucune attente. Puisque l'on ne retrouve, dans la majorité des cas, des images que lorsqu'on est prêt à les voir. Elle accepta.

Je la fis allonger, l'invitant à prendre trois bonnes grandes respirations pour l'amener en état de détente profonde. Ensuite, je la guidai pour qu'elle puisse détendre toutes les parties de son corps[1]. Puis je lui dis:

[1] La détente des parties du corps est décrite au chapitre 8, page 350.

«À présent que tu es parfaitement bien détendue, tu vas te voir avancer dans un couloir, un corridor ou une allée bordée de fleurs. Tu avances en toute confiance. Au bout de ce couloir ou de ce corridor, tu vas apercevoir une très belle lumière, comme un soleil que tu peux regarder sans être éblouie. Plus tu t'approches de cette lumière, plus tu réalises que cette lumière vient d'en bas d'un escalier de 12 marches, c'est l'escalier du temps. Tu vas descendre cet escalier, douze… onze… dix… neuf… huit… sept… six… cinq… quatre… trois… deux… un… En bas de cet escalier, tu vas voir un lieu. Regarde bien cet endroit, regarde ces maisons… ces rues… ces habitants… Regarde bien tu vas voir une date… Quelle est cette date?»

Cette détente doit se faire très lentement.

Marjolaine: «1752.»

Moi: «Très bien, à présent tu vas revoir la personne que tu étais. Tu vas d'abord voir ses pieds, ses jambes, ses vêtements… Est-ce un homme ou une femme?»

Marjolaine: «C'est une femme. Elle a de longs cheveux noirs, une robe rouge, des yeux aussi très noirs. C'est une bohémienne, elle ramasse des herbes. Je la vois dans son champ avec son panier, il fait soleil, elle chante…»

Moi: «Très bien, continue de laisser monter les images qui te viennent… Quel âge peut-elle avoir?»

Marjolaine: Dans la vingtaine.»

Moi: «Que fait-elle avec ces herbes?»

Marjolaine: «Une grand-mère lui a appris à préparer des remèdes pour soigner les membres de son clan…»

Moi: «Continue…»

Marjolaine: «Il y a des hommes vêtus de noir qui viennent la chercher, elle ne comprend pas ce qu'ils lui veulent. Ils l'amènent avec eux, ils la font entrer dans une salle, il y a d'autres hommes qui l'interrogent, ils lui disent qu'elle est une sorcière et qu'elle va subir le sort de toutes les sorcières. Elle essaie de s'expliquer pour leur dire qu'elle n'a rien d'une sorcière, ils la frappent puis ils l'enchaînent et la jettent dans une cellule. Elle a peur, elle ne comprend pas pourquoi on l'accuse de sorcellerie. Elle se sent seule, il n'y a personne pour la défendre. Elle doute d'elle-même, elle se demande si elle n'aurait pas fait quelque chose de mal. Il y a une grande fête au village. On l'amène enchaînée, ces chaînes la blessent. On l'attache à un poteau sur la place publique. Des hommes l'insultent, lui crachent au visage. Puis on met de la paille tout autour d'elle, des gens crient, certains s'insurgent, mais on les repousse, puis on allume le feu. Elle sait qu'elle va mourir, elle a très peur, elle pleure, elle prie, elle voit tous ces visages de haine, cela lui fait si mal... elle souffre horriblement... puis elle quitte son corps...»

Moi: «Très bien, c'est très bien, maintenant va retrouver cette bohémienne qui vient de quitter son corps, va lui dire qu'ils n'ont détruit que son véhicule, que son âme est immortelle, dis-lui que c'est la peur et l'ignorance qui ont poussé ces hommes à agir ainsi. Dis-lui qu'elle n'a jamais rien fait de mal, dis-lui que ces hommes ne pourront jamais détruire les attributs de la féminité, qu'ils craignent tellement. Dis-lui de voir leur peur et leur ignorance et de leur pardonner.»

Marjolaine se vit aller vers cette bohémienne. Elle l'aida à accepter la situation cruelle qu'elle venait de vivre et à se libérer du sentiment d'injustice et de révolte qu'elle avait éprouvé à l'égard de ces hommes. Elle l'aida également à comprendre qu'ils n'avaient agi que sous le contrôle de l'ignorance et de la peur, ce qui permit à cette bohémienne de leur pardonner.

Moi: «Maintenant, tu vas la voir aller vers la lumière, tu vas la sentir complètement libre et sereine. Que retient-elle de cette expérience?»

Marjolaine: «Qu'elle ne doit jamais douter de ce qu'elle sent juste au fond de son cœur même si on veut lui faire croire le contraire. Que c'est la peur et l'ignorance qui fait souffrir, jamais l'amour.»

Moi: «Très bien, tu vas maintenant remonter l'escalier du temps... un... deux... trois... quatre... cinq... six... sept... huit... neuf... dix... onze... douze... Tu reviens dans ton couloir, dans ton corridor et, dans ce corridor, il y a une personne qui vient vers toi, c'est une personne à qui tu peux avoir à pardonner ou à demander pardon... Y a-t-il une personne qui vient vers toi?»

Marjolaine: «Oui, c'est mon mari...»

Moi: «Qu'as-tu à lui dire ou que veut-il te dire?»

Marjolaine: «J'ai à lui demander pardon pour lui avoir fermé mon cœur pendant tant d'années.»

Marjolaine était mariée depuis plus de 25 ans avec un homme qu'elle rêvait de quitter. Elle se rendit compte que, dans cette expérience passée, elle n'avait pas pardonné aux hommes et, dans cette vie, elle avait fermé son cœur aux hommes, en commençant par son père.

Après ce travail, je lui laissai le temps de se replacer dans la pièce, de revenir avec moi. Puis, je l'entraînai au salon.

Le groupe ayant appris qu'elle était née un 25 décembre et que tous ses Noël avaient été tristes, lui avaient préparé le plus bel anniversaire. Ces souliers étaient remplis de cadeaux et nous lui organisèrent le plus beau des Noël au mois d'octobre. Cette phlébite de longue date guérit.

On peut recourir à cet outil avec une personne qui a très peur de mourir. Si l'âme était morte d'une manière dramatique, on peut l'aider à dédramatiser cette mort ou, encore, lui faire vivre une mort très sereine et la ramener pour qu'elle n'ait plus peur de mourir.

Aider une personne à transformer les images et l'équation résultant d'une expérience vécue dans cette présente vie (ce scénario) ou dans une incarnation passée (scénario précédent) revient plus ou moins au même.

Parfois le mental se met de la partie et les personnes me demandent: «Est-ce que je n'aurais pas imaginé cela?»

Une histoire raconte que, dans l'Inde ancienne, il y avait un souverain appelé Janaka, qui était également un être éclairé. Un jour, après le déjeuner, il sommeillait sur son lit parsemé de fleurs. Tandis que ses serviteurs l'éventaient et que ses soldats montaient la garde auprès de lui, il rêva qu'il était attaqué et vaincu par le roi d'un pays voisin. Ce dernier le laissa libre d'aller où bon lui semblait, à condition qu'il quitte son royaume. Épuisé par le combat, Janaka s'enfuit et ne tarda pas à être tenaillé par la faim. Se retrouvant par hasard dans un champ de maïs, il cueillit deux épis et se mit à les manger. À ce moment-là, le propriétaire du champ arriva. Quand il vit cet homme étrange qui lui volait son maïs, il prit un fouet et le frappa violemment.

Aussitôt, Janaka se réveilla. Se redressant sur son lit, il constata qu'il était toujours dans sa chambre, que ses serviteurs continuaient à l'éventer et que sa garde était toujours auprès de lui. Alors il se rallongea et ferma les yeux. De nouveau, il se retrouva dans le champ de maïs, avec le fermier qui le rouait de coups! Il rouvrit les yeux et constata qu'il était toujours allongé sur son lit. «Laquelle de ces deux scènes est réelle, se demanda-t-il, mon rêve ou bien ce que je vois actuellement? Il me faut absolument obtenir une réponse à cette question.»

Il fit appel à tous les grands érudits, sages, prophètes et savants du royaume, les priant de venir au palais répondre à sa question. Quand ils furent tous réunis, le roi leur demanda: «Est-ce l'état de veille ou l'état de rêve qui est réel?» Mais nul ne pouvait fournir la réponse à cette question. S'ils déclaraient que l'état de rêve est réel, cela les obligeait à qualifier l'état de veille d'irréel, et inversement. Le roi était furieux. «Je vous nourris depuis tant d'années, dit-il, mais vous êtes incapables, tout juste bons à vous engraisser à mes dépens!» Et il donna l'ordre de les jeter en prison. Puis il fit afficher sa question dans tous les lieux publics du royaume. «Lequel de ces deux états est réel: le rêve ou la veille? Quiconque connaît la réponse à cette question doit venir me la communiquer.»

Les jours passèrent. L'un des sages emprisonnés avait un fils nommé Ashtavakra, car il était né avec une difformité (ce nom signifie «difforme en huit endroits»). Celui-ci demanda un jour à sa mère:

«Où se trouve mon père? Où est-il allé?

– Il est dans la prison royale, répondit sa mère.

– Pourquoi? A-t-il volé quelque chose?

– Non, dit-elle, il est en prison parce qu'il n'a pas été capable de répondre à la question du roi.

– Je peux répondre à cette question, dit Ashtavakra.

Et il se rendit aussitôt au palais du roi. Devant le palais se trouvait un énorme tambour et à côté de lui une pancarte disant que si quelqu'un voulait répondre à la question du roi il devait battre le tambour. C'est ce que fit Ashtavakra. La porte du palais s'ouvrit et on le conduisit à la salle d'audience.

Quand Ashtavakra fit son entrée, tous les courtisans éclatèrent de rire. Qu'un pauvre bossu se déclare capable de répondre à une question qui avait laissé perplexes tous les grands érudits du royaume, voilà qui leur semblait du plus haut comique. Ashtavakra se mit à rire lui aussi.

«Ta démarche particulière et ton jeune âge ont provoqué l'hilarité de mes courtisans, dit le roi. Mais toi, dis-moi, pourquoi ris-tu?

– Votre Majesté, répondit Ashtavakra, j'avais cru comprendre que vous-même et vos courtisans étiez des gens éclairés, mais je constate que vous êtes tous profondément stupides. Vous riez de mes difformités, mais elles sont superficielles. Tous les corps sont constitués des mêmes cinq éléments. Si vous pouviez me voir du point de vue du Soi, vous constateriez que le Soi est identique en chacun et que ces rires sont sans fondements. Quant à ta question, ô roi, ni l'état de veille ni l'état de rêve ne sont réels. Quand tu es éveillé, l'univers onirique n'existe pas; et quand tu rêves, le monde de l'état de veille n'existe pas. Par conséquent, aucun des deux ne peut être authentique.

– Si les états de veille et de rêve sont irréels, dit le roi, y a-t-il quelque chose de réel?

–Il existe un état qui les transcende tous les deux, répondit Ashtavakra. Découvre-le; lui seul est réel[2]*.»*

Rappelons-nous que le cerveau ne fait pas la différence entre le réel et l'imaginaire. Si l'imaginaire peut produire des résultats favorables, cela est bienvenu. Dans le cas inverse, mieux vaut s'en abstenir.

L'intervention du thérapeute doit donc toujours viser la libération des émotions négatives et le retour à la paix d'esprit de la personne qui consulte.

Nos souffrances ont-elles un sens?

Tout au long de ce livre, nous avons été à même de constater comment nos pensées, nos sentiments et nos émotions peuvent donner naissance aux affections que nous vivons.

Nous pourrions toutefois nous demander: «Mais pourquoi rencontrons-nous des épreuves ou des situations qui nous perturbent ou qui nous déstabilisent? Pourquoi réagissons-nous par la peur, la colère, la violence? Pourquoi nous sentons-nous coupable, désabusé, déprimé ou malheureux?

Tout a sa raison d'être et tout est parfait en fonction de ce que nous devons apprendre ou de ce que les êtres de cette terre doivent intégrer dans leur évolution.

Prenons la violence. Pourquoi naissons-nous dans un milieu de violence? Il peut y avoir différentes raisons qui peuvent concerner autant celui qui exprime la violence, celui qui la reçoit que celui qui en est témoin.

[2] Swami Muktananda, *Où allez-vous, un guide pour le voyage spirituel*, New York, SYDA Foundation, 1981.

Celui qui exprime la violence est très souvent celui qui doit apprendre à se pardonner. Lorsqu'il lui arrive de faire souffrir ceux qu'il aime, il s'en veut énormément et s'attire plein de circonstances pour se faire souffrir. Et c'est justement cette souffrance qu'il exprime dans sa violence.

Celui qui reçoit la violence est celui qui doit apprendre à pardonner et à ne pas se laisser maltraiter. Aussi, tant qu'il n'intégrera pas sa leçon, il se retrouvera continuellement avec des personnes qui seront dures ou violentes à son égard, en paroles ou en gestes.

Quant à celui qui est témoin de la violence, celui-là peut avoir à dépasser un sentiment d'impuissance avec parfois la peur de s'exprimer. Cela s'explique par le fait que celui qui est témoin de la violence peut figer dans l'émotion de peur et d'impuissance qu'il ressent. C'est souvent la personne à la voix rauque ou cassée qui craint très souvent la réaction des autres par rapport à ce qu'elle veut exprimer.

Tant qu'elle ne surmontera pas cette peur, elle se retrouvera continuellement confrontée à un sentiment d'impuissance à exprimer ce qu'elle ressent, ce qui lui créera très souvent des problèmes avec ses voies communicatives.

Ainsi, chaque situation qui nous a fait souffrir et qui nous fait encore souffrir comporte une leçon qu'il nous faut intégrer dans notre évolution.

Chacune des histoires des personnes dont j'ai fait allusion dans ce livre correspondait à une leçon de vie.

Prenons l'histoire d'Alison. Alison est décédée des suites d'un cancer du poumon, précédé par un cancer du sein. Alison avait été séparé de sa mère à l'âge de

4 ans. Elle avait un fils de 6 ans. Son mari avait perdu sa mère à l'âge de 6 ans. Ce qui était le plus difficile pour Alison, c'était de quitter son fils.

Quelle était la leçon qu'Alison devait intégrer dans son évolution? Le détachement.

Qu'est-ce que le fils d'Alison devait apprendre dans cette vie? La même chose que sa mère, soit à se détacher des êtres qu'il aime.

Qu'est-ce que le mari d'Alison devait intégrer dans son évolution? Également, le détachement qu'il a dû vivre avec sa mère, l'un de ses frères, avec sa première épouse et, enfin, avec Alison qu'il aimait tant.

Il est remarquable d'observer que nos enfants ont très souvent les mêmes leçons de vie que nous à intégrer.

Guérir l'âme, c'est aider la personne qui nous consulte à comprendre la leçon qu'elle doit intégrer dans son évolution.

Linda et une dépression nerveuse

Linda prenait des antidépresseurs depuis des années. Ses médecins lui avaient dit qu'elle devrait les prendre sa vie durant. Elle me confia comment ses médicaments l'empêchaient de vivre et comment il lui arrivait encore, malgré ces antidépresseurs, d'être envahie par des idées suicidaires. Elle me demanda si je croyais qu'elle pouvait arriver à s'en libérer.

Je lui répondis que, pour cela, il faudrait qu'elle retrace ce qui a donné naissance à ses dépressions et qu'elle s'en libère. Je lui demandai donc à quand remontait sa première dépression et ce qu'elle avait vécu pendant cette période.

Cela faisait suite à une situation qu'elle avait très mal vécue. Sa fille unique avait été abusée par le pensionnaire qu'elle avait hébergé pour arrondir ses fins de mois.

Linda s'en attribuait la responsabilité. Elle ne cessait de se répéter qu'elle aurait dû trouver une autre solution, que si elle avait été plus vigilante, cela ne se serait pas produit.

C'était donc un sentiment de culpabilité qui était à la base de ses dépressions. Cette culpabilité était en résonance avec une autre plus ancienne. Linda avait elle-même été abusée à peu près au même âge que sa fille par l'un de ses oncles qu'elle aimait beaucoup. Son jeune frère, les ayant surpris, l'avait dit à son père, ce qui créa toute une histoire dans la famille. Linda était persuadée que c'était de sa faute, elle croyait que le fait d'avoir recherché l'affection de cet oncle avait éveillé ces désirs en lui. Elle en prenait donc l'entière responsabilité comme cette fois avec sa fille.

Moi: «Linda, depuis cet événement, aurais-tu vécu des situations où tu aurais eu le sentiment qu'on te manquait de respect?»

Linda: «Et comment! J'ai même changé de profession pour cette raison.»

Moi: «Serait-ce possible que tu aurais eu à apprendre à te faire respecter dans cette vie?»

Cela l'interpella. Je poursuivis:

«Serait-ce la raison pour laquelle tu aurais vécu cette expérience d'abus lorsque tu étais enfant?» Linda n'avait jamais vu cet événement sous cet angle. Mais cela faisait du sens pour elle, je continuai donc.

«Linda, se pourrait-il que ta fille avait la même leçon de vie que toi à intégrer dans son évolution, soit d'apprendre à se faire respecter?»

Je lui laissai le temps d'y réfléchir.

Linda m'avoua que sa fille vivait avec un homme depuis quelques années et qu'elle était à même de constater qu'il lui manquait continuellement de respect.

Moi: «Si ta fille, tout comme toi, avait cette leçon à intégrer dans son évolution, crois-tu que si tu n'avais pas accueilli ce pensionnaire cela lui aurait épargné d'apprendre cette leçon? Cet événement n'aurait-il pas pu se produire dans un autre lieu sans que tu n'y puisses quoi que ce soit?»

Linda: «Je sais que ce sont mes pensées de peur qui ont fait se produire cette situation, j'avais tellement peur que cela lui arrive qu'effectivement si ça ne s'était pas passé avec ce pensionnaire, cela aurait pu se produire dans un autre endroit avec un autre homme.»

Moi:»Linda, imagine pour un instant que j'aurais très peur que ma fille meure. Crois-tu que mes pensées de peur pourraient faire mourir ma fille?»

Linda: «Je ne sais pas. Dans les cours que j'ai suivis, on m'a appris que les pensées que l'on entretenait finissent par se réaliser.»

Moi: «Nos pensées sont les semences que l'on dépose dans le jardin de notre vie. Chacun de nous possédons notre propre jardin. Nous pouvons toutefois accepter les semences (idées) ou les fruits (expériences) d'une autre personne tout comme nous pouvons leur offrir les nôtres, mais nous ne pouvons ensemencer le jardin d'une autre personne. Si ma fille meurt, c'est que dans son parcours elle avait à mourir, si je nourrissais de telles pensées de peur, cela ne pourrait la faire mourir. Sinon, n'importe qui pourrait faire mourir une autre personne par ses simples pensées...»

Pour la première fois, elle commençait à entrevoir, par le biais des leçons de vie, qu'elle n'était peut-être pas responsable de ce qui était survenu à sa fille. Le sentiment de culpabilité qui l'avait amenée à vivre ces dépressions perdait de son intensité.

Il lui restait à présent à aider la petite qui vivait en elle à se libérer de son sentiment de culpabilité en lui expliquant qu'elle n'avait rien fait pour provoquer cet inceste; cet événement était survenu pour lui apprendre à se faire respecter.

Tous les conflits que l'on peut vivre renferment une ou des leçons qu'il nous faut intégrer dans notre évolution

Si nous avons connu l'humiliation par la condition de pauvreté de notre famille, peut-être avions-nous à apprendre à ne pas nous dévaloriser.

Si nous avons vécu une situation d'injustice, peut-être avions-nous à apprendre à nous défendre pour faire éclater la vérité.

Si nous avons vécu un problème avec l'autorité, peut-être avions-nous à apprendre à ne pas nous soumettre ni nous rebeller, mais à faire face à cette autorité en maintenant notre dignité.

Si nous ne nous sommes pas sentis désirés ou aimés, peut-être avions-nous à apprendre à nous donner le droit d'être et de vivre.

Si nous avons souvent dû faire face à la solitude, peut-être devions-nous apprendre à aller vers les autres.

Si nous avons connu plusieurs situations difficiles, peut-être avions-nous à apprendre le courage.

Si nous avons été souvent placés dans des situations précaires financièrement, peut-être devions-nous développer notre confiance en la vie.

Si nous avons vécu une situation où nous avons perdu tous nos biens ou une grande partie de notre avoir, peut-être avions-nous à nous détacher du matériel.

Si nous nous sommes toujours senti inférieur aux personnes instruites, peut-être devions-nous apprendre à reconnaître notre propre valeur.

Si nous avons connu le rejet, peut-être avions-nous à apprendre à ne pas faire dépendre notre bonheur des autres.

Si nous avons grandi avec des parents très exigeants, peut-être avions-nous à apprendre à nous donner le droit à l'erreur.

Si nous avons grandi dans un milieu où il fallait continuellement travailler, peut-être avions-nous à apprendre à nous donner le droit d'avoir du plaisir.

Si nous avons été confrontés à de l'incompréhension, peut-être avions-nous à apprendre à nous donner le droit d'être différent et de vivre notre vie à notre manière.

Si nous avons souvent essuyé des refus, peut-être avions-nous à apprendre à persévérer.

Si nous avons grandi dans un milieu de critique et de jugement, peut-être avions-nous à apprendre à accepter les autres tels qu'ils sont plutôt que de vouloir les changer.

Si nous avons été choyés alors que l'un de nos proches était défavorisé ou maltraité, peut-être avions-nous à apprendre à ne pas nous sentir coupable d'avoir plus que les autres.

Si nous avons toujours eu moins que l'un de nos proches, peut-être avions-nous à apprendre à ne pas nourrir de l'envie ou de la jalousie.

Si nous avons grandi dans un milieu défaitiste ou pessimiste, peut-être avions-nous à apprendre à croire en la vie ou à trouver notre joie de vivre.

Leçons familiales

Si nous avons des leçons de vie à intégrer sur la voie de notre évolution, nous pouvons également avoir des leçons familiales et même collectives. C'est ce qui explique que dans une même famille, la grand-mère ait pu vivre une situation, que la fille va revivre ainsi que la petite-fille, etc.

L'une de mes participantes qui souffrait d'un problème cardiaque me dit un jour qu'il y avait une malédiction qui pesait sur sa famille. Cette malédiction faisait que chaque fois qu'ils étaient trois, l'un des trois devait mourir…

Elle me raconta que cela avait débuté avec son arrière-grand-mère qui devint enceinte alors qu'elle n'était pas mariée. Elle se maria avec le père de son enfant qui partit à la guerre et fut tué. Cette arrière-grand-mère donna naissance à un fils qui perdit sa femme après la naissance de leur fille. Cette fille qui était sa mère se maria alors qu'elle était enceinte. Le lendemain de ses noces, elle perdit son enfant. Lorsqu'elle fut enceinte d'elle, son mari partit.

Elle me dit: «Que crois-tu qu'il me soit arrivé?» Lorsqu'elle fut enceinte de son fils, son compagnon la quitta. C'est par la suite qu'elle présenta des problèmes cardiaques. Cet homme représentait son territoire, c'était l'homme avec lequel elle avait voulu fonder un foyer.

Était-ce une malédiction qui pesait sur cette famille ou y avait-il une leçon que chacun de ses membres aurait dû intégrer?

N'y aurait-il pas un mélange de deux leçons, soit celle d'apprendre à se détacher des êtres qu'on aime ainsi que celle de ne pas se sentir coupable de ce qui arrive aux autres?

Prenons l'arrière-grand-mère, aurait-elle pu se sentir coupable d'avoir causé du chagrin à sa famille par sa grossesse hors mariage, aurait-elle eu à se détacher de l'homme qu'elle aimait?

Le fils aurait-il eu à se détacher du père qu'il n'a jamais connu et de la femme qu'il aimait? Se serait-il cru responsable de la souffrance de sa mère?

La fille aurait-elle pu porter la culpabilité d'avoir fait mourir sa mère et eu à se détacher d'elle dès sa naissance et, plus tard, de l'enfant qu'elle perd et de son conjoint qui la quitte?

Ma participante aurait-elle pu croire que c'était à cause d'elle que son père était parti, tout en ayant à apprendre à se détacher de lui?

Et le fils de ma participante, pouvait-il croire que c'est à cause de lui que son père est parti tout en ayant à se détacher de son père, revivant ainsi le même scénario que sa mère?

Y a-t-il un moyen de faire cesser l'enchaînement de ces scénarios?

Oui, en en prenant conscience et en acceptant les leçons que l'on doit intégrer.

Si ma participante cesse de croire à une malédiction, reconnaît les leçons qu'elle doit intégrer, c'est-à-dire en cessant de se culpabiliser de ce qui est arrivé à ses parents et en acceptant qu'elle doit apprendre à se détacher de son père. Elle intègre ses leçons. En se libérant du sentiment de culpabilité, elle se libère également de sa manifestation qui était, dans son cas, la privation d'un compagnon.

Retenons donc que chacun de nous a des leçons à intégrer sur la voie de son évolution, qu'on s'attire très souvent des enfants qui ont la ou les mêmes leçons que nous à intégrer et qu'une même famille peut avoir des leçons similaires à intégrer.

Nous avons également des leçons collectives à intégrer, c'est ce qui explique que certains peuples peuvent connaître l'humiliation, l'injustice, la rébellion, la domination, la guerre, la famine, l'exploitation, etc.

Ce qui signifie que nous avons non seulement une responsabilité individuelle mais également collective par rapport aux situations que nous vivons.

Pourquoi devons-nous intégrer des leçons sur la voie de notre évolution? Quel en est le but?

Ces questions ne peuvent que nous renvoyer à la raison même de notre présence ici-bas. Qui ne s'est pas demandé un jour quel était le but de la vie? Pourquoi y a-t-il tant de souffrance en ce monde? Pourquoi certains semblent tout posséder alors que d'autres semblent n'avoir ni santé, ni richesse, ni même les moyens de s'en sortir?

Ne dit-on pas que la vie est une grande école? Pourquoi fréquentons-nous l'école dans notre système éducatif?

Mon second père m'avait dit un jour: «Tu vas à l'école pour apprendre comment apprendre» et il avait parfaitement raison.

Nous devons apprendre à apprendre par nous-mêmes pour arriver à réfléchir et à analyser l'information par nous-mêmes.

Au départ, nous sommes très encadrés mais au fur et à mesure que nous avançons dans nos études l'encadrement est de moins en moins présent. Ainsi, lorsque nous sommes rendus au doctorat, nous n'avons plus qu'un directeur de thèse qui ne fait que vérifier notre façon d'élaborer notre position théorique sur le sujet que nous souhaitons présenter dans le but d'obtenir notre grade universitaire.

Il en va de même à l'école de la vie: nous devons apprendre à apprendre pour parvenir à réfléchir sur notre condition humaine.

Les leçons à l'école de la vie ne sont pas des matières qui vont développer notre intellect, ce sont des expériences que nous allons vivre à répétition jusqu'à ce que nous puissions en tirer des enseignements.

Ce sont donc ces leçons que nous devons intégrer sur la voie de notre évolution qui vont nous attirer les circonstances qui nous aideront à les intégrer.

Ces circonstances vont nous faire vivre des sentiments et des émotions d'où nous allons tirer des équations qui seront enregistrées dans notre mémoire émotionnelle et, lorsque nous quitterons ce monde, dans la mémoire karmique.

Par la suite, chaque fois que nous rencontrerons une situation qui nous rappellera une circonstance déjà vécue, nous éprouverons le même sentiment qui donnera lieu aux mêmes émotions et aux mêmes réactions.

Ces répétitions auront comme effet de nous éveiller pour que l'on se pose des questions du genre: «Comment se fait-il que je me retrouve toujours à revivre la même situation d'échec? Comment se fait-il que je rencontre toujours des personnes qui me rejettent, qui m'abandonnent ou qui sont violentes? Comment se fait-il que je sois continuellement confronté à des situations que je considère injuste, à des situations de manque, à des situations qui me font souffrir?»

La répétition nous fait alors comprendre qu'il y a peut-être quelque chose dans notre inconscient qui nous crée ces situations déplaisantes. C'est alors qu'on peut être tenté d'en trouver la raison, comme cette jeune femme qui, après avoir essayé d'éliminer toutes les causes extérieures possibles à ses verrues plantaires, se mit à chercher la cause qui pouvait émaner d'elle. Elle scruta ses pensées, porta une attention particulière aux mots qu'elle utilisait, observa les situations qu'elle vivait.

C'est alors qu'elle prit conscience qu'elle disait très souvent: «Ça ne marche pas, rien ne marche, ça ne va pas marcher...» Elle voyait donc toujours des obstacles à son désir d'avancer. Ses verrues plantaires lui rappelaient ses obstacles. Elle changea alors sa façon de s'exprimer pour ne plus voir d'obstacles. Elle se mit à dire: «Ça avance, ça va marcher, etc.» Elle observa qu'après ce changement ses verrues plantaires disparurent.

Cette personne avait franchi une première étape sur la voie de l'éveil. Lors d'une prochaine affection, elle se rappellera que la cause peut émaner d'elle et qu'elle doit la rechercher.

Une fois que l'on a pris conscience que nos pensées, nos sentiments, nos paroles et les leçons que nous devons apprendre engendrent les situations que l'on vit, nous commençons à développer notre capacité d'analyser les différents événements qui jalonnent notre vie et nous pouvons apprendre à les transformer à notre avantage.

Nous souffrons encore, mais nous savons que nous avons quelque chose à apprendre de ce qui nous arrive, c'est la seconde étape de notre processus d'éveil.

Puis, un jour, après avoir intégré plusieurs leçons, nous découvrons que d'autres répètent à peu de chose près les mêmes leçons que nous avons apprises. Nous comprenons alors qu'ils sont ce que nous étions et que nous sommes ce qu'ils seront. C'est là que nous prenons conscience du jeu de la vie et de la raison de ces leçons. Et là, nous pouvons être pris d'un très gros fou rire comme sa Sainteté le Dalaï Lama.

«Prends ta mort au sérieux; toutefois, rire sur le chemin de ton exécution n'est pas compris en général par les formes de vie moins évoluées.» *Richard Bach*

Nous faisons alors la différence entre l'acteur, le personnage et les rôles qu'ils jouent.

L'excellent film *The Trueman Show*[3] avec Jim Carey illustre bien cette compréhension.

C'est l'histoire d'un homme d'une trentaine d'années qui prend soudain conscience qu'il évolue à travers des scénarios qui se répètent. Un bon matin, il réfléchit et se dit: «Si je dis bonjour à cette personne, elle va nécessairement me donner telle réplique. Ou si je fais telle manœuvre, l'autre va nécessairement intervenir de cette façon.»

Cet homme avait été filmé à son insu depuis sa naissance dans un but publicitaire. Or, le jour où il découvre qu'il fait partie d'un scénario, il voit tous ceux qui l'entourent comme des acteurs de ce scénario. Il choisit donc de quitter cette scène pour trouver autre chose. Pour lui, la seule façon de quitter cette scène est d'aller vers l'inconnu qui, dans le film, est représenté par une vaste étendue d'eau. Il prend donc une embarcation pour franchir les frontières du connu et c'est ainsi qu'il atteint les limites du studio dans lequel il évoluait depuis sa naissance et qu'il quitte la scène. C'est la fin de l'illusion pour lui.

Notre vie ressemble d'une certaine manière à celle de Trueman. Nous répétons les mêmes scénarios avec différents acteurs. Nous croyons être le personnage (notre personnalité – ego), c'est l'illusion, le sommeil, l'ignorance.

---

[3] Inspiré du livre «A Handmaids Tale» de Margret Atwould.

Tous les grands maîtres enseignent qu'il faut mourir pour renaître, mourir à soi-même pour renaître à la vie éternelle.

«Pour être libre au monde, il faut être mort au monde.» Nisargadatta Maharaj

«La seule mort réelle est celle du moi.» Ramana Maharshi

«Qui est mort sans avoir disparu atteint l'immortalité.» Tao Te King

Je me suis très souvent interrogée par rapport à cette mort à soi-même. Je croyais qu'il s'agissait de la destruction de l'ego. Je me demandais bien comment parvenir à détruire cet ego. Avec l'analogie de la scène, l'acteur, les personnages et les rôles qu'ils jouent, cela devient beaucoup plus facile à comprendre.

Qu'est l'acteur sans personnage? L'acteur n'est que l'énergie de vie, celui qui anime le ou les personnages. Il n'a pas d'existence propre à lui. La mort dont les maîtres nous parlent est la mort à l'identification à son personnage.

Lorsque l'acteur s'est reconnu, il continue à jouer avec les autres acteurs endormis, mais son jeu à lui consiste à tenter de les réveiller.

«Le secret du bonheur est d'être actif tout en sachant parfaitement qu'il ne s'agit que d'une comédie et que vous êtes tous des acteurs sur la scène immense de l'Univers.» Saï Baba

Bibliographie

ANCELET, Éric, *Pour en finir avec Pasteur*, Embourg, Coll. «Résurgence», 2001.

COUSINS, Norman, *La volonté de guérir*, Paris, Le Seuil, 1980.

DE BROUWER, Louis, *Vaccination: erreur médicale du siècle*, Montréal, Éditions Louise Courteau, 1997.

ENCYCLOPÉDIE MÉDICALE DE LA FAMILLE, Sélection du Reader's Digest, 1996.

FLÈCHE, Christian, *Décodage biologique des maladies*, Paris, Le Souffle d'Or, 2001.

FLÈCHE, Christian, *Mon corps pour me guérir*, Paris, Le Souffle d'Or, 2001.

GIVAUDAN, Anne, *Celui qui vient*, Paris, Éditions Amrita,1996.

GRIFFITHS, Mark, *Se guérir pour se libérer*, Paris, Éditions Vivez Soleil.

HAMER, Ryke Geerd, *Fondements d'une médecine nouvelle* (1e et 2e partie), ASAC (B.P. 134, F-73001 Chambéry Cedex), 1988.

HAMER, Ryke Geerd, et Christian FLÈCHE, *Le décodage biologique des maladies*, ASAC, 1992.

KOCH, William F., *Introduction à la thérapie radicale*, Journal of the American Association for Medico-Physical Research, 1961.

LALONDE, GRUNBERG, et collaborateurs, *Psychiatrie clinique, approche bio-psycho-sociale*, Montréal, Éditions Gaëtan Morin, 1988.

LANCTÔT, Guylaine, *La mafia médicale*, Montréal, Éditions Louise Courteau, 1994.

LEDOUX, Johanne, *Guérir sans guerre*, Montréal, J'ai lu, 2001.

LEMOINE, Patrick, *Le mystère du placebo*, Paris, Odile Jacob, 1996.

PAPADOPOULOS-ELÉOPULOS, E., V.F. TURNER, et J.M. PAPADIMITRIOU, «Is a positive Western Blot proof of HIV infection?», *Bio/Technology*, vol. 11, 1993.

RUBINSTEIN, Dr, *Psychosomatique du rire*, Paris, Robert Laffont, 1983.

SIRIM, *Alors survient la maladie*, Montréal, Éditions Empirika/Boréal Express, 1984.

SKRABANEK, Petr et James McCORMIC, *Idées folles, idées fausses en médecine*, Paris, Odile Jacob, 1997.

SWAMI, Muktananda, *Où allez-vous, un guide pour le voyage spirituel*, New York, SYDA Foundation, 1981.

TAL SCHALLER, Christian et KINOU, *Le rire, une merveilleuse thérapie*, Paris, Vivez Soleil, 2000.

TISSOT, Jules, *Constitution des organismes animaux et végétaux, causes des maladies qui les atteignent*, Paris, Naturazur (Le Roc Fleuri), 1946.

TOURNEBISE, Thierry, *L'écoute thérapeutique*, Paris, Éditions ESF, 2001.

VASEY, Christopher, *Le message du Dr Paul Carton*, Paris, Éditions 3 Fontaines, 1992.

WILLNER, Robert E., *L'escroquerie du sida*, Paris, Vivez Soleil, 1992.

WIRKUNG, Wechsel, *Fehldiagnose Aids*, décembre 1994.

YOUNG, J.E. et J.S. KLOSKO, *Je réinvente ma vie*, Montréal, Éditions de l'Homme, 1995.

ZARIFIAN, Édouard, *La force de guérir*, Paris, Odile Jacob, 2001.

ANNEXE

Par ses livres, ses conférences, ses émissions de télévision et grâce à l'Association des intervenants en Métamédecine qu'elle a créée, Claudia Rainville contribue à un plus grand éveil de conscience chez les personnes en quête d'un mieux-être.

De plus en plus sollicitée comme conférencière tant au Canada qu'en Europe, Claudia Rainville offre un volet formation pour ceux et celles qui désirent approfondir son approche en Métamédecine.

Si vous désirez rencontrer Claudia Rainville, faire une formation avec elle ou l'inviter pour une conférence ou un séminaire dans votre région, contactez :

Le Carrefour de Métamédecine©
Courriel : frj@metamedecine.com

Du même auteur:

Métamédecine, la guérison à votre porté

Ce livre est le fruit de dix-neuf années de recherches, confirmées par l'histoire de milliers de cas de personnes reçues en consultation. Véritable outil thérapeutique indispensable à tous médecins, infirmières ou intervenants dans le domaine du mieux-être, il sera également très précieux à la personne qui choisit la voie de l'autoguérison.

Si tu t'interroges sur la cause de tes maux de tête, migraines, maux de dos, cancer, sclérose en plaques et bien d'autres affections, ce livre t'apportera les réponses ainsi que les clés pour amorcer un véritable processus de guérison.

Métamédecine du couple, Réussir sa vie amoureuse

Lorsque l'on constate le faible pourcentage des couples heureux, le nombre grandissant des unions qui éclatent ou lorsqu'on a soi-même expérimenté plus d'une relation amoureuse décevante, on en arrive à se demander si la vie à deux est vraiment possible!

Métamédecine du couple, réussir sa vie amoureuse répond aux nombreuses questions que se posent bien des personnes, comme celle-ci: Pourquoi quand je les aime, eux, ils ne m'aiment pas? Pourquoi les femmes harcèlent les hommes et leur demandent sans cesse «Est-ce que tu m'aimes ?» Pourquoi les femmes veulent toujours changer les hommes? Ce livre vous montrera comment transformer votre relation de couple difficile en une belle camaraderie où l'amour pourra grandir et s'épanouir.

Guérir les blessures de son passé
Métamédecine des relations affectives

En avez-vous assez de souffrir, de répéter continuellement les mêmes scénarios de souffrances ? De vous sentir impuissant devant vos difficultés relationnelles ? D'être confronté à des luttes de pouvoir ou à la fermeture de celui que vous aimez ? Y a-t-il des solutions, une porte de sortie pour s'en émanciper ? Le bonheur est-il possible pour celui qui provient d'un milieu dysfonctionnel, qui a été carencé affectivement ou qui a été violenté ? Guérir les blessures de son passé propose au lecteur une démarche thérapeutique, lui permettant de reconnaître et de transformer ses scénarios de souffrances, de se libérer de la dépendance affective, des luttes de pouvoir et pour enfin connaître la sérénité d'une relation de couple paisible et harmonieuse.

Par les Éditions Quintessence.

Je me crée une vie formidable !

Avoir une vie formidable, accomplie à tous niveaux, n'est-ce pas ce à quoi nous aspirons tous ? Comment être soi et pleinement en accord avec soi-même, pour déployer tout son potentiel ? Comment changer notre vie, transformer nos scénarios de souffrance, maîtriser nos émotions ? Comment arriver à nous aimer sans condition pour mieux aimer les autres ? Comment utiliser notre pouvoir créateur ? Trouver réponse à ces questions et nous libérer de toutes les émotions nuisibles à notre équilibre, c'est découvrir ce pouvoir créateur, notre pouvoir de changer nos schémas négatifs ! De ce pouvoir fabuleux, Claudia Rainville nous livre les clés, nous conviant à une démarche en plusieurs étapes, exercices et bilans personnels qui nous conduisent à la découverte de nous-mêmes et de nos possibilités.

Par les Éditions Jouvence.

Rendez-vous dans les Himalayas Tome I Ma quête de vérité

Lorsque, le 27 juin 1988, Claudia Rainville quittait l'aéroport de Mirabel pour se rendre aux Jardins de Findhorn en Écosse, elle ne pensait pas que cette aventure la mènerait en Inde.

Pourtant, quelques semaines auparavant, un ami lui avait transmis une communication reçue par voie médiumnique. Ce message, lui étant destiné, annonçait son départ au-delà des mers, dans un premier endroit où lui serait révélé ce qu'elle devrait faire dans sa vie. Par la suite, elle serait guidée vers l'Inde pour y être initiée...

Les événements qui suivirent confirmèrent le message reçu. Toutefois on ne lui avait pas dit qu'à travers ce premier périple spirituel elle allait expérimenter l'abandon total, qu'elle se retrouverait sans argent, au bout du monde et qu'elle affronterait toutes sortes de situations angoissantes, mais qu'elle reviendrait affranchie de la peur.

Non, elle ne savait pas que, trois ans plus tard, un autre rendez-vous était déjà fixé pour elle, à Tushita, dans les montagnes de l'Himalaya et qu'à son retour elle retransmettrait, avec ses mots, à sa manière, le nectar de la connaissance à ceux et celles qui ont soif de vérité.

Rendez-vous dans les Himalayas Tome II Les enseignements

«La Vérité n'est pas cachée, ce sont nos voiles qu'il faut retirer...» Ainsi pourrions-nous résumer le message de Claudia Rainville au terme de ce "rendez-vous" qu'elle nous propose avec les enseignements des grands maîtres hindous, bouddhistes, soufis et chrétiens.

Grâce à son remarquable don de vulgarisation, l'auteur répond dans un langage simple et clair à des questions fondamentales telles que: Qu'est-ce que Dieu? Qu'est-ce que l'âme? Que penser de la réincarnation? Du karma (loi de cause à effet)? Quelle est notre véritable nature? Par quels moyens pouvons-nous atteindre la maturité spirituelle? Peut-on évoluer dans la joie, le bonheur et l'abondance ou devons-nous souffrir pour renaître à notre réalité divine?

Loin de nous écarter de l'enseignement religieux reçu, ce livre nous rapproche du message de Jésus le Christ, ce grand Porteur de Lumière qui incarna l'Amour et qui montra la voie conduisant à la vie éternelle promise à ceux qui découvrent en eux le Royaume des cieux.

Livres italiens

Metamedicina Ogni sintomo è un messaggio La guarigione a portata di mano

La traduction italienne du livre
Métamédecine, la guérison à votre portée
par les Éditions Amrita en Italie.

Metamedicina delle relazioni affettive Guarire le Ferite del Passato

La traduction italienne du livre
Métamédecine des relations affectives
par les Éditions Amrita en Italie.

Livre allemand

Metamedizin Jedes Sympton ist eine Botschaft Heilung (be) greifbar

La traduction allemande du livre
Métamédecine, la guérison à votre portée
Par les Éditions Amrita en Italie.

transcontinental
IMPRESSION
IMPRIMERIE GAGNÉ
IMPRIMÉ AU CANADA